AVERTISSEMENT

Du 16 au 26 août 1980, s'est tenu, au *Centre Culturel International de Cerisy-la-Salle,* un colloque intitulé *Bousquet, Jouve, Reverdy,* sous la direction de Charles Bachat, Daniel Leuwers, Etienne-Alain Hubert. C'est l'ensemble des communications que propose le présent ouvrage.

⁂

Pour tous renseignements sur les *Colloques de Cerisy,* ainsi que pour toute participation éventuelle, écrire au C.C.I.C., 27, rue de Boulainvilliers, F - 75016 Paris.

AVANT-PROPOS

Cerisy-la-Salle inaugurait, en septembre 1979, les premières Rencontres de Poésie, autour d'Eugène Guillevic, de Jean Tortel et de Georges-Emmanuel Clancier. Les riches interventions de Gil Jouanard, de Jacques Roubaud et de bien d'autres, animèrent les séances. En voisin fidèle du château, j'avais appris, quelques mois auparavant, l'éventualité prochaine de cette formule et je m'en réjouissais. Avec le brin d'appréhension que l'on devine, s'il est question d'enclore la poésie. Mais Cerisy n'est pas un lieu de rencontre comme les autres. L'artifice culturel ne mine pas la confrontation fructueuse. Un soupçon de désinvolture ne nuit pas à la vigilance. Certes, le commentaire et la discussion y règnent. Et je conviens qu'ils n'ajoutent rien ni aux œuvres fortes ni aux pensées. En revanche, dans la mesure où les débats sont ancrés dans la modernité, ils soumettent œuvres et pensées au tamis des préoccupations en usage et, du même coup, les délivrent des scories de l'actualité. Il est bon que le discours critique ait une réalité et se casse les dents. Son échec rehausse l'éclat du produit d'origine. Quand il devient superflu, l'œuvre est lavée, rendue à sa blancheur. Elle retrouve, plus que jamais, son caractère intempestif. Cerisy agit comme un purgatif.

Mais, en cours d'exercices, Cerisy tient souvent un rôle créatif. L'exégèse fait alors place à d'authentiques chemins, à des éclaircies de la parole. C'est à Cerisy que Martin Heidegger a prononcé la conférence intitulée : Was ist das die Philosophie ?... en août 1955. Parfois, la seule présence d'un artiste dégourdit l'horizon idéologique. La silhouette ambiguë de Jean Follain, à deux pas de sa maison natale, était un poème vivant. La contribution de Francis Ponge à sa propre décade soulignait le rapport à l'accusatif de ses travaux, et, dans la balance, jouait le contrepoids de la métamorphose.

Figures sans risques, peut-être ? Je m'en suis ouvert à Edith Heurgon. Mais avouons, dans la perspective peinte plus haut, qu'il est délicat de débarbouiller des auteurs encore trop peu crottés par la vie publique. Ce qui ne les empêche pas de montrer le bout du nez, dans un coin de la bibliothèque, ou dans le soleil qui éclabousse le perron, attentifs à leur réserve même, à la mauvaise impression qu'ils procurent, comme s'en souvient Ionesco, à leurs maladresses et a l'air nouveau qu'ils promettent. Et quand bien même tout serait vain, surtout la littérature et ses explications, il demeure que Cerisy exige un dépassement incessant de l'époque — oserais-je dire une transgression ? — qui ne cherche à percer aucun mystère, à ne formuler aucune justfication, mais qui mesure, en quelque sorte, l'insondable, et combien les limites humaines restent étroites. Avec, pour corollaires, les excès, les failles, les tâtonnements. C'est presque un acte à vocation physique, une joute, une approche nécessaire pour estimer ses distances et apprendre à s'accorder, comme on le dit d'une note de musique.

C'est dans cette disposition d'esprit que j'ai participé aux deuxièmes Rencontres d Poésie, consacrées à Joë Bousquet, à Pierre Jean Jouve et à Pierre Rever-

dy, trois poètes qui ont en commun, entre confession et conversion poétiques, la félicité souterraine, alliée à un profond déracinement natif. J'ai opté pour Bousquet afin de donner à l'épigraphe de la revue SUD à ses débuts, son ampleur, et toute la saveur de son désir : « Révolte de l'homme du midi qui veut être la chair de son chant. » Et j'avais déjà en tête l'idée de faire paraître par SUD les textes sur Bousquet. Je pensais qu'un fronton s'en honorerait, en regrettant l'absence volontaire de René Nelli à ces travaux. Il reste pour moi le meilleur interprète de l'œuvre et de la vie de Joë Bousquet. Néanmoins, multiples sont les voies d'accès.

Bien sûr, il paraissait dommage que l'unité du colloque fût brisée. Je n'étais pas le seul à en éprouver le sentiment. Dès lors, se manifesta une volonté commune en vue de la publication intégrale des Actes. Ainsi, la revue SUD peut-elle présenter, ici, l'ensemble des communications de cette deuxième décade résolument orientée vers la poésie, qui s'est déroulée du 16 août au 26 août 1980. Les échanges, vifs ou chaleureux, les illustrations qui prolongèrent les exposés, feront défaut. Il n' a pas été possible de les reproduire. Chaque point de vue, chaque conviction, les impressions les plus déroutantes laisseront donc au lecteur le soin d'un entretien secret, avec ses réticences, ses approbations et sa clairvoyance.

Hughes LABRUSSE.

Joë BOUSQUET

CHARLES BACHAT

LA CREATION POETIQUE DANS LA « CONNAISSANCE DU SOIR » DE JOE BOUSQUET

Décidément le mythe Bousquet nous gêne ; il résiste à toute tentative d'enveloppement, de dilution ou d'explication. Faudrait-il emprunter les détours de la fable, qui dans tel dialogue platonicien pousse la vérité et l'insinue dans le sens détourné de l'apologue, pour appréhender chez Bousquet, le phénomène de sa poésie ? Nous ayant donné un héritage de sa propre personne l'image sans doute la plus caractéristique du poète, « meneur de lune » tout entier tourné vers sa vision intérieure, incarnant la lumière des objets et du monde dans la prison-paradis de sa « chambre noire », il nous oblige sans qu'il le veuille à trop croire au miracle. Il y a la poésie vécue — et chez Bousquet ne se manifeste-t-elle pas dans tout ce qui l'entoure chez tous ceux qui l'approchent — qui ne doit pas faire oublier le poème : « une aventure du langage avant d'être l'aventure du poète » (P.N., 50). Mais le poème ne vivrait pas sans une qualité de poésie investie dans les jours et inversement la poésie ne serait que feu de bengale, crépitement volatilisé sans son inscription dans « l'hiéroglyphe » du poème. Il n'y aura pas création poétique sans conscience poétique. D'où la réticence chez Joë Bousquet à voir la poésie s'incarcérer dans la tour d'ivoire du rituel poétique, perdu dans les rouages bien huilés de l'efficace appareil du nombre, du rythme et des symétries. Aussi se refuse-t-il à embaumer la beauté dans le musée des strophes et des recueils :

« La poésie n'est pas l'attribut du poème, elle est l'horizon dans l'âme de ce qu'on ne voyait aspirer qu'à la mort — on n'a pas à cristalliser la beauté dans le *vase clos* d'une œuvre, nous portons en nous la poésie de tout ce qui est manifesté » (M.L., 23). Voilà les théoriciens trop empressés de l'empaquetage, avertis : celui en qui la poésie naissait de sa chair meurtrie, ne pouvait accepter qu'on la mît en cage ou en résidence surveillée. La poésie concerne aussi, comme il l'écrivait à propos de son maître François Paul Alibert « l'intelligence du destin » : « Je veux que mon langage devienne tout l'être de ce qui n'avait droit qu'au silence » révèle-t-il dans *Mystique* (M., 63). La poésie à ses yeux n'est pas une mais multiple et chez cet héritier des rêveurs de la totalité que furent les romantiques allemands, comment ne pas voir qu'elle tente de réunifier dans sa magie opératoire les lambeaux de l'encyclopédie de l'univers ?

Le rapide exposé de tous les itinéraires que prenait selon lui la poésie indique assez les directions que nous voudrions suivre dans l'espoir d'approcher les chemins de la création poétique dans *La Connaissance du Soir*. « Le poète est celui qui fait la clarté dans la pensée avec le langage des sens » (M., 106).

Avant d'étudier comment la pensée, condensée dans les figures symboliques, prend forme et se traduit dans une mystique toute singulière, il nous faudra bien malgré tout, analyser le travail du langage poétique en gésine, sa coalescence et son irisation à travers « l'étoffe voluptueuse » de quelques poèmes tels « Mon frère l'ombre » (« l'ombre-sœur »), l'« Aubaine des jours » et « Vieille histoire ».

A cette occasion on abordera toutes les questions

soulevées par la poétique bousquetienne : la tension entre la mémoire et l'invention, la dialectique entre l'obscurité et la clarté qui fonctionne comme révélateur d'ombre et de lumière, l'équilibre recherché à travers le rêve en liberté du surréalisme et le classicisme d'une forme capable d'en suspendre la gratuité. Il nous semblerait vain de nous demander si Bousquet est parvenu à concilier dans son œuvre poétique les tendances contraires de son tempérament d'homme et de poète. Nous préfèrerons de beaucoup entrevoir grâce à ces obstacles parfois surmontés, les limites de sa propre création, voir achopper son rêve de créateur contre le mur de l'impossible perfection, en quête de ce « langage entier », de cette « poésie absolue » à laquelle aspirait aussi Novalis.

I. — *Un art du vitrail.*

a) *La naissance d'un poète :*

On ne naît pas poète, on le devient. Que le grand séisme de la Blessure ait ébranlé la sensibilité de Bousquet, qu'elle ait agi comme un puissant révélateur d'un potentiel latent en le contraignant à se vouloir le poète de sa blessure, qui pourrait le nier ? Elle n'a fait pourtant que cristalliser des tendances déjà existantes, qu'augmenter les fortes exigences d'un tempérament poétique inné. Le *Livre heureux* nous révèle que le jeune adolescent rêveur se cachait dans les greniers, échappant parfois aux repas familiaux pour flirter avec sa « muse d'orgue de barbarie » (*Lettres à Marthe,* 129).

Les Lettres à Marthe nous renseignent utilement sur ses influences formatrices. La poésie romantique anglaise, celle de Shelley surtout, a fortement imprégné les goûts de ses seize ans. Le poète débutant de

1921 qui connaît presque par cœur Baudelaire et Verlaine accueille tout sans discernement et montre « un étrange cœur ouvert à tant d'influences qu'il est en (s)on pouvoir de combler en (s)'inspirant de vers grecs et d'odes latines » (1). Il lit Horace et Properce, s'entraînant à déchiffrer le rythme de la période latine avec la même ardeur qu'il écoutait lors de son séjour à Southampton la « voix pleine de flexion (...) savoureuse comme celle qu'on entend dans les rêves des Noël anglais », dont le souvenir retentira dans le *Rendez-vous d'un soir d'hiver*.

Dans les années 1921-25, en même temps qu'il se consacre à son roman gothique *Azolaïs de Mandirac*. Bousquet écrit des « fagots d'alexandrins » (L à M) qui ne satisfont guère ses ambitions. Il n'est pas peu sévère pour les « envolées de lyrisme asthmatique » de cette époque. Les titres mêmes de ses poèmes « La doulur », « Arbre mort », « Attachement au sol natal », « Brises frôleuses », ode composée en l'honneur du « Soldat inconnu », sonnets du « Patrimoine », ne brillent pas par leur originalité ; quant aux thèmes traités, Jérôme Fonsagrine s'enlise dans les conventions néo-romantiques ou embouche les trompettes des plus pâles concerts patriotiques.

De ces essais malheureux se dégage parfois une certain eémotion née de l'évocation de l'enfance remémorée comme dans « La Palme » :

« *Doux comme un songe bleu de mon enfance heureuse*
Le village tout blanc brille dans ma mémoire
et ses toits de corail et ses maisons d'ivoire. »

Il serait exagéré de penser que ses « printemps » poétiques ne lui ont pas été profitable. On retiendra une veine satirico-comique dans la plus pure lignée de Jules Laforgue, le passage obligé par le moule néosymboliste d'Henri de Régnier et de Pierre Loüys. Mais au-delà de ces imitations, Bousquet s'empare de son vocabulaire, devient un technicien assuré du vers et surtout acquiert patiemment une tonalité, celle de la chanson alerte ou feutrée. Pour tout dire, Bousquet se fait « oreille », découvre sa propre voix, « ébloui de connaître qu'elle rêve avec sa rumeur » (2).

Sans doute déçu par ces tentatives infructueuse, Bousquet, délaissant pour un temps la « poésie-langage » préfèrera en *1929* s'adonner pleinement à la « poésie-fiction », mieux à même de laisser libre cours à la « romance », à la « cantilène » plus adaptée aux singularités de son dire. Le lyrisme de « *Il ne fait pas assez* noir laisse apercevoir en effet le souci du nombre et de la mélodie. Jean Cassou remarquait fort justement que son récit à la dérive s'accommodait fort bien des laisses poétiques qui, selon lui, faisaient de ce roman des « Nourritures terrestres » écrites par un emmuré » (3).

b) *Genèse de La Connaissance du Soir :*

Le titre de *La Connaissance du Soir,* emprunté à Saint Bonaventure, fait état de ses préoccupations mystiques, à un moment où, préparant son « traité » des *Capitales,* il s'intéressait à la théologie d'Augustin et aux spéculations sur le Langage. Il se passionnait au même moment pour les rapports entre la pensée et la rhétorique, leurs intimes corrélations réciproques dont il trouvait l'expression la plus forte dans *Les Fleurs de Tarbes* de son ami Jean Paulhan. Aussi expliquait-il à Louis Emié que « La Connaissance du Soir » (cognitio vespertina) répondait à la connaissance du midi (Dieu dans sa gloire) et à la « cognitio matutina » ; « pensée de Dieu » (4). Il n'est certes pas étonnant de voir Bousquet rapprocher ainsi deux activités de l'esprit que Claude Estève avait remarquablement situées dans leur domaine respectif dans « L'Expérience et la poésie mystique » (5) où il montrait en 1931 combien le symbole poétique est à la fois apte et inadéquat à traduire les indicibles noces spirituelles de l'union en Dieu chez Ignace de Loyola, Sainte Thérèse d'Avila et Saint Jean de la Croix.

Ce recueil tardif, publié par Gallimard en 1947 se compose en fait de l'assemblage de deux ensembles : le premier : *Les petits papiers de Monsieur Sureau* paru en janvier 1935 sous la forme d'une plaquette dans la série des « Cahiers des poètes » aux éditions Debresse, repris sous le titre : « L'Epi de lavande » dans l'édition définitive. Il s'agit, pour l'essentiel de poèmes en prose. Le second ensemble, publié en édition de luxe, en axril 1945, aux éditions du Raisin, se divisait déjà selon le diptyque : « Pensefables et Dansemuses » et « La Connaissance du Soir », composé de poèmes à forme fixe, ballades, romances folkloriques allant de l'alexandrin aux mètres beaucoup plus courts.

Une telle architecture ne restitue pas tout à fait les sédimentations successives de la genèse du recueil. Cinq années à peine séparent les poèmes en prose de « L'Epi de lavande », de la poésie rimée des deux autres sections. On serait tenté d'expliquer cette séparation formelle par l'opposition entre les années 1930-34 marquées par le souci de suivre l'esthétique surréaliste ou la démarche d'Eluard, et la période « gouvernée » des années 39-45 où l'influence de Paulhan se fait fortement sentir. Pareille hypothèse paraît plausible et répond assez bien aux deux tentations tour à tour partagées. Encore faudrait-il nuancer l'hypothèse, car une lettre à Hans Bellmer du 12 septembre 1945 fait part du désir de Bousquet « d'explorer ses moyens de poète en prose », période où fut rédigée « La Pupille » (6).

Si l'on examine d'un peu près les étapes de la rédaction des poèmes constituant « Pensefables et Dansemuses » et « La Connaissance du Soir », on remarque en premier lieu que leur démarcation ne recoupe pas un changement esthétique. Un poème comme « Vieille histoire », nettement influencé par la chanson folklorique occitane voisine dans le recueil avec « Mon frère l'ombre » nettement plus « métaphysique » mais néanmoins sacrifiant comme le précédent à décor tout aussi *folklorique.*

En second lieu, les dates d'achèvement des poèmes notées dans le manuscrit nous apprennent que leur création s'étend presque sans interruption d'août 1939 à septembre 1944, avec trois grandes périodes de production allant, la première d'août 1939 à novembre 1940, la seconde de novembre 1940 à novembre 1941, la troisième de janvier 1942 à septembre 1944. On notera que Bousquet travaille souvent selon des intervalles temporels très rapprochés, rédigeant par exemple « Le bossu qui s'étiole » le 8 mars 1944 et « Poème du soir » seulement trois jours après. Les années 1942 et 43, n'apparaissent pas, Bousquet consacrant son temps à *Manon se marie, preuve* qu'il lui est possible de mener concurremment plusieurs travaux de natures très différentes — ce dont témoigne au reste les nombreux journaliers. Enfin la création poétique s'accompagne toujours chez Bousquet d'une méditation parallèle sur la poésie ou sur les moyens poétiques particuliers, comme si son parcours créateur se renforçait en interrogeant sa scansion et les aléas de son cheminement.

2) *Mémoire et invention.*

A) *Le vocabulaire :*

« Les poèmes ne commencent qu'au terme d'une longue méditation sur les mots », nous confie Bousquet au terme d'un article sur *La grande beuverie de Daumal* (7). Pareille remarque révèle assez le soin avec lequel le poète trie ses mots, les pèse et les soupèse au trébuchet du poème en cours de surfusion, car il sait pertinemment qu'il y a des « mots d'oxygène » qui aident à l'alchimie du langage poétique, et des « mots d'azote » qui y sont néfastes (M., 32). L'expérience lui montre que les mots à l'égal des vins possèdent leurs « divers degrés de maturité » de même que leurs « zones de vieillissement »

On ne peut impunément accoler les « mots qui brûlent la langue » à ceux qui la « délient ». On se rappelle l'angoisse de Reverdy pestant « contre les mots que les autres lui ont pris ». Bousquet semble poursuivre une recherche semblable ; « rebâtir la façade des mots », soulever leur « sens second » (P.N., 52) n'est guère tâche facile car il faut à la fois éviter le mot rouillé par l'usage, qui perd toute couleur et devient monosignifiant mais aussi le mot du « langage quintessencié » de la poésie impropre à signifier en dehors de la poésie où il s'est élaboré (P.N., 50). Plus difficile encore sera de refuser « ceux qui ont trop souvent traduit l'émotion » *(Transition,* 146). Nelli a signalé justement que les mots de la poésie bousquetienne n'étaient pas des mots « musique », mais qu'il les empruntait au langage quotidien (8). Le poète attend d'eux une singulière métamorphose en passant du langage quotidien au « texte surraisonné ». « Il a pris du poids et surtout de la chaleur, s'est rematérialisé, on le dirait polarisé et doué jusque dans so forme, des vertus attractives de la chair », écrit-il dans *Langage entier* (p. 89).

Comment une telle transfiguration serait-elle possible si le poète ne jouait précisément sur la « capacité surréaliste » des vocables *(Tristan l'Hermite,* 575). Certes, nous verrons comment les mots reçoivent cette vertu singulière dans le quadrille des images. Mais Bousquet sait utiliser à dessein la position stratégique qu'ils occupent dans le poème. Ainsi dans le magnifique sonnet : « L'aubaine des jours » où le terme « rose », mannaquerin symbolique et physique s'affiche toujours à la rime aux vers 1 et 8 (au premier vers du premier quatrain et au dernier du second) et se retrouve formant la métaphore de la « rose des nuits » au vers 12 (premier vers du second tercet). Un examen plus approfondi montrerait combien le poète est soucieux de l'équilibre statistique des mots dans l'équation équilibrée que constitue son sonnet. L'on compte huit substantifs dans les trois premières strophes et six dans le second quatrain. De la même manière, Bousquet si sensible au double sexe de la poésie qui lui aparaît comme un « art mâle et un art femelle », distribue proportionnellement les genres de ses mots à mesure que s'opère l'identification progressive à la fin du poème, grâce à la « sœur de cendre », à l'être androgynal. De cinq substantifs masculins contre trois féminins dans les premiers quatrains nous passons à l'égalité masculin/féminin dans le premier tercet pour atteindre le nombre de quatre contre deux dans le second tercet. Un tel équilibre se retrouve dans la position alternée des termes de genre différent dans la géométrie du sonnet : le premier quatrain trace de la sorte un chiasme positionnel (rosier-*rose* - *nuit-ombre* / *parterre-lumière-essaim*-jours).

Comme on le constate, Bousquet tire la force de « l'arrangement admirable des mots » par « la façon d'avoir remis les mots en circulation et non par une aptitude à les recevoir » *(Daumal)*. La rose de « l'aubaine des jours » demeure-t-elle encore pour le lecteur la rose que l'on cultive, celle que l'on offre ou même la fleur-symbole de la poésie amoureuse depuis les romans médiévaux de Guillaume de Lauris, ne devient-elle pas, plus encore que « l'absente de tous bouquets », le signe essentiel d'un itinéraire spirituel ? Ne semble-t-il pas que « tous les mots viennent de naître » (10).

Que ce soit par le choix ou la combinaison des mots, de ses mots privilégiés, ou par le gauchissement de la charpente syntaxique, Bousquet s'est rendu compt equ'afin de couper court à l'ossification du langage, il lui fallait « faire violence à l'invention » (L.E., 38).

B) *Syntaxe et rhétorique :*

Joë Bousquet se sert de la syntaxe de deux manières différentes : ou pour mieux assurer son « élan verbal » — Nelli remarquait qu'elle lui servait en quelque sorte de « béquille » — ou en la déconstruisant — pour instaurer de nouveaux rapports entre les éléments de son langage poétique. Une « figure de grammaire » (9) peut, selon Jakobson, supplanter avantageusement images et tropes. C'est ainsi que dans « Mon frère l'ombre » d'un système de balancier basé à chaque quatrain sur l'itération d'une subordonnée relative et d'une proposition principale ou de la figure inverse : principale et subordonnée sert de cadence rythmique à l'ensemble du poème. Deux stropres échappent à ce parallélisme (les strophes 4 et 7) en perturbant la norme établie, mais apportent un phénomène grammatical antithétique : la première ne possède aucune subordonnée relative, la dernière en comporte deux.

D'autres « figures de grammaire » jouent d'un savant dosage de symétrie structurale dans la texture syntaxique de « L'aubaine des jours ». Notons que des propositions circonstancielles : « où s'ouvre une rose » et « où vibrait l'essaim... » se trouvent placées à des endroits-clés du sonnet, vers 1, 4, 8, de même qu'elles sont situées en début ou en fin de vers. La même remarque pourrait être faite pour les compléments attributifs (à tant de choses, aux vœux envolés, aux morts que je suis) qui donnent au sonnet une atmosphère de sourde et monotone litanie.

La rhétorique assume un rôle à peu près semblable lorsqu'elle sert « d'appui à un art déjà constitué » (10). L'on sait combien Bousquet savourait les littératures orales de tous les pays mais plus particulièrement du pays d'Oc. Leur lecture le mettait en état de réceptivité émotionnelle, et leurs thèmes proposaient des exemples à ses contes, une incantation à ses vers. Dans « Vieille histoire » (C.S., 82) et « Chantelaine » (C.S., 102) nous le voyons exploiter au mieux ce que Jakobson nomme « l'écriture transpersonnelle » (11) de la chanson populaire — ce qui permet de transplanter, après un changement qualitatif un ou plusieurs motifs ornementaux du folklore occitan dans son langage poétique individuel. Voici une randonnée gasconne recueillie par Bladé dans ses « *Contes populaires de Gascogne* » (12) :

> « *Madame demande du lait*
> *Je vais trouver la vache*
> *La vache me dit :*
> *Je te donnerai du lait. Donne-moi du foin.*
> *Je vais trouver le pré*
> . . . .
>
> J'enlaite *Madame* »

Comparons notre randonnée garçonne à quelques strophes de « Vieille histoire » :

> « *Dis-moi ma commère*
> *Qu'as-tu fait du drap*
> *Qui connaît la terre*
> *Des champs que voilà*

— Pendant la prière
Un rat l'a rongé
. . . .
Qu'as-tu fait du rat
— Le curé dira
Qu'à son nez compère
Le chat l'a croqué. »

Bousquet exploite à merveille la logique du récit emboîté et à tiroirs de la randonnée gasconne qui comporte une séquence fixe réitérée : « Je vais trouver la vache/Je vais trouver le pré » où seuls changent et permuttent l'auxiliaire de l'agent que ce dernier soit un animal ou un objet inanimé. Le conte se déroule selon le schéma d'une énumération inversée et retournée, construit à partir du jeu cocasse des calembours remontant jusqu'au premier sujet de la chaîne : « J'enlaite Madame ».

Toutefois le poète préfère agencer la structure itérative question/réponse qu'il emprunte à la devinette populaire traditionnelle dans une disposition narrative et métrique plus savamment orchestrtée. L'élément-question est formulé par un quatrain aux rimes croisées, l'élément-réponse par un distique dont la rime du premier vers reprend l'une des deux rimes du quatrain ce qui permet un jeu de reprises phoniques qui appuie l'enchaînement des prédicats des verbes et compléments que restitue Bousquet (drap, rat, chat, oiselets, mer, correspondent en effet à commère, curé, sorcière).

De même le jeu phonématique des calembours est réintroduit de la randonnée au poème par un jeu du son et du sens qui sert, à intervalles réguliers, de refrain :

« *Monte que tu mentes* » au vers 20
« *Vente qui t'éventes* » au vers 27

Cependant le folklore populaire remanié induit le « folklore personnel » du poète qui s'introduit à la fin du poème sous la forme des figures symboliques de la *mort par amour* et de *l'androgyne* :

« *Et le chant qui clame*
A voix de malheur
Que le jour est femme
Et que l'homme en meurt. »

« Chantelaine » (l'on songe aux chansons de toile médiévales) permettra de mieux saisir le phénomène d'adaptation, de transplantation et de manipulation du « schéma rythmique » que constitue le « style oral » de la chanson occitane.

Voici le premier couplet d'une chanson en cascade énumérative fort connue en Languedoc :

« *Ai rencontrat ma mio*
Dilus
Que s'en anabo vendre
De lum
Lum, lum, fon dous » (13)

J'ai rencontré ma mie
Lundi
Qui s'en allait vendre
Du jour
Jour et jour font deux.

Voilà maintenant « Chantelaine » le poème qui en est inspiré (C.S., 102) ; nous ne citons que la première strophe suivie du « refrain » :

« *Dansant sur l'herbe tendre*
J'ai trouvé mon amie
Menant son chien Lundi
Qu'ailleurs il allait vendre
et reviendrait m'attendre

avant la fin des jours
j'ai pris ces chrysanthèmes
et je les couds moi-même
sur la robe qu'il aime
pour ressembler au jour

Va jour et jour font deux
souris au plus heureux
qui te fait si jolie
avant qu'il ne t'oublie
pour fleurir dans tes yeux. »

Le schéma rythmique de la chanson énumérative trouve son point d'orgue dans la disposition strophique dizain suivi d'un quintil, la clausule de « Chantelaine » s'achevant sur l'inattendu d'un sizain. Le refrain est davantage intégré à la structure mélodique du poème et, si le poète reste fidèle au procédé conventionnel qui sert d'élan : « Dansant sur l'herbe tendre/J'ai trouvé mon ami/menant son chien Lundi/Qu'ailleurs il allait vendre », le *paysage folklorique* répond mieux ici à la mythologie de Joë Bousquet :

« *J'ai voulu pour mari*
l'amour qui fut mon maître »

aux vers 1 et 2 du premier refrain.

.. ..

Souris au plus heureux
qui pleure aussi de naître »

aux vers 2 et 3 du dernier refrain.

La métaphysique bousquetienne, semblable à celle qui apparaît dans « Le Déshérité » s'insinue dans la trame de la narration et transforme la « légèreté » originelle de la chanson.

On voit comment le « style oral » venu de l'héritage folklorique se marie à la parabole et à l'atmosphère de *pensefable* qui représente pour Bousquet « le monde où l'on ne retrouve pas ce que l'on avait enfermé » (M., 237).

Ce travail que pratique l'amateur des contes de Bladé sur le langage stéréotypé pour redorer le blason des mécanismes artificiels et des thèmes conventionnels s'apparent assez à la richesse inouïe du « lieu commun » dont il entend tirer parti dans ses fictions ou ses contes. Le lieu commun tout comme le proverbe ou les vers « reçus » de la chanson populaire, acquiert dans la poétique bousquetienne une place de choix. C'est que le lieu comun « se présente comme un raccourci de l'art et de même que lui porte et émane de la pensée » (14).

La création poétique — Bousquet la compare lors d'un débat épistolaire avec Aragon dans la revue *Poésie 41* (15) au patient travail du vitrier qui en « obscurcissant les verres» forme un « tableau de lumière qui est dans le regard ». C'est-à-dire que chaque fragment de l'élaboration poétique ne rayonne que dans l'ensemble du poème qui unifie les aspérités et les morceaux du puzzle. Par le choix d'images sobres mais irradiantes, la germination des sons à la conquête du sens, une forme qui contraint l'inspiration tout en la déployant, le poète-vitrier coordonne toutes ses forces en direction du « Langage entier ».

II. — *A la recherche du « Langage entier ».*

1) Les images et le principe d'équivalence :

On ne peut manquer d'être étonné par l'extrême parcimonie des métaphores chez Joë Bousquet qui néglige tout autant l'image-ornement de la poésie néosymboliste que le « stupéfiant -image » du langage surréaliste. L'image refuse le tape à l'œil, s'enclôt et s'harmonise à la structure syntaxique et à la « charpente phonique » — en s'intégrant à la totalité du poème-vitrail. L'image qui participe comme ingrédient majeur mais discret à ce tout indivisible qu'est la poésie ne fait qu'obéir à l'un des principes esthétiques sur lequel il se montre on ne peut plus intransigeant : « Je ne puis souffrir que la poésie paraisse faite avec des morceaux de poèmes. La poésie est indivisible, se reflète dans le poème et ne doit pas laisser de trace dans les mots revenus du poème » (P.N., 51).

Aussi l'image insérée dans l'arc déployé de la structure phrastique est comme tendue par l'écart des éléments rapprochés :

« *Une* fougère *est un* baiser
qui a perdu son nom de fleur. »

Dans ce distique de « Songe » (C.S., 40), l'image repose sur une sorte d'identification explicative qui, au lieu d'assurer la jointure du comparant et du comparé, laisse malicieusement l'esprit revenir à l'état antérieur de la figure (qui a perdu son nom de fleur). La plupart du temps c'est le principe de d'équivalence qui régit l'équation métaphorique comme dans ces deux exemples de « Dansemuse » (C.S., 43) à la ccinquième strophe :

« *Comme un astre dans ses branches* . .
Sa candeur étreint les soirs
Dont elle est la rose blanche. »

Ici la métaphore construite autour du verbe être, comme souvent, se subordonne aux autres éléments de comparaison « Comme un astre dans ses branches/ Sa *candeur* étreint les soirs » où un terme abstrait : *candeur* se trouve revitalisé par l'entourage des termes concrets : *astre* et *rose blanche*. Nous avons là une image tripolaire fortement « assise ». Jamais dans le langage poétique de Bousquet, l'image ne demeure flottante dans l'indéterminé ou, s'isolant du texte, ne brille pour elle seule de tous ses feux. Elle diffuse au contraire son incandescence dans l'ensemble du texte poétique. Parfois ce n'est que subrepticement qu'elle apporte à un quatrain trop « abstraitement » formulé, l'ouverture imaginaire qui lui faisait défaut comme dans « Chanson de route » (C.S., 41).

> « *Tout ce qu'on laisse en chemin*
> *Se souvient* avec ses ailes
> *Qu'à l'amour sans lendemain*
> *Le cours de l'onde est fidèle.* »

La création métaphorique dans *La Connaissance du Soir* oscille entre les deux tentatives existantes au cœur de l'esthétique et de la pratique bousquetienne : d'une part une tendance à la débâcle des mots — le poète ayant pour tâche de « dégeler l'univers » en « fouettant les choses pour les faire parler » (16), en favorisant leurs configurations nouvelles, qui respecterait le principe surréaliste de l'analogie et de l'équivalence (N.I., 52) — d'autre part une forte tendance à préférer ses propres intuitions : « Je n'écris pas par images : il n'y a pas d'images : la lumière vraie a un envers et un endroit et elle tue ce qu'elle n'éclaire pas » nous livre Bousquet dans une notation de « *Langage entier* » (L.E., 171). Ce désir d' « occulter » le langage afin d'en obtenir un « rendement plus élevé » (M., 258) le préoccupe au plus haut point. Permettre au matériau poétique de mieux transmettre son message tout en préservant avec soin son « secret », tel est bien le dilemme auquel est confronté le poète attaché à la rencontre du son et du sens, à la germination du son et du sens.

2) *La germination du son et du sens.*

Comment les récurrences phoniques, les signes poétiques, les réglagles syntaxiques, s'entendent-ils mutuellement et simultanément pour faire germer les multiples variations d'un poème qui se cherche dans les réitérations, les diverses positions et glissements des vers dans la strophe, c'est à quoi nous assistons en interprétant le manuscrit de « Dansemuse » :

La strophe 4 de l'état définitif :

« *Elle est grise et se dit folle*
Et danse à fermer les yeux
Un cœur bat dans ses paroles
Nul ne sait où sont ses cieux »

constituait de prime abord, sur le manuscrit, la « lancée » du poème, son « vibrato », son allure enivrée ne devait pas convenir à l'ouverture. Bousquet a préféré satisfaire à la logique signifiante en donnant naissance à la « child-wife » à la première strophe :

« *Il s'en faut d'une parole*
Qu'elle ait l'âme comme avant
Elle court où les jours volent
Elle est née avec le vent. »

Toutefois cette strophe 4 comportait à l'origine trois étapes rédactionnelles qu'il est tout à fait passionnant de scruter. Nous donnerons successivement ces trois étapes :

1) *Il vient de naître une fille*
Qui danse à perdre les yeux
Elle vivra sur paroles
C'est l'orpheline des cieux »

2) « *Elle danse se dit folle*
Elle tourne se dit folle

Et danse à perdre les yeux
Un cœur bat dans ses paroles
Nul ne sait où sont ses cieux »

3) « *Elle est grise et se dit folle*
Et danse à fermer les yeux
Un cœur bat dans ses paroles
Nul ne sait où sont ses cieux ».

Remarquons que depuis l'étape 1 jusqu'à l'étape 3, la position des mêmes mots stables agencés selon l'alternance des rimes croisées abab (folle/paroles yeux/cieux) reste la même : le verbe danse conserve depuis le début — en dépit des modifications successives de position (passage du vers 2 au vers 1 ou inversement du vers 1 au vers 2) sa force incantatoire : à l'étape 2 ou à la 3 le verbe n'en est pas moins accentué et mis en relief par le rythme. Donc le moule mélodique reste à peu près identique lors des transformations — observons un premier changement qui paraît relever du sémantisme et de la grammaire. Dès l'étape 2, Bousquet préfère, sans doute parce que les actions verbales commandées par la danseuse abondent dans le quatrain, substituer dans le vers 2 le substantif « un cœur » au verbe « elle vivra » ajoutant du même coup grâce au nouveau verbe « bat » une métaphore du langage passionné symétrique à celle du regard qui la précède : « Et danse à fermer les yeux ». La seconde variante du vers 4 répond tout d'abord à un refus de trop grande précision qui nuit à la suggestion d'ensemble : « c'est l'orpheline des cieux » joue comme une dénomination trop définitive, donc motivation d'ordre « sémantique », et permet l'allitération en s qui donne au dernier vers un poid phonique plus considérable. La strophe 7 de ce même poème :

1) *Et dans le vent qui chemine*

2) *C'est la nuit blanche des pleurs*

3) *Dont la lumière orpheline*

4) *A vu le jour dans les cœurs* »

nous donne l'occasion d'assister à un prodigieux foisonnement puisqu'il n'a pas fallu à Bousquet moins de six ébauches pour aboutir à l'état définitif. Nous nous bornerons à signaler trois dernières étapes de la composition :

3) *Et sa lumière orpheline*
Fait la nuit blanche des pleurs
Où son amour la devine
Au jour qui luit dans les cœurs

4) *Et sa robe d'Arlequin*
Dans la nuit blanche des pleurs
Est sa lumière orpheline
Qui fit l'aube dans le cœur

5) *Et la lumière orpheline*
Dans la nuit blanche des pleurs
Voit ses façons d'Arlequin
Semer le jour dans le cœur.

Les hésitations de Bousquet se placent dans le cadre restreint de possibilités déterminées dès le départ. Ainsi les mots placés à la rime sont-ils choisis une fois pour toutes, mis à part la rime a des vers 1 et 3 qui laisse ouvert le choix entre les termes *devine/chemine*. L'attaque du vers 1 reste de bout en bout fidèlement réservée à la copule *et* qui sert de point d'appui rythmique. L'on sent le poète maîtriser la formule mélodique de son quatrain mais hésiter longuement sur la place stratégique à accorder à l'un de ses vers qui, de l'ébauche 1 à l'état définitif, se trouve en première position, troisième, à nouveau première pour récupérer sa position de la quatrième ébauche manuscrite. Le vers 1 du quatrain définitif résout le *di-*

lemme de l'alternance 1-3 par un simple changement lexical : « le vent qui chemine » remplace « lumière orpheline », puis « robe d'Arlequine ». Au verbe d'action : « *fait* la nuit » est préféré le verbe *être* instaurateur d'analogie et d'équivalence. Le mode inaccompli « a vu » du vers 4 montre la préférence du poète pour le « style transitif » éternisant la durée temporelle et comme il l'écrit dans *Le Meneur de Lune* « régentant plus évidemment toute l'étendue de la phrase, aimantant le choix des mots » (M.L., 117).

Cet examen « microscopique » montre assez les impératifs qui guidaient le créateur : en subordonnant le sémantisme ou la logique grammaticale parfois bousculée à la perduration de « figures phoniques », Bousquet privilégiée le caractère purement verbal « de l'art poétique » (« Sur une définition de la poésie », 146). Ce faisant, il s'évertue à donner un sens à « ces syllabes sans signification qui étaient dans la mémoire affective (du poète) le résidu des premiers mots balbutiés » (17).

C'est sur ce plan-là que se situe la difficile conciliation des deux qualités contraires et nécessaires à la poésie : l'obscurité et la clarté, l'obscurité n'est jamais recherchée pour elle-même, elle apparaît *conaturelle.*

? ? ? ? ? ? ? ? ? ? ? ? ? ? ? ? ?
? ? ? ? ? ? ? ? ? ? ? ? ? ? ? ? ?

Bousquet lui-même ne signalait-il pas, dans une lettre à Hugues Fourès, la portée véritable qu'il faut accorder à son hermétisme si éloigné de celui de Mallarmé : « Elle n'est pas claire, elle attend la clarté de son chant ». Dans le même ordre d'idées, l'on pourrait s'étonner qu'un émule du surréalisme demeure fidèle, dans les années 1930-1940 à l'héritage de la poésie rimée et des formes fixes.

3) *Classicisme et surréalisme.*

Certes, nous savons que les poèmes de la *Connaissance* furent écrits « à la prière de Jean Paulhan », sous sa haute surveillance. Nelli nous disait que ce dernier : « les surveillait comme du lait sur le feu ». Mais faudrait-il croire que Bousquet eût choisi une telle forme poétique s'il n'avait pas été certain qu'elle répondît à la fois à sa nature, à l'expression la plus adaptée à son « vivre » et à son imaginaire ? Nous trouverons certains éléments d'éclaircissement à ce choix délibéré dans le très intéressant dialogue entre le poète carcassonnais et l'auteur des *Yeux d'Elsa* (18). La réponse d'Aragon laisse entendre que Bousquet se prévalait de la récente conversion de son ami à l'égard de la rime *(La Leçon de Ribérac)*. A la conception d'Aragon qui conçoit la rime, à l'égal de « la chaudière à vapeur et (du) timbre-poste » comme déterminée par l'évolution historique et sociale, Joë Bousquet oppose sa conception « éternitaire » de la rime, « interlocuteur nocturne » profondément liée à la pensée et à l'être. Grâce à elle « l'homme saisit son être dans son chant, impose un mètre à sa vie ». De la rime Aragon se fait une idée proprement poétique et historique, Bousquet y voit comme l'estampille de la vérité. Ce n'est pas pour autant qu'il lui dénie sa vertu poétique, bien au contraire. Ne la considère-t-il pas comme « la pourvoyeuse de vif-argent » qui précisément « mèn edes sens vers des sons » ? (19)

Ni la rime, ni l'usage des formes fixes ne compriment ou contraignent l'inspiration bousquetienne. Une lecture de *La Connaissance du Soir* conduit à penser qu'elles ont sans doute conforté son « génie » particulier et qu'elles ont offert un large champ d'exploration à son « imagerie congénitale » (20). On est tenté à propos de sa poésie rimée de reprendre son analyse pertinente des sonnets de Louis Emié : « Je ne suis pas étonné de vous voir adopter la forme du sonnet. Parfaitement nette et pure, vous l'avez cependant déraidie (...) la forme ici est *le secret du texte et ne l'enserre pas* » (21). Mais cette forme classique empêche-t-elle pour autant Joë Bousquet de donner libre cours à son entreprise de dévoyer le réel, à l'écoute des « évidences nocturnes » de sa vie inconsciente qu'il baptise « frayrolles » — « paroles dont le rêve émerge » ? (22). Classicisme et surréalisme sont-ils dans son esthétique à ce point irréconciliables ? Le poète Louis Emié dans une étude attentive des *Cahiers du Sud* voyait juste en 1948 lorsqu'il considérait que l'expérience de la *Connaissance* avait permis à Bousquet de « désorienter les itinéraires du surréalisme » en « substitu(ant) au drame de la gratuité surréaliste celui de sa propre surréalité » (23).

4) *L'Algèbre verbal du sommeil.*

N'oublions pas qu'en 1945, mettant au point son recueil, Bousquet partageait avec le peintre Hans Bellmer une extraordinaire exploration surréalisante du langage, presque à l'extrême pointe de ses intuitions de toujours : le langage est vécu comme action, le gage d'une réverbération de la chair et du corps qui prolonge cet « acte primordial » dans « l'obscurité utérine » qui précède le « drame de la naissance ». Le langage-acte soulève « la conscience de la vie » et réalise déjà l'embryon de la figure androgynale par « l'éclosion d'un individu adhérant encore à la femme ». Le langage se veut action vécue et « vocalisée » (24). Ainsi le « rêve de la poupée » décrit à Bellmer dans une lettre du 18 août 1945 « s'immatricule » selon l'expression même du poète dans la mémoration verbale du poème en prose « Blanche par amour » devenue « La Pupille ». Tel Freud utilisant les figures rhétoriques de la métonymie et de la métaphore, pour interpréter les images oniriques, Bousquet synthétise par contiguité les éléments de son rêve pour donner naissance à des séquences dont on peut suivre la trace narrative. Les deux phrases : « Dans une chambre Louis XVI que la pupille a tricoté blanche » et « Elle goûte son nom sur un gâteau de roi où dure elle est entrée avec les dimensions d'une fève », condensent grâce à l'algèbre verbal l'épaisseur du rêve : « La beauté résidait dans le contraste entre ce salon immense dans tous les sens et le poids rayonnant de cette poupée aux *formes pleines* (...) Dans l'existence de ce panier gâteau, aussi grand que la poupée, plein, lui aussi, mais d'une autre façon ». (...) On remarquera que les images de la « poupée-pupille » : « amande glcée » « fève », n'apparaissaient pas dans le rêve et sont dues à la création poétique. De même une certaine « imagerie » : « Franchir l'ombre qui est ton ombre », « Aile du noir pupille de la nuit vorace » s'acclimatent parfaitement aux symboles les plus irréductibles de la mythologie bousquetienne : la dernière phrase du poème : « Amour comme l'herbe au vent et la nuit fleurie est la seule semaille qui ne noircisse pas au soleil » font indéniablement écho aux mythes du « noir de source » et du « soleil souterrain ».

5) *Symboles et mythes.*

Il est aisé de voir que les « lois rhétoriques » tiennent lieu dans la poésie bousquetienne de « cryptogramme » des « figures de l'esprit » (25). De même que la poésie dérègle le réel pour le rehausser dans une réalité nouvelle, toute pensée symbolique et mythique dérègle le monde des apparences au profit d'un autre monde. Claude Estève relevait la valeur pleinière du symbole et sa définition s'applique tout à fait au symbole en ces termes : « Un symbole n'est ni allégorie dialectique, ni rébus, c'est ici et maintenant un autre monde » (26). Les figures symboliques en effet, par delà les manifestations de symboles autonomes convergent vers le mythe polyvalent et unificateur de « l'Ombre-Double ».

Les poèmes en prose de L'Epi de lavande », de par leur valeur didactique doivent être lus comme l' « introït, l'ouverture du cérémonial qui déploiera ses prestiges dans les ballades de *La Connaissance du Soir* » écrit avec raison Léon-Gabriel Gros dans « Joë Bousquet ou l'avènement de la sensibilité » (27). De plus, chacun d'eux et par paliers successifs — recèle chacun des éléments symboliques qui — repris à une altitude plus métaphysique dans les stances d' « Encheria » — composeront dans la *Connaissance* proprement dite la palette des mythes de Bousquet. Ces mythes existaient depuis les romans de 1930 : *Le Rendez-vous d'un soir d'hiver* ou *La Tisane de sarments* mais l'opacité du discours philosophiques, le voisinage d'une narration toute occupée d'elle-même ne facilitaient pas la cristallisation formelle ou l'extrême acuité de l'effort de symbolisation que rend l'œuvre poétique. Le poème qui possède selon Nelli sa « propre structure mythique » (28) dans l'univers à part qu'il fonde, favorise le mythe dont le processus créateur se rapproche de celui de la métaphore même.

Le mythe de la « sœur souterraine », « sœur de cendre » ou « ombre-sœur » rejoint le mythe du « frère l'ombre » et du « double éternel » par le truchement de l'identification du double et de l'être aimé à Androgyne et la double postulation de l'Androgyne et de la mort-naissance.

Le mythe primordial du Double-frère-l'ombre, consubstantiel à la pensée et à l'imaginaire bousquetiens présuppose la naissance d'un autre soi-même en une mort rêvée, prophétisée et vécue. Aussi l'ontologie de Bousquet exige-t-elle cette trinité incarnée relevée par René Nelli : « On pourrait (...) dire que, d'une certaine manière, mon frère l'ombre, ma sœur l'ombre, l'abie sont le même être en trois personnes » (29).

***

L'intime rencontre d'une pensée *hérétique* et d'une imagination mythique hors du commun explique que Bousquet a toujours considéré la poésie comme un « degré de l'être » (30). Dans *Lumière infranchissable pourriture* par exemple, l'analyse qu'il faisait des poèmes de *Sueur de sang* jetait un pont entre la poésie et la pensée de Jouve (31).

Un secret désir d'absolu qui poussait déjà Pierre Reverdy à souffrir « des dures arêtes de la réalité » institue entre ces trois poètes une étrange fraternité. On a vu Bousquet s'engager tour à tour dans des orientations tout à fait opposées. Le disciple du néo-symbolisme d'Alibert est bien éloigné de l'admiration inconditionnelle à l'égard d'Eluard. Mais, en définitive, même le bouleversement considérable apporté par le Surréalisme le laissera insatisfait.

Qu'il fut hostile à toute « poésie de circonstance », on le conçoit sans peine alors même que sa poétique et sa pensée étaient fondées sur la négation de la blessure reçue qu'il s'efforçait à transfigurer en Evénement-Symbole inaugurant et illuminant une « autre vie ». « Poète libère la poésie des circonstances qui l'ont attachée à ton existence », écrit-il dans *Papillon de Neige* (P.N., 49). Si nous lisions *La Connaissance du Soir* sans connaître son autobiographie, serions-nous réellement en mesure de deviner son mal ? C'est qu'il avait imposé à son langage l'impératif esthétique suivant : « qu'il dise tout se taisant sur toi » (32). Plus qu'aucun autre, Bousquet était conscient des limites inhérentes à son entreprise poétique, « des ravages que la technique exerce sur l'inspiration », car il souhaitait que sa quête de la perfection fût à l'image de son aventure spirituelle.

« Le Meneur de Lune » ne rêvait-il pas d'« accomplir un objet parfait et qui ne semble pas avoir été touché (...) un texte aussi parfait, aussi serré, et irréductible qu'un mot » ? (M.L., 171)

Bousquet savait que le destin de sa poésie était inséparable de la poésie de son destin.

Charles BACHAT.

NOTES

(1) *Lettres à Marthe,* Gallimard, p. 208.

(2) « Sur Fontaine et les Cahiers du Rhône », Les Cahiers du Sud N° 246, mai 1942, p. 388.

(3) Jean Cassou : Compte rendu de *Il ne fait pas assez noir,* Les Nouvelles Littéraires, 29 octobre 1932.

(4) Lettre à Louis Emié du 22 mars 1940, *Correspondance* établie par Suzanne André, Gallimard, 1969, p. 62.

(5) Louis Estève : « L'expérience et la poésie mystique », Revue philosophique, juillet 1931, p. 51-96.

(6) Lettre à Hans Bellmer, *Correspondance,* p. 138.

(7) « Daumal », Les Cahiers du Journal des poètes, mai 1939.

(8) René Nelli : *J. Bousquet, sa vie, son œuvre, Albin* Michel, 1975, p. 156.

(9) Roman Jakobson : « Le folklore, forme spécifique de la création ». *Questions de poétique,* p. 59.

(10) René Nelli : « Le style de J. Bousquet ou l'aventure du langage et de l'esthétique de la poésie », *Les Cahiers du Sud,* N° 362-363.

(11) Jakobson : « Poésie de la grammaire et grammmaire de la poésie », *Questions de poétique.* Editions du Seuil, Paris, 1973, p. 227.

(12) J.F. Bladé : « *Les contes populaires de Gascogne,* T. 1, p. 231.

(13) *Chants populaires du Languedoc,* Lambert et Monteil,, p. 481.

(14) « Réfexions inspirées par les *Fleurs de Tarbes* de Jean Paulhan, manuscrit inédit, Bibliothèque municipale de Marseille.

(15) « Sur une définition de la poésie », *Poésie 41,* N° 4, mai-juin 1941, in *Les Yeux d'Elsa,* d'Aragon, Seghers, p. 147-148.

(16) Lettre à Suzette Ramon, du 9 janvier 1941.

(17) Manuscrit de *La Connaissance du Soir.*

(20) Lettre à Christiane Burrocoa, mai 1945, p. 271.

(21) Lettre à Louis Emié, avril 1941, p. 52.

(22) Lettre à Max Ernst, du 12 juillet 1945, p. 177.

(23) Louis Emié : « Méditation sur *La Connaissance du Soir* » de J. Bousquet, *Les Cahiers du Sud,* mai-juin 1948.

(24) Lettre à Bellmer, du 18 avril 1945, *Correspondance,* p. 123.

(25) Daumal, *cit.*

(26) L'Expérience et la poésie mystique », *loc. cit.*

(27) Léon-Gabriel Gros : « Joë Bousquet ou l'avènement de la sensibilité », *Poètes contemporains,* Editions des *Cahiers du Sud, 1951.*

(28) Cf. « Le Surréalisme méditerranéen de René Nelli », manuscrit inédit.

(29) René Nelli : *Joë Bousquet, sa vie, son œuvr, op. cit.,* p. 121.

(30) Lettre à Louis Emié, *op. cit.,* p. 58.

(31) *Lumière infranchissable pourriture,* La Fenêtre ardente, Milhau, 1964.

(32) Manuscrit de La Connaissance du Soir.

(33) Lettre à Chistiane Burucoa, *op. cit.,* p. 262.

XAVIER BORDES

CARQUEYROLLES, MA MERE...

> *« Dans la douceur d'aimer tout jeune, j'ai connu la mère qu'avait enfantée celle qui m'avait mis au monde.*
> *Tendre mère, ô ma vie... »*
> (Mys 86-87).

> *« Je me suis demandé si Dieu n'était pas femme. »*
> (Mys 149).

> *« Je n'ai jamais pu me saisir ».*
> (Mys 238).

I

Il était une fois un enfant gâté. C'est que, depuis sa naissance, on avait eu à redouter pour sa vie. Adolescent adoré par une mère plus qu'indulgente, on l'eut appelé voyou s'il n'avait été le rejeton d'une famille honorable. Précoce, il goûte à la fois à la drogue et aux filles, cherche les limites de sa liberté sans les trouver ; même son père craint le dynamisme tour à tour explosif ou tendre du gamin.

Derrière le rempart de promesses que laisse entrevoir cette riche personnalité, la famille est insolemment à l'abri des hontes qu'elle devrait occasionnellement éprouver vis-à-vis de la bonne société de la ville : qu'importent les frasques de cet adepte du psychédélisme avant la lettre, puisqu'il sera quelqu'un, puisqu'on pourra lire un jour sur sa carte : Joë Bousquet, H.E.C., Président-Directeur Général des Ets X..., ou quelque chose de ce genre.

L'intéressé, les années passant, approche de l'âge d'homme, «refusant tous ses devoirs, ne se résignant pas à perdre sa liberté, parce qu'il se croyait aussi grand qu'elle (...) » (Mys, 242). De l'indulgence familiale, il a usé et abusé, signant sans le savoir des traites morales sur son avenir : elles le condamnent à une réussite fracassante, une réussite à la mesure de la tolérance illimitée dont on a chargé avec une coupable inconscience les épaules de ce superbe garçon.

Lorsqu'il démasque enfin sa liberté, Joë découvre qu'elle a un visage auquel on ne l'a nullement préparé : celui du devoir bourgeois. Visage sécurisant et angoissant, prison rassurante et dorée... mais à perpétuité. Dégrisé, le jeune homme est confronté à la grandissante horreur qui le saisit, celle de se voir défini. Ce qu'on attend de lui, et qui, sans absolument lui répugner, ne l'attire pas non plus, est pour demain. Comment faire face, ménager l'orgueil familial qu'il serait inimaginable de décevoir, tout en conservant devant soi la chatoyante pluralité des possibles ?

Prompt comme on l'est à vingt ans à emprunter le premier chemin venu — même une impasse — pour différer l'intervention de l'inéluctable, Joë, comme à son habitude, cherche en guise de solution un risque à la mesure de sa liberté : et quand on a tout bravé, quand, assisté de circonstances particulières, on a tout bafoué, sans rien rencontrer en face de soi d'assez puissant pour vous mettre en échec, quand on juge n'avoir pour tout futur qu'une carrière « chaque jour plus étouffante » (La C.S., 150), que reste-t-il à défier ? Joë Bousquet est de l'étoffe de ceux qui répondent : *soi-même*. Et il jette sa mort dans le plateau de la balance, en se jetant dans le suspense de la guerre. Il s'y fera blesser à force de défi, de la manière qu'on connaît.

Pour ceux qui avaient tant misé sur lui, la déconvenue est affreuse, elle a toute la dimension du crédit qu'on lui avait consenti. Mais ce n'est pas le fait qu'il ait mis un point final aux espérances familiales, qui est le véritable drame : c'est que Joë, par un caprice du sort auquel il est étranger, a mis ce point final sans mourir. Un héros se doit de sortir de la mêlée indemne ou mort, afin de n'humilier point la société. Un Joë mort, mais couvert de gloire, aurait au moins soulagé son entourage du poids de vingt années de vaines espérances. Il aurait alimenté des rêveries étincelantes et tragiques, la mort n'aurait pas terni sa force.

Mais survivant ? Survivant faible, irrémédiablement blessé, et qui plus est, survivant avec en lui, intact, le goût de cette « scandaleuse liberté » dont il n'a plus les moyens ? Car ce serait demi mal s'il consentait au statut d'infirme, « d'invalide », dont la société voudrait envelopper la modification inscrite dans sa chair. Mais Joë est fait d'un autre bois. Il ne veut même pas jouer la comédie de la guérison lointaine. Il n'est pas de ceux que le malheur laisse sans ressources, fût-ce le pire des malheurs.

L'idée que son malheur soit le pire, certes, le frôle un temps. Mais il ne s'y arrête pas. Il fait le bilan : si sa blessure l'a frappé, et avec quelle sauvagerie, dans sa liberté physique, elle a également frappé à mort le destin auquel il était promis, cette prison dorée dont il avait fini par comprendre qu'il ne voulait à aucun prix. D'une certaine, et horrible manière, il est encore libre : tous les liens qui s'esquissaient dangereusement avec son environnement social, et commençaient à faire de lui un personnage, sont tombés. Le douloureux miracle est agissant jusqu'au sein du microcosme familial : « Je n'étais pas un enfant naturel, écrira-t-il, mais traité comme tel » (Mys, 229).

Rendu en effet à -la non-responsabilité quasi

pleinière de l'enfance, il n'en a pas pour autant recouvré de droits sur le tendre asservissement dont avaient bénéficié ses jeunes années : paradoxalement, cette blessure qui a remis « toutes ses sensations au berceau » (D.A.V., Ch. II) le laisse sans véritable famille, lui qui a plus que tout autre et depuis toujours une passion frénétique pour l'amour, pour aimer et être aimé.

A cause de cette position fausse, à laquelle il contribue pour une bonne part, plus personne ne sait quelle attitude adopter envers lui. « Mon père me maudissait parce que j'étais malheureux (..). Il voyait dans ses enfants les gardiens de sa situation bourgeoise » (Mys, 214). Rôle que manifestement Joë ne peut plus remplir. Sa mère est encore plus malheureuse et mal à l'aise : la blessure a fait voler en éclats tout le destin social ordonné et précis que cette mère aimante avait d'avance tissé pour son fils, ce fils dont elle était si fière. Autour de Joë, son orgueil de bourgeoise n'a plus rien à imaginer. Il ne sera plus pour elle « son » Joë, et d'ailleurs il n'est plus un enfant. « Son » Joë, il n'existe plus :

> « *Ma plus grande douleur aura été de perdre l'amour de celle qui m'avait donné la vie. Ceci se murmure, car il faut dire tout bas ce que l'on a lu dans des yeux. Si ma mère ne m'aime plus, ce n'est pas que j'ai trahi notre mutuelle affection : j'ai trompé son orgueil, en revenant infirme de la guerre que nous avions gagnée. Elle me l'a dit un jour, avec cette sincérité magnfique dont j'ai voulu, dans mes écrits, me rendre digne : « En voyant que tu ne te guérirais jamais, ajoutait-elle, j'ai reporté toute mon affection su mon petit-fils.* »
>
> (Mys, 230).

La disparition de tout espoir de guérison fait d'elle une mère de « monstre » (C.D.S., 55), quelque chose comme une femme marquée du genre de celles qui, à Carcassonne ou ailleurs, ont accouché d'un mongolien. Se refusant à se considérer comme blessée par ricochet, elle voudrait échapper à la blessure de son fils pour demeurer intégrée à son univers familial et carcassonnais. Il ne l'entraînera pas dans sa déchéance. Elle ne renoncera pas au Carqueyrolles, à l'existence, pour le suivre, lui, dans une forme d'inexistence à laquelle rien dans son éducation de « childwie » ne lui permettrait, il faut le reconnaître, de faire bonne figure...

Pour Joë, la leçon est terrible, peut-être la plus terrible de toutes, si l'on songe qu'il lui faudra plus de vingt-cinq ans pour, sinon effacer l'épreuve, mais en venir à bout. Sa vie, jusqu'alors rebelle aux contraines sociales sans le savoir, avait déjà payé lors de l'incident de l'écriture de Marthe une partie du prix de l'innocence. Avec le relâchement — peut-être réellement la rupture — du lien qui l'unissait à sa mère et dont il n'avait pas soupçonné que ses actes, quels qu'ils soient, aient assez de force pour le remettre en question, Joë est frappé de plein fouet par la révélation que la clémence de la société, même dans un lien aussi fondamental que l'amour mère-fils, n'est pas inépuisable, et doit se mériter.

Il a trouvé la vraie limite de sa liberté : ce n'était pas la mort, ce n'était pas en lui qu'elle résidait, mais dans l'amour. Ce qu'il ne pouvait apprendre qu'en ayant tout perdu. Et par là-même, *tout gagné*. Car il sait maintenant quel est son but principal : conquérir pour son amour la liberté absolue, franchir la limite qu'il s'est enfin révélée à lui-même et dont sa mère a été l'instrument. Sa démarche poétique est née. Ce sera la guerre à laquelle il comprend que la vie l'avait dès sa naissance prédestiné, et il s'invente ce destin rétrospectivement : son enfance trop libre, elle était pour l'engager, sans qu'il puisse reculer, contre tout ce qui fait obstacle à l'absolue liberté créatrice de l'homme... Une guerre fondée sur la morale.

Le combat de celui qui est devenu un poète est multiforme, et dans un premier temps (1) il ferraille un peu au petit bonheur. Mais il est soutenu par la Mère perdue, il veut « se rendre digne d'elle ». La reconquérir mythiquement, en somme, ou mieux, reconquérir une Mère qui puisse être à l'usage de tous les hommes. Une Mère pour laquelle il n'y ait pas de différence entre les hommes sains et les hommes blessés, entre le Joë d'avant et le Joë d'après la blessure : son effort en vue d'effacer toutes les limites, toutes les démarcations mentales trouve des formules : « Réduire à rien ce qui sépare l'homme en société de l'homm eseul avec lui-même » (Mys, 47) par exemple.

Il est sur la bonne voie. Le destin veille. Dans cette phase de définition de ses buts, un ami tombe du ciel, miraculeusement en union de pensée avec le blessé de Carcassonne : Carlo Suarès, avec lequel Bousquet entreprend un dialogue d'une richesse primordiale, auquel la voix de Daumal viendra s'entrelacer. Carlo Suarès, qui amènera Bousquet à révéler publiquement sa blessure en lui consacrant à propos de *La Tisane de sarments* un fulgurant article de présentation dans le numéro de juillet 1936 des *Cahiers du Sud.* Cette fois, Joë Bousquet, que nous connaissons, est né.

Si bien né que sur le terrain, vite conçu comme fondamental, de l'expression des rapports humains — le langage — et sociaux, il développe une féroce et joyeuse entreprise de « digestion laborieuse » (Fumerelle, 3) de phagocytose où engloutir avec sa blessure « sa » société. Toute trace de timidité a disparu. Il règle ses comptes. Puisque la Mère, la sienne, qui est aussi l'Absente, et la Femme, a pour mode d'exister le Carqueyrolles, Joë en épinglera l'ombre dans un livre, et cette Ville-Ombre sera la Mère de toutes les Mères, c'est-à-dire pleine de vies et d'histores, et « lui que personne n'aime / nommera l'ombre maman... » (C.D.S., 71). Une Mère à bien des égards semblable à lui, qui vis-à-vis d'elle occupera à bien des égards une position cette fois inexpugnable, une position analogue à celle qu'on prête à Dieu.

Bousquet fournira un si puissant effort que ce livre — à l'instar de son contenu sociologique — deviendra l'un des plus naturellement structurés de toute l'œuvre. Son élan est si primesautier, si sûr, qu'il laisse loin derrière dans les marais de la bassesse, du ridicule et de l'avorté, tous les *Clochemerle,* pour prendre sereinement place aux côtés des productions d'un Saint Simon ou d'un La Bruyère. Peut-être n'y a-t-il, mais Bousquet a déjà dérivé vers d'autres horizons, que le *Roi du Sel* pour le dépasser dans la perfection poétique du style...

Quoi qu'il en soit, la démarche échappa totalement aux concitoyens de Bousquet à l'époque. Ils n'y virent précisément qu'une basse satyre et c'était tout ce qu'ils en pouvaient apercevoir. On doit à la vérité de dire que les choses sur ce point n'ont guère changé, puisqu'à l'heure actuelle encore on frémit à Carqueyrolles qu'un critique ait éventuellement l'audace de donner les clefs du *Médisant par Bonté :* comme si les lecteurs potentiels de ce livre, en l'an de grâce 1980, ne pouvaient y trouver d'autres jouissances que celui de mettre le nez dans la chronique locale d'une petite villede province telle qu'elle vivait il y a tantôt quarante ans ! (2)

Quand je mentionnais plus haut que Bousquet s'était offert le luxe par rapport au Carqueylolles d'une position semblable à celle de Dieu, je ne suis pas éloigné de penser qu'il y avait dans cette presque boutade plus de fonds que je n'en avais mis : si j'en juge par le remue-ménage provoqué par l'annonce du seul *titre* de la présente étude, il faut avouer que le traumatisme infligé par la présence de Joë Bousquet à l'inconscient collectif de sa chère cité a dû être considérable...

Que les âmes inquiètes se rassurent, je me moque de dévoiler les mesquineries et les identités qui ont fait la matière du *Médisant,* et s'il m'est arrivé d'en connaître sans l'avoir cherché, je me suis empressé de tout oublier car j'aime à conserver ma mémoire propre et nette ! Par contre, il n'est pas sans intérêt d'examiner ce Carqueyrolles du livre, brièvement, sous l'angle qui nous intéresse, pour le mettre ensuite en relation avec d'autres textes qui en recevront un éclairage nouveau.

D'entrée Joë annonce secrètement la couleur : pour que la figure sociale de la Mère reconstituée soit transparente, pour qu'elle occupe sans équivoque le centre de ce Mandala littéraire qu'est le *Médisant,* il explique dès le début de la première ligne qu' « on voit de partout », la Ville-Mère. Ce qu'on peut mettre en paradigme avec l'araignée (2 bis) au centre de sa toile, image de la mère terrible qui ne laisse échapper personne, et qui blesse par son absence la victime englué dans sa tendresse vampirisante. Ce qui éveille immédiatement un autre double : Mygale. Mygale qui est Bousquet et qui par la toile des mots prend la Ville au piège de son livre, se confondant ainsi avec la Mère puisque de la Ville, sa blessure irrévocablement l'absente. Image de maternité « la ville est habitée par des gens qui n'ont pas su la quitter ou n'ont jamais imaginé d'en sortir » (M.P.B., 16). Image de maternité *vaincue :* Bousquet renverse celle de l'araignée : « (...) Carqueyrolles figure vaguement une dorade prise au filet. »

Et qui habite la Mère ? « Ce sont des individus en proie au besoin de former une famille ! » (M.P.B., 17) Raison pour laquelle, au sein de la Mère « rien ne reste secret » (M.P.B., 15). L'idéal dont Joë blessait son rêve, le voici réalisé non sans ironie : au sein du Carqueyrolles l'homme seul avec lui-même n'existe pas, tous sont unis dans la société-mère. C'est bien pourquoi la Chambre de Joë, qui échappe au Carqueyrolles ou qui en est le centre, comme on voudra, s'est chargée d'une telle puissance mythique : paradoxalement — comme toujours chez Bousquet — la Chambre, cavité maternelel s'il en est, habitée par un « homme noir » dont la virilité est perdue, symbolise aux yeux de la Cité-Femme l'élément mâle, l'élément satanique. Surtout en ce temps (1945) de spéculations avec Bellmer...

Cet asservissement de la Mère/Ville/Vie est représenté dès la fin du premier chapitre dans un résumé admirable :

> « *C'est une ville où l'on peut voir la vie comme une esclave en prison, nue dans l'ombre...* »
>
> (M.P.B., 15).

Oui, véritablement Joë règle-là un compte, mais on se méprendrait en croyant que ce compte est autre chose qu'un compte en relations avec la Mère. D'ailleurs il le dit lui-même : en dehors de leur fonction maternelle, finalement les Carqueyrollais n'ont pas d'existence réelle :

> « *Les hommes ne seraient que des ombres s'ils ne donnaient pas la vie. Dès que leur existence n'est plus l'amour, elle est dérision...* »
>
> (Ibid.).

Que Carqueyrolles soit une image de mère victime d'une virilité détruite, Joë ne le constate pas par hasard en écrivant que « les plus réfléchis observent qu'ils habitent des marais » (eau-miroir-mer-mère-liquidité-féminité) « comblés par le désastre de leurs remparts » (castration) (M.P.B., 14).

Plus on creuse, en revenant en arrière, vers le début du premier chapitre, et plus le décodage gagne en frtilité. Les attributs maternels (2 ter) sont là : la cité donne le jour qui « semble monter du sous-sol ». Ce qui en naît, les légumes, les fruits « mûrit hypocritement à la tiédeur obscure d'une terre décomposée ». « Hypocritement », à la manière d'un enfant qui par exemple serait destiné à trahir sa mère, à la « décomposer » après avoir grandi au sein de sa « tiédeur obscure »... Terr des réconciliations toujours futures et dont « on peut tout attendre, mais la réussite est toujours pour l'an qui vient ».

Avant d'en finir, je voudrais encore boucler une relation : la relation Mère-Mer avec laquelle Bousquet plus tard va faire entrer en dialectique le Roi du Sel, roi du sel de la mer qui ne peut exploiter son domaine. Et qui, en toute propriété, il ne reste qu'une porte ouvrant sur le vide...

« Toutes les rues », ronc, « mènent à l'endroit que l'on cherche », ce qui est évident puisqu'on « habite un trou ». « Les orages inondent les quartiers élégants avec le trop plein des égouts » : voilà qui parle de soi-même. « On ne sort pas de la ville sans passer par un pont », duplicata de la porte. Enfin, c'est une « ville humide », dont « les quartiers se ressemblent comme les écailles d'un poisson ». Retenons ce poisson, il est d'or.

Par le Carqueyrolles de mot, des mots, du langage, Joë a donc résolu le problème de l'impossibilité, de la rupture du rapport avec la Mère, en le fondant et le métamorphosant en indétermination. On peut à ce propos évoquer la radioactivité, dans ses lettres notamment, du thème de l'inceste, suppression des cloisons étanches et suppression par conséquent de l'interdit qui est la racine même de la notion de société.

La création du livre se confond avec la quête de la Ville, de la Mère, de la Ville-Mère, de la « Ville du bout du monde » (Mys, 272) au cœur d'un travail de destructuration extrêmement profond qu'il touche aux « structures élémentaires de la parenté » précisément. Sylvain, l'enfant « né coiffé » de ce conte si essentiel pour Bousquet, est devenu Jean Tout Petit du *Mal du Soir,* le héros de *Regard sur une Ville.* Et n'est-ce pas la parabole pure et simple de l'entreprise qui devait aboutir au *Médisant,* cette histoire d'un enfant qui se met en route vers Carcassonne, la circonvinet, et entre hardiment « avec la nuit couleur de violette, dans la forteresse aux tours innombrables ».

A ceci près que, comme le conte est postérieur à ce qu'il décrit sous forme chiffrée, c'est un Bousquet rééqulibré qui parle, et l'image de la Mère enfin reconquise a retrouvé sa belle androgynité protectrice, ses « tours innombrables ». Bousquet recréateur de la Mère a restauré ses remparts...

Pour bien montrer que Joë s'inclut lui-même dans sa création, les épigrammes vindicatifs par lesquels il définit généralement les Carqueyrollais sont toujours tournés de façon à l'intégrer, à ne pas ériger de critères structuraux qui le tiendraient à l'écart : « Apprennent-ils qu'ils ne valaient rien, ils se consolent en pensant que du peu qu'ils sont on a longtemps attendu beaucoup mieux »... Ils « ne quitteront pas tout à fait la ville en abandonnant l'existence ». Ou encore : « A Carqueyrolles on ne rit pas des autres, on rit de se reconnaître en eux » (M.P.B., 37).

Il ne s'agit nullement d'une grâce superficielle concédée aux lecteurs de la cité pour ne pas être trop détesté : il s'agit profondément pour Bousquet d'illustrer que Carqueyrolles et lui ne font qu'un. Il va jusqu'à tirer de la version 1945 de *La Connaissance du Soir* certains refrains dont il fait la rumeur secrète du *Médisant,* et don tl'origine tourne autour de diverses formules inachevées du travail opéré dans le *Cahier Mystique :*

> « *J'écris mon nom sur ta bière*
> *Où repose on sait qui*
> *Un homme n'est que son frère*
> *Puisque son frère c'est lui.* »
>
> (C.D.S., 79).

Réapparaît ainsi dans le *Médisant :*

> « *Il se hait dans son image et vomit son frère parce que son frère, c'est lui.* »
>
> (M.P.B., 18).

Et dans *Mystique* on trouve vers la même époque ceci :

> « *L'homme n'est que l'écho de celui qu'il est* » (241).
>
> « *Quand l'homme sent qu'il est son propre frère, il voit un frère dans l'homme* » (207).
>
> « *Je voudrais entrer tout entier dans la personne d'un autre homme sans l'empêcher d'être lui* » (200).
>
> « *Toute phrase trouve deux hommes dans une voix* » (150).

Etc...

Ce ressassement émouvant s'épanouit enfin dans deux formules qui recueillent l'ouvrage entier :

> « *Nul ne sait qui il est* » (M.P.B., 57).
>
> « *On dirait qu'il n'est qu'un homme au monde et que chacun de nous n'est lui qu'un peu* » (M.P.B., 40).

II

S'il restait quelques doutes que l'archétype maternel présidât à la conception du Carqueyrolles dans le *Médisant,* l'élargissement de notre lecture (appuyée sur les traits pertinents de l'imagerie que nous avons relevée plus haut), à quelques livres environnants suffirait à les effacer. Qu'en est-il par exemple du « marais » ? Je l'ai relié à la Mer et à la Mère. Etait-ce abusif ? Le *Roi du Sel* nous répond :

> « *Ce n'est pas que mes yeux cachent beaucoup de choses : des étangs, comme partout où marche la mer (...)* » (R.D.S., 139).

Saint-Souris, « au bord de la mer » (première ligne) est un double du Carqueyrolles. Tout le *Roi du Sel* fredonne en sourdine l'histoire du frère. « Cueillir l'herbe de mer » (mère) « et sa fleur qui chante », n'est-ce pas une jolie manière de mettre en image le but incestueux ? L'histoire du miroir comprise dans cette quête est transparente : celui qui était parti sur la mer pour n'y trouver rien que ces épreuves, revenu, voit chez lui — sur la question de sa femme — ce qu'il « avait été en vain voir se lever — (son) amour — sur le peu qu'il est », car le miroir est un « clair de lune souterrain ».

Dans la seconde partie, où Bousquet met en scène l'adolescent, c'est la mère de la mère et le grand-père qui entrent en scène avec lui et son frère « Adrien ». Bref, du *Roi du Sel* mon but n'était ici de relever que quelques bribes dont celle-ci sera la dernière :

> « *L'ombre avait la mer ; elle embrassait le ciel noir. Une clarté montée du sol fleurissait le faîte des collines* » (R.D.S., 195).

Où s'entremêlent ombre-mer, qui embrasse — et cette clarté montée du sol qu'on trouve déjà à la sixième ligne du *Médisant*.

Pour ce qui est de la force de l'association Mer-Mère, banale pour les psychanalistes, elle est d'une intensité hors du commun chez Joë et porte tout son drame. La mer, c'est l'enfance, c'est Mareillens (3). Mais « qu'irait-il faire sur une plage, maintenant qu'il peut raconter la Mer ? » (M.P.B., 74). Raconter la Mère-Carqueyrolles, la Mère-Poésie...

A quelques lignes (M.P.B., 162) d'une décision comme celle-ci : « Que la clarté de ses traits soit, dans mes yeux, le fruit de mes entrailles. » Joë médite autour du « nocturne ». Il a résolu : « Je vais vivre dans un Carcassonne nocturne (...) » (M.P.B., 163), première amorce du Médisant, peut-être. Le nocturne, il faut évidemment y voir le lieu d'avant-naître.

Si l'on décode Mer/Mère, voyons ce que Bousquet écrit réellement à la page 161 de *Mystique :*

> NOCTURNE : Des suites de paroles qu'il ne savait former que *sous l'empire d'une forte impression* (4). (...) La parole épuisait l'événement afin de montrer qu'*il ne pouvait être épuisé.*

Arrive maintenant un dialogue qui n'a plus rien d'énigmatique :

Quand le vent nocturne, pour nous défendre du vent et de la nuit se lève, parle en vain :

« *Ce n'est pas moi la nuit que tu sens nous envelopper tous les deux.* »

Et la mer : « *Je ne suis pas la mer* » ;

(...)

Il reprend :

Et ceci, c'est sûr ceci se disait : « *L'homme voit la mer, mais il est la mer.* La mer lui dit : *Ce n'est pas moi la mer.* »

Du regard sur la mer au regard sur la mère, du regard sur la mère au « regard sur une ville », du regard sur une ville au regard sur la mort, Mal du Soir et Neige d'un autre Age : c'est la même nostalgie de retrouvailles qui circule : (...) Il chercha des yeux la cité (...) Mais quand elle lui apparut enfin, il lui sembla qu'il la retrouvait. (M.D.S., II, 353).

Et dans ses derniers écrits, ces retrouvailles prennent la forme d'un constat de fusion, que voici, tiré de la *Neige d'un autre Age* (O.C., 414) :

« *(...) ton œuvre n'est rien si elle n'est ta naissance. Ne prends pas cela pour un mot. Ta mère t'habite : c'est cela qui naissait quand tu venais au monde...*

Maintenant j'ouvre les yeux sur toi, je suis un peu de mon regard, ma mère est mes yeux ; je suis mon amour, ma mère est mon cœur ; mais je suis à peine mon amour et ma mère est tout mon cœur, et je n'ai qu'à l'oublier pour qu'elle grandisse dans ton ombre et mon regard se formera aussitôt dans ce long et fin visage que je regarde. »

Et ailleurs reparaît, rasséréné, le traumatisme de la rupture (5) :

> « *Celle que tu aimes est plus haute que la hauteur, elle porte en elle le comble de toute chute.* » (O.C., 412).

Enfin, dans les dernières lignes de la *Neige* :

> « *Accident... c'est à ma mère que je ressemble.* »

Elle qui est morte « sans appréhension ». Puisque, étant la vie, elle était la mort même.

III

En formant le dessein de comprendre l'œuvre de Joë Bousquet, on n'a pas le choix : on s'y inclut, on en devient l'un des pôles, on devient le « frère » — ce « tu » si constamment et fantômatiquement présent — et le prolongement (même physique) de sa survie. C'est en effet la différence entre son moi et le nôtre que Joë Bousquet a gommée en nous donnant pour Mère la même Absente, la même Vie. Je voudrais qu'on m ecomprenne bien :

> « *Dans cette ville (...) on ne connaît pas un seul fou.* » (M.P.B., 92).

Et le motif en est clair : le fou est celui qui est coupé de la communication sociale. Or, pour Joë Bousquet, l'avènement d'une nouvelle forme de société a sonné lors d'un certain coup de fusil qui l'a jeté dans un monde dont il ne « pouvait rien faire sans se transformer lui-même », ainsi qu'il le dit. Ce monde, en Bousquet réduit à rien, le blessé a dû y mettre au jour « que le bonheur de vivre est la faculté de s'agrandir », d'être « la richesse de plusieurs. » (Mys, 191).

Il en découle la proposition qu'il met en scène, en langage, par tous les moyens et surtout par la figure de la blessure-mère, proposition selon laquelle :

> « *L'humanité tend à n'avoir qu'une conscience.* » (Mys, 191).

Dont le corollaire est que :

> « *L'existence de la société humaine est dans la communauté des consciences.* » (Mys, 192).

Cette conscience unique n'est pas éloignée de l'Orient, « l'Orient était plus présent » (M.P.B., 85) que leur Dieu « dans le culte innocent qu'ils ont voué à Jésus », dit-il encore des Carqueyrollais nos frères, « ils ne vivent qu'une lueur de leur vie », « ils ne sauraient pas que le songe de leurs jours se tient si près d'eux s'ils n'en avaient pas, à l'occasion, entrevu le reflet dans le visage d'une femme. » (Ibid.) « Tout ce qu'ils n'ont pas éprouvé, ils le contemplent en elle ainsi qu'en un miroir où ne se reflèterait que de l'invisible. C'est par ce qu'ils ne sont pas qu'ils sont liés à ce qu'ils sont. » (Ibid.)

La Mygale du Passeur, dont la servante a perdu un fils, mentionnons-le en passant, revient de Bénarès où l'on tremble quand « les horloges sonnent la messe. Il se peut fort bien que la drogue ait participé à cet élargissement de conscience banalisé par la vague psychédélique de nos années 65.

« L'herbe qui fait rêver » ne détermine-t-elle pas ainsi qu'on a pu le constater par exemple avec les développements de la peinture américaine, ce vaste tourbillon baroque (7) propice à toutes les fusions, les confusions, les métamorphoses. Ne place-t-elle pas l'esprit au centre d'une étoile où, par excellence, les contraires ne se combattent plus, où la frontière élevée par la logique Aristotélicienne du tiers-exclu est gommée ?

Bousquet, c'est le lieu de le dire, n'ignorait rien des mantras du bouddhisme Tantrique, et l'on pourrait aller jusqu'à penser que, logé au cœur de son Carqueyrolles, il réalisait une figure nouvelle du OM MANI PADME HUM, du « joyau dans le lotus » (8). Lorsqu'il écrit que « la goutte bleue de l'abîme enveloppe la mer », ne décrit-il pas l'état de connaissance absolue, la vision du Buddha bleu uni à la Mère, à la Grande Déesse de la Sagesse tantrique ? Souvenons-nous aussi du « manteau bleu » du *Rendez-vous d'un soir d'Hiver* (R.S.H., 48), du « Bréviaire bleu ».

Dans cet état de connaissance, l'éventail de toutes les visions possibles peut emprunter comme instrument de médiation les mille figures humaines, le Carqueyrolles. Rappelons que l'idée fondamentale du Tantrisme, dont l'un des centres sinon lee centre est Bénarès — on peut y voir encore de nos jours nombre de yogis au chignon surmonté du croissant de lune (thème du Meneur de Lune, et de « Clair de Lune » du Roi du Sel) —, c'est que le monde du temps et de l'espace est une illusion, un reflet projeté autour de soi par chaque individu.

On apprend par le yoga tantrique que la colonne centrale d'où rayonne le monde extérieur est *l'épine dorsale* du corps subtil. Les individus ne sont pas différents les uns des autres. Le monde apparent, à force d'ascèse, peut se replier en entier dans le mandala en fleur de lotus qui se trouve *au bas de cette épine centrale,* selon les yogis. Kundalini, serpent lumineux (8), symbole de la Déesse de la création, à travers toute la série des *chakras,* monte alors au sommet du crâne. Le mâle et la femelle ont unis leurs principes. Humain, cosmique et transcendant sont UN.

Le travail de l'écrivain se met alors à exister socialement, n'a plus rien de commun avec une vague réponse à une faim esthétique. Il sera « la recherche d'une vérité qui soit la base de la conscience collective ». (Mys, 197). A cet égard, la *Tisane*, le *Passeur*, le *Médisant* surtout sont exemplaires. Ils soudent sans cesser d'être critiques, tous les hommes, tous les Carqueyrollais de la machine ronde sous la même formule clef, comme des poussins rassemblés sous la même mère. Formule simple :

... « *puisque son frère, c'est lui* ».

La folie n'est pas concevable à Carqueyrolles. Personne n'y est en situation d'être coupé de la maternelle « nébuleuse », de la maternelle circulation du sens. Tout au plus existe-t-il des « innocents », terme par lequel on veut dire que l'un ou l'autre ne s'est pas encore aperçu qu'il est blessé. Puisqu'elle est le fait de tous, « la responsabilité de l'homme est illimitée. » (Mys, 175).

Parler de, parler avec, parler en compagnie de Joë Bousquet est donc l'héritage naturel dévolu à tous ses lecteurs, tous ceux dont il est le miroir au visage de femme :

> « *J'ai vécu comme une femme, souhaitant d'enfanter des esprits (...)* » (Mys, 190).

nous fait-il savoir. N'avait-il pas déjà précisé sous ce même angle :

> « *Mes livres sont une ville au bout du monde. On peut me suivre jusqu'à eux, pas plus loin.* » (Mys, 108).

Et surtout, pas de cloisonnements entre « ceux qui n'ont pas le droit de parler », et ceux qui ont le droit, en vertu de je ne sais quels rapports anciens de parenté ou de voisinage avec la chair et les os du poète de Carcassonne.

Si Bousquet a mené son combat, c'est justement pour décloisonner, décomposer, déconstruire, « rendre aux hommes ce que leur aura pris la société ». A lui, c'est sa Mère que la société lui a pris, c'est entre elle et lui que la société a introduit une barrière, une barrière d'illusions, mais barrière tout de même. Faut-il aller à rebours de tout ce qu'il a essayé de nous faire comprendre ? Il est surprenant que ses anciens amis et sa famille aient aussi mal profité de ses leçons, de sa fréquentation quotidienne, qu'ils tentent obstinément de museler l'essentiel de l'enseignement du poète.

Ces contre-sens sont cependant heureux. Ils nous obligent à parler, ils nous libèrent les mains. Puisque les anciens proches de Joë Bousquet se comportent par rapport à lui d'une manière qui va si obstinément à rebours de sa pensée, c'est qu'ils ne sont pas plus spécialement autorisés que quiconque, ni moins, mais exactement autant, à témoigner...

De Joë Bousquet nous sommes tous responsables d'une façon illimitée. Comme du réel.

IV

Cette Mère, cette Mère-Vie plus grande que Madame Bousquet mère du poète au registre d'état-civil, nous avons suivi sa piste, contemplé les rivages de hasard, parmi tant d'autres, auxquels cette piste nous a dans l'élan, conduits. Nous avons vu comment elle s'est dégagée de Jeanne Cazanave pour devenir la Ville Entière (titre de tableau de Max Ernst). C'est l'occasion de reprendre le fil à partir d'un *Médisant* dont l'efficacité opératoire devait avoir joué probablement longtemps avant que le livre soit terminé, et publié (9).

Si l'on accepte de s'en référer à certains indices,

notamment aux dix dernières lignes de la page 33 du *Cahier Mystique* (Il faut que la femme s'éloigne... Nous portons le sang... etc...), on peut estimer que la synthèse de la Mère à partir de laquelle devait se déployer le *Médisant* était en voie d'achèvement dans le psychisme de Bousquet dès 1938. Ce que tendrait à confirmer certains passages du *Passeur s'est endormi* (paru le 21 août 39), dont celui-ci : « La ville que nous habitions m'obligeait à la connaître (...) Il nous fallait penser à des gens, analyser des médisances. »

Le jeu des noms tire son origine de la résolution de la même crise, jeu des noms du Passeur, jeu des noms de la *Tisane*. Bousquet a découvert que la société dont il est l'ennemi s'amadoue lorsqu'elle a trouvé à lui coller une étiquette de médisante bonté. Le récalcitrant nommé est à demi conjuré : « l'homme-chien » par exemple. Ou « l'idiot du village » ! Pour être un générateur d'incertitude, il suffit « d'avoir de la peine à porter son nom ». (C.D.S., 65-78). Contre l'incertitude, on baptise. On rassure.

Le problème du nom se pose à Joë, puisqu'il rejette toutes les étiquettes. Et c'est pourquoi il s'accommode d'une équivoque : les identités sous les noms vacilleront, ce sera un échange d'identités fugitives et d'étiquettes glissantes comme ces poissons d'avril que chacun essaie d'accrocher dans le dos de l'autre à son insu. Que servent les noms au pays de la responsabilité collective ? Au mieux, à transformer les amies en « Principe Féminin » !

Si Bousquet laissera de côté plus tard les aspects de simplicité puérile de ce jeu, il n'abandonnera pas l'habitude dont le *Passeur* (O.C., 33) nous offre un singulier échantillon :

> — Ma voix me sert, ai-je répondé, à dégager des profondeurs de ma pensée la parole de ma parole.

— Un prince n'aurait pas mieux dit : Si profondeur voulait dire oiseau, si pensée voulait dire parole, vous auriez dit que les oiseaux de la parole sont la pensée de la pensée.

Jeu dont le sens profond se cache dans l'arrière-plan de la Mère indifférenciée, propriétaire du Sens, ultime mot indicible du plan de la « conscience universelle », en opposition avec le plan imédiat de la « conscience individuelle » différenciée : plan sur lequel les signifiants ne sont pas interchangeables car ils sont l'identité des signifiés. Plan du corps rejeté par le social, plan que Bousquet travaille à « naturaliser ». (Cf., I.P.F., O.C., 220) Afin que ce ne soit plus « un monde où notre parole nous isole » comme la chambre de Saint-Souris (M.D.L., 301). Alors, affublé de ces mots interchangeables comme des masques, on « pourrait sortir la nuit » dans un pays « où la joie et la peine sont inconnues » : sortir dans ce pays « où ma mère m'a devancé » 10). (M.D.L., 301).

Et que dit-elle, cette Mère rêvée ? Cette Mère dont on ne voit pas le visage, et qui « fait de l'ombre sur elle-même ? » (N.D.A.A., O.C., 374).

1) « *Le moi est l'illusion qu'on s'appartient.* »

2) « *Mourir nous donne enfin le génie de tous les événements qui nous avaient formés.* »

La Mère, c'est donc autant l'indifférencié que la Mort. La Ville-Mère, ne nous étonnons pas qu'elle soit dans le livre une Ville-Mort. Si Joë est devenu le Carqueyrolles, c'est qu'il est sa propre mère et sa propre mort. La Mère étant l'Absente, il est aussi à lui-même son Absent. Et comment nomme-t-on communément cet Absent ? Il n'y a qu'un Dieu et c'est le silence de Dieu (Mys, 82), répond celui « dont l'être est sans limites dans une vie exactement mesurée ». S'étonnera-t-on maintenant s'il s'écrie : « Je me suis demandé si Dieu n'était pas femme. » (Mys, 149). C'est un peu comme s'il se demandait si la Passante est, ou non, la Ville. Ce qui est sûr, c'est que pour Joë la Mère est l'Absence de Dieu. Et la gardienne de cette absence, c'est pourquoi elle projette sur elle-même une ombre qui est la mort. « Une femme à qui j'appartiens, déclara M. Sureau, m'a chassé de sa maison avant le jour ; et cette femme n'est pas de ce monde mais, sans elle, le monde ne serait rien. » (I.P.F., O.CC., 176). Et surtout dans le *Rendez-vous d'un soir d'Hiver :*

> « *Tout un insondable orient d'analogies découvrait à mes yeux, jusque sur les aspects équivoques de mes jouets préférés, le mystère d'un au-delà dont ma mère était, vivante, la gardienne (...)* » (Chap. IX, O.C., 176).

Ce n'est pas que Joë soit dupe de ce qu'il lui faut des mots pour construire cette image, mais ici aussi il œuvre à effacer la frontière entre le commencement et la fin, comme on peut le déduire de ce passage d'*Une Passante bleue et blonde* (Chap. VII, O.C., 268) :

> « *Il m'apparut que cette ombre, soudain, d'une femme, où la totalité de l'univers était enfermée, naissait peut-être de mes paroles, mais pour me révéler qu'elle me les avait inspirées, et que je trouvais là le double aspect d'une clarté répondant dans ma chair de ce qui pouvait lui survivre.* »

On pourrait y associer la dernière page du Chapitre 3 de *La Tisane de sarments.*

L'unité de la maternelle nébuleuse, de la mère

masquée qui est toutes les femmes, est l'exact répondant du Bousquet nébuleux qui est mille existences. Comme la Mère, il est d'outre-tombe, comme elle il garde le seuil de la mort. Comme elle, non pas Iris mais Isis, Joë est l'unité du réel tronçonné, l'unité du texte éparpillé et fragmentaire.

Pour accuser cette situation, il restera enfermé dans la noire chambre matrice, au cœur de son Carqueyrolles auquel la mort d'Estève l'a définitivement attaché. Mygale à l'affût des secrets, déroulant le fil de chaque histoire à travers les confidences innombrables dont il est sacré le dépositaire, il occupe la gueule du monstre du Temps.

Poursuivant sans se lasser, il se considère logiquement comme son propre fils. N'écrit-il pas : « Travail des cahiers. Celui-ci est pour former mon fils : le descendant dont l'émancipation me rendra à moi-même, c'est-à-dire à la mort. » (Mys, 214). Formule fréquente dans les cahiers des années 40.

La Mère, c'est donc la chute, la blessure, et la résurrection, la réunification, la renaissance, la vie. Cette vie aura par suite deux moteurs essentiels et complémentaires (11). « Puisque l'homme n'est pas l'enfant de sa mère, mais de sa vie (...) il doit *s'attacher à en déchiffrer le langage* » et le traduire « dans sa propre langue ». (Mys, 100). Langage de chute dont il faut assurer le salut.

D'autre part, *puisque cette vie* — « tendre mère » — *est à aimer, l'amour sera son « seul objet »*. (M.P.B., 103). L'amour de sa vie sera la vie de l'amour. Et cet amour va se poursuivre lui-même à travers toutes les femmes, en cherchant chaque fois son expression la plus haute, sa traduction la mieux achevée.

Il laissera en suspens, malgré des tentations, la tradition de l'amour provençal — Dieu Femme — tel qu'on la devine par exemple dans la mystique des chansons d'Aube de Guiraut de Bornelh où l'absente, la dame, et Dieu, sont les diverses — et non limitatives — déclinaisons d'un même paradigme.

C'est qu'il a son corps blessé à ne pas perdre de vue, la lettre dans la vareuse, la première chute liée à Marthe. La Mère dans l'amour prendra en conséquence plutôt les traits de l'Eve manichéenne, associée *à la chute,* à ce moment de sommeil où Eve, la matière, est créée d'une côte d'Adam, Eve responsable du paradis perdu — « Marseillens vu à travers des larmes » — ; et ensuite *à l'amour sublimé.*

Cette conception, que Bousquet utilisait sans naïveté, répondait certainement mieux à ses besoins d'expression et laissait la porte ouverte à l'Androgyne qui était, couché sur ses ailes, dans la lumière de la Mère souterraine, lui-même.

En sorte que le schéma de la Femme prise dans un rêve où elle est aimée si purement qu'on la perd sous-tendra toutes les relations amoureuses du poète, relations où la chair, privée de la virilité accoutumée, était néanmoins naturellement épanouie au foyer du regard, ce qu'il ne faut pas craindre de dire une fois pour toutes, afin de lever une équivoque sur laquelle on entend souvent s'interroger des esprits bas comme s'ils étaient ignorants de leur propre érotisme.

Ce schéma est directement coulé au moule ancien du traumatisme que nous nous sommes efforcés de représenter dans la première partie de cette étude. Il inspirera Bousquet et lui fournira un foyer d'écriture jusqu'à la fin de sa vie.

Sa forme la plus pure, son apothéose dans une forme parfaite, il la connaîtra avec celle qu'on a coutume d'appeler le Poisson d'Or (coïncidence avec le poisson du Carqueyrolles et relations avec les poissons rouges (12) de l'enfance). Il la perdra volontairement en effet en 1950. Cette volonté, elle apparaît très clairement dans les dernières des *Lettres à Poisson d'or*, où il déclare avant de quitter cette vie, avoir été comblé par « une vision de pureté et de beauté, et qui (n'a) pas démenti son rêve en se heurtant à (son) corps blessé ».

Ainsi s'achèvent les diverses ramifications du difficile amour de Joë Bousquet pour sa mère. Et nous conclurons avec lui :

« *C'est fait, ce qui devait être est.* »

Xavier BORDES.

NOTES

(1) Le temps des manifestes. Bousquet le jugera sévèrement plus tard.

(2) A moins que les Carqueyrollais, quoiqu'ils sachent tout sur eux-mêmes, se fassent mutuellement peur ?

(2 bis) Cf. Fumerolle : « Faut bien que (...) tu tendes au-dedans de toi la toile d'araignée, mais ce travail d'esclave fait pitié... »

(2 ter) « Plusieurs années, m'aidant de la cocaïne (...) j'ai réussi à ranimer dans ma circulation l'intuition de l'unité planétaire (...) J'ai cru saisir lee lien interne entre la nuit minéralisée (...) qui est dans la terre et la nuit (...) qui est dans le sang : nuit utérine que la naissance a intériorisée ». (Lettre à Bachelard).

(3) Et Lapalme, les premiers poèmes...

(4) Je souligne. Ces quatre lignes décrivent très exactement les symptômes cliniques du « traumatisme ».

(5) « Le crime existe un peu moins quand le criminel s'en est chargé. » (J. B.). Peut se lire : La chute existe un peu moins quand la Femme s'en est chargée. (Cela, Bousquet le doit à sa Mère !)

(6) Le « Monstre du Temps » tantique... Drogue : « Saveur si forte du premier âge d'enfance. » (T.S., 439, *oc.*)

(7) Le *vent* bousquetien.

(8) Duplicata de la balle au milieu du corps. Pour le Serpent : Cf. Fumerolle, 3-4, et Conte des sept Robes. (T.S., 245).

(9) Il y songeait en 34. (Lettre à C. S.). Concernant Max Ernst, Bousquet le considérait comme « l'inventeur des tableaux de la jeune Amérique ».

(10) Faut-il rappeler ici le thème du « loup de dentelle », lié à la mort et à la Femme-Masquée ?

(11) Sur la liaison : MERE — (AMOUR) — LANGAGE, voir correspondance avec Hans Bellmer. (Corresp. 124). Nom prédestiné !

(12) Le poisson tautrique est « l'agent de liaison » entre l'absolu, l'espace cosmique, et e cosmos humain, la matière, l'espace-temps. Vishnu-Krishna est souvent représenté sortant de la gueule d'un poisson géant, au Népal.

LE REVE CHEZ JOE BOUSQUET

Bousquet s'est engagé dans l'exploration du rêve à l'heure où le message surréaliste (le premier *Manifeste* et *La Révolution surréaliste)* exaltait cette forme méconnue de l'activité humaine. Mais la coïncidence ne doit pas faire illusion : Breton et ses compagnons n'ont pas servi de guides à Bousquet.. Leur exemple a seulement fortifié ses convictions et son audace, comme le prouve cet hommage, qui marque à la fois l'importance et les limites de leur influence : « ... moi, dit Bousquet, qui n'aurais pas élevé la voix à mon tour, ni pris jamais au sérieux les seules aspirations qui me font un bien précieux de ma vie d'ici-bas, si je n'avais pas rencontré Paul Elaurd et André Breton et si je n'étais pas devenu leur ami. »

Sa condition d'infirme et l'usage de la drogue avaient introduit Bousquet dans le monde du rêve par d'autres voies que celles des hommes voués à une vie normale. Il en était devenu l'hôte privilégié, et un abîme sépare ses conceptions de celles de Breton et de ses amis, bien que ni lui ni personne n'ait paru s'en apercevoir.

Bousquet, à juste titre, s'est toujours réputé « fils de sa blessure ». Or, c'est elle qui a marqué de son sceau toute son expérience onirique.

La paralysie a fait de lui un « mort-vivant ». Quoiqu'il respire encore parmi les hommes, il est exclu de l'existence : il n'appartient plus au monde de l'espace et du temps. « Ils sont dans l'espace comme des poissons dans l'eau. Pas moi. Je suis un trou dans le lit du fleuve. » (L.N.A.A., p. 92). Et le temps ne l'atteint plus : « petit âne d'hiver » que montre une fable allégorique (L.T.S., p. 53), il suit, attaché par le museau, la cariole de l'existence tirée par les trois chevaux du temps ; et, tandis que celle-ci traverse les jours, les nuits et les saisons, symboles des vicissitudes du devenir, il trotte seul, « dans la grande ombre où il fait toujours froid ».

Ce monde prétendu réel, dont il est absent, lui est devenu secrètement étranger et les événements qui s'y déroulent, ne le concernant plus, ont perdu le caractère incisif qui fait leur évidence : « Si tous les hommes vivaient immobiles, comme moi, ils auraient un nom chargé de doute pour désigner les faits qui tournent sur eux-mêmes pour les envelopper ». Ils les tiendraient « pour gratuits ou symboliques ». (L.N. A.A., p. 9). Le monde de la veille, où il ne pénètre plus, n'expérimente et ne vérifie plus rien, n'a pas plus de réalité, à ses yeux, que les visions du rêve :

> « *J'approuve qu'en se rendant à son bureau, un homme se raconte qu'il avait rêvé la démarche que, vraiment, il accomplit. Mais moi, qui ne me meus pas davantage éveillé qu'endormi, comment adopterais-je vos façons, mes amis, de distinguer ces deux états.* » (L.N.A.A., p. 77).

Ce monde-ci a, d'ailleurs, irrémédiablement sombré dans l'irréalité à l'instant même de la blessure. Dans le pressentiment de la dissolution de tous les liens qui rattachent les objets entre eux par l'intermédiaire de notre expérience, il s'est soudain défait, perdant toute cohérence, toute profondeur et toute solidité :

« Je regardais mes bottes sans y reconnaître la vie. Mon corps était avec moi, comme un chien mort. Un souvenir, une sensation ne suffisaient plus à y véhiculer la vie, la voix d'un camarade n'y était plus qu'une voix ; un pas n'y était qu'un bruit de pas dans une autre nuit où la nuit me donnait accès s'était formé un silence pour accueillir le mien et se confondre avec lui. » (L.M.L., p. 13).

Ce bannissement allait, cependant, se révéler, non comme une malédiction, mais comme la chance suprême de la vie de Bousquet. Au lieu de se retrouver en face du vide, du rien, du néant, il avait le sentiment qu'un autre espace (« une autre nuit », dit la citation) et, peut-être, une autre sphère d'existence s'ouvraient devant lui.

Ainsi commençait, avec l'exploration nocturne, une grande aventure physique et spirituelle. Bousquet, qui était convaincu qu'une chance unique de salut lui était offerte, a pris le parti de renforcer son exil par la réclusion volontaire et la recherche des ténèbres, sortant de moins en moins de sa chambre et vivant aux heures du sommeil :

« Il ne demande rien, il est seul, mais c'est une solitude ensoleillée ; et il entretient autour de lui la solitude et la nuit pour favoriser la marche d'un rayonnement solaire qui monte de sous la terre. » (L.E., p. 52).

L'abolition du monde extérieur a favorisé, en effet, l'éclosion d'un monde inérieur de visions : rêves et souvenirs (proches parents du rêve et que Bousquet appelle « souvenirs imaginaires ») se sont mis à foisonner, comme une végétation exubérante : « Aucun homme ne peut durer entre quatre murs. Si par quelque géométrie en mouvement, on enchaînait son regard aux murs de sa prison, il mourrait bientôt d'avoir à porter le poids écrasant de son esprit. » (L.N.A.A., p. 17).

Mon intention n'est pas d'entreprendre la critique des conceptions de Bousquet sur le rêve. J'avouerai, d'ailleurs, humblement, ma propre perplexité. Même après Freud et son admirable *Science des Rêves,* le mystère du rêve ne me semble pas percé. Je suis incapable, dans ces conditions, de redresser les « erreurs » de Bousquet.

Je ne prétends pas non plus déterminer l'influence de la drogue dans la formation et la nature de ses visions : sujet important, mais différent du mien, et qui exige des connaissances médicales.

Mon ambition est seulement de décrire l'expérience de Bousquet, de me prêter à ses illusions, afin de participer à son aventure en éclairant de l'intérieur le cheminement de sa pensée. Il ne s'agit ici que de reconstituer l'extraordinaire ascension physique et spirituelle que Bousquet a cru pouvoir poursuivre à travers le rêve, et dont la connaissance est indispensable à la compréhension de son œuvre.

C'est dans cette perspective que j'examinerai tout d'abord en quoi consiste, à ses yeux, l'acte de rêver. J'esquisserai ensuite un tableau mettant en lumière les principaux traits de son univers onirique. Je m'interrogerai, enfin, sur la fonction du rêve ainsi conçu.

I. *En quoi consiste l'acte de rêver ?*

Breton, dans *Les Vases communiquants,* répondait à cette question en comparant et identifiant le plus possible les représentations de l'univers du rêve à celles de l'univers de la veille, quand, sous l'emprise de quelque violent désir, l'homme, perdant la conscience objective des réalités, les métamorphoses et assujettit à sa mode : « ... l'exigence du désir à la recherche de l'*objet* de sa réalisation dispose étrangement des données extérieures en tendant égoïstement à ne retenir d'elles que ce qui peut srvir sa caus (2). « Ainsi, bien que le désir, artisan du rêve, qu'exalte Breton, ne soit pas une impulsion plus ou moins inavouable du moi, issue de ce « sol tourmenté » sur lequel « se dressent fièrement nos vertus » (3) dont parle Freud, mais l'expression de l'élan vital qui anime l'homme et le met en relation avec les forces qui construisent l'univers, le rêve ne recèle pas, en principe, de mystère métaphysique. Il est, avant tout, une production psychologique. Il n'en est pas moins précieux, indispensable à l'homme : sa richesse, son pouvoir de stimulation et d'invention n'en finissent pas de surprendre et d'émerveiller. En lui sont les forces vives qui doivent permettre de lutter contre la nécessité extérieure et de changer le monde.

Tout autres sont et la démarche et les conclusions de l'enquête de Bousquet.

Tout d'abord, il ne fait pas confiance à l'intelligence pour raisonner sur le rêve : il tente d'explorer la sensation. Il veut déceler ainsi les secrets du passage d'un univers à l'autre. Jour après jour, il guette l'instant du sommeil et du réveil, ainsi que le surgissement des hallucinations qu'il ne distingue pas des rêves proprement dits. Car l'abaissement des paupières et l'immobilisation du corps ne lui semblent qu'un complément facultatif à la fermture au monde extérieur qu'implique le songe. Ce n'est pas le sommeil qui explique le rêve, c'est plutôt le rêve qui explique le sommeil : « Ce sont mes rêves qui m'endorment, et je sens de plus en plus qu'ils ont commencé avant que je ferme les yeux » (4).

Cette observation patiente devait aboutir à des résultats surprenants.

L'irruption du songe apparaît comme l'effet d'une métamorphose du regard.

Parfois, dans un premier temps, il se détache de son organe, les yeux, prélude à un élargissement du siège de la perception sur lequel nous aurons à revenir : « Une fois je me suis endormi sans sortir de ma conscience. Mon regard sans vie flottait sur mes yeux ouverts et immobiles comme mon corps. » (L.M.L., p. 127).

C'est lui, de toute façon, qui dirige les opérations : « ... il me devance dans un monde où mon infirmité ne me suit pas. » (L.N.A.A., p. 78). Au stade intermédiaire du rêve éveillé (paupières ouvertes, yeux pétrifiés), il se détourne de la vision directe, opère une conversion de l'extérieur vers l'intérieur, recevant ses perceptions des profondeurs du corps, d'où il continue cependant à entrevoir le monde environnant, tout en y enchaînant de nouveaux développements :

> « *Les yeux s'ouvrent sans rompre l'immobilité où le corps reste pétrifié, yeux compris ; le corps porte son regard au lieu d'être porté sur lui. Aussitôt, les sens se libèrent. On dirait que d'éclore dans des yeux sans mouvement, le regard se détache comme une fleur sur un taillis de sensations continuellement alertées. (...) On dirait que dans cette liberté somnambulique, les sens, que n'enveloppe plus le jusant du regard (la limitation de la perception externe) acquièrent le privilège d'ajouter à ce que voient les yeux* » (5).

Les visions du songe sont, affirme Bousquet par ailleurs, « un reflet de ce qui se passe dans les profondeurs du corps. » (L.M.E., p. 154).

L'introduction dans le monde du rêve s'accompagne encore d'une impression de plongée dans un milieu souterrain d'une densité particulière, qui appelle souvent des images de liquides : « Mon corps s'est enfoncé dans une présence limoneuse peuplée de voix. » (L.M.L., p. 118). « Je m'employais à me soutenir dans ces eaux immobiles dont le poids menaçait de me renverser... » (L.M.L., 96). La chute peut devenir ensuite vertigineuse, à la mesure d'un univers qui s'ouvre devant le dormeur :

> « *Terrible chute où je me sens rattrapé puis vertigineusement dépassé par la chute du monde où je m'élève en disparaissant. On dirait que l'abîme où je tombe a pris la place de mon corps et ouvre en moi des ailes à la mesure de ma vie. Il n'y a plus que cet engouffrement en hauteur dans le remous muet des ténèbres (mercredi 13 au 14 août, nuit).* » (L.M.L., p. 97).

Ces deux observations ne sont pas contradictoires : monde souterrain et profondeurs du corps coïncident, dans l'imagination mythique de Bousquet, avec le domaine de l'en-deçà ou au-delà du monde manifesté et visible, « nuit de source qui est la même dans toutes es profondeurs, matérielles, utérines, organiques. » (L.C.D., p. 52). En elle germe tout ce qui vient au jour ; en elle aussi retourne tout ce qui disparaît de la surface car « il n'y a pas d'inexistence, l'inexistence est l'envers et le grain de ce qui existe. » (C.D., p. 52).

Au fond de cette nuit, rayonne une sorte de point suprême, la matière « inétendue », « atomique », sorte de noyau d'énergie à la fois matériel conspirituel qui est Dieu : « Sous sa forme inétendue la matière est Dieu », affirme Bousquet. (L.T.S., p. 114). Le monde en est la manifestation, la projection à travers l'espace et le temps, où elle se diversifie et se morcelle.

C'est cette séparation qui constitue le mal de l'existence, perte de l'unité et de la plénitude de l'Etre : « La chair est contemporaine de la création, elle ne lui est pas consécutive » (6).

Mais, entre ces deux extrêmes, se situe une sphère intremédiaire, où le monde se déploie sans qu'aucun de ses éléments cesse d'appartenir au Tout et d'être solidaire de tous les autres. A ce niveau, l'homme aurait été un fabuleux androgyne cosmique, à qui l'univers eût été intérieur : « Tout ce qui se pressait vers lui de plus éclatant lui ramassait son être en route, lui donant un univers à connaître dans la simple idée qu'il était vivant. » (L.I.P., p. 34).

C'est pourquoi, dans son intimité charnelle, qui est l'en-deçà de son existence actuelle, l'homme a « les profondeurs de la planète » (7). Plus loin encore, au centre de lui-même, il peut découvrir l'Etre créateur : « L'homme est une créature, il est séparé de Dieu, c'est-à-dire de lui-même car il a Dieu dans le cœur. » (L.T.S., p. 181).

Dans ces conditions, pense Bousquet, ce n'est pas dans un monde de représentations mentales que nous introduit le rêve, mais dans un monde réel, plus réel même que celui-ci, parce que plus proche de l'Etre. Les visions du rêve sont des perceptions.

> « *Il n'y a pas d'aventure de l'esprit. Tout ce qui se produit dans une conscience laisse une trace susceptible d'être suivie comme un chemin.* » (L.N.A.A., p. 9).
>
> « *Tuons la présomption que la pensée pense...*
>
> *La pensée lit, voit. Sottise d'accréditer qu'elle se meut dans un espace abstrait. (...)*
>
> *Quand mes yeux s'ouvrent, les rêves rentrent sous la terre.* » (N.I., p. 97-98).

Ce monde des profondeurs a, en effet, une existence permanente et, sans doute, ses horizons débordent-ils de beaucoup nos explorations fragmentaires et limitées. Pendant la veille, il poursuit en nous ses évolutions à notre insu, parce que notre attention est toute polarisée par le monde manifesté. Mais il affleure par ces brèves déchirures que sont les hallucinations, et celles-ci laissent parfois entrevoir des lambeaux du rêve qui les avait précédées : « Pendant que je revoyais la jeune fille en robe blanche qui m'avait arrêté au seuil du sommeil, observe un jour Bousquet, mes souvenirs me parlaient d'une attente devant ses fenêtres closes qui aurait précédé son apparition dans le songe que je n'avais qu'effleuré. » (L.M.E., p. 154).

Il n'est pas étonnant que l'influence de la mort, nous détournant de l'existence, favorise l'éclosion des hallucinations : « Il est assez singulier, remarque Bousquet, que ces échappées de l'imagination soient toujours et comme nécessairement liées à une idée de la mort. » (L.T.S., p. 30).

Mais l'aventure du sommeil n'est pas un simple voyage dans les profondeurs charnelles et cosmiques. Elle implique une métamorphose du dormeur : c'est sa propre existence que l'homme perd en s'endormant, pour la retrouver à l'instant du réveil, drame dont la rapidité d'exécution nous ôte habituellement la perception. Bousquet note, à différentes reprises, qu'il se sent mourir (L.M.L., p. 97, loo, 173...). Un jour où il est demeuré « à l'affût », avec l'intention de « tenir tête aux agents de l'inconscient », il subit même une véritable mise à mort : « De part et d'autre du thorax, deux paumes imaginaires m'ont, comme en d'autres rêves, serré avec tant de force que ma bouche s'est ouverte sur un cri et qu'il a fallu, pour m'empêcher de le proférer, le souvenir d'illusions semblables et, dans ma raison déjà composée, la certitude qu'un monde s'ouvrait derrière elles... » (L.M.L., p. 143).

Remarquons que Bousquet partage cette opinion avec nombre de rêveurs, qui, précisément, croient à la réalité du monde des rêves. Ainsi Nerval, dans *Aurélia :* « Les premiers instants du sommeil sont l'image de la mort » (8). Ainsi Daumal, qui qualifie ses expériences nocturnes de « jeu de mort » (9).

Dans cet autre monde, la personne physique et spirituelle du dormeur se dilate aux dimensions de l'infini : « On dirait que l'abîme où je tombe a pris la place de mon corps et ouvre en moi des ailes à la mesure de ma vie », disait Bousquet dans le rêve d'engouffrement dans les ténèbres que nous avons déjà évoqué. Ailleurs, il célèbre chez le rêveur — trait commun avec l'androgyne cosmique — la puissance de créer un monde qui lui demeure intérieur :

> « *Quand je m'enfonçais dans le sommeil, j'approfondissais en lui une solitude qui n'avait pas eu de commencement. C'était être seul mais par la grâce d'un isolement que l'être couvrait comme une forêt. On ourait dit que dans le songe où j'étais tout il naissait un monde pour me séparer de la pensée que j'étais seul.* » (L.M.E., p. 71).

L'homme redevient, dans le songe, l'être total dont il s'est expulsé en venant au monde.

Le réveil reproduit donc la tragédie de la naissance, qui s'identifie, elle-même, à celle de la création, de la chute :

> « *Je suis devenu plus capable de supporter et d'aimer la souveraine solitude du songe. Comprenant que ma liberté finissait avec sa*

fin, j'ai exploré de tous mes sens l'angoisse qui m'emprisonne à l'instant du réveil. J'ai su qu'elle avait la forme de la peur originelle, qu'elle était cette terreur même, prenant ma forme pour s'apaiser. » (...)

« *J'ai su, un jour, que le réveil était la chute véritable.* » (...)

« *Mon regard conscient m'enferme dans une oubliette où la lumière entre de biais et tombe, comme par un soupirail, sur des faits enchaînés, ne m'accorde rien sans que l'espace me le dispute et m'en arrache la rançon.* » (L.M.L., p. 142-143).

Sur le chemin de cet élargissement vers l'infini de l'Etre, on rencontre un certain nombre de transmutation des corps. Le sommeil substitue régulièrement et pour le moins un corps sain au corps mutilé de Bousquet : « Entre mon oreillers et mes épaules, avec plus de force que devant une masse vivante se glisse difficilement tandis que se transforme l'étendue qui m'entoure », ajoute Bousquet dans le rêve qui décrivait la douloureuse épreuve de l'endormissement. Il tâte alors ses mollets qu'il trouve « pleins et nerveux. » Il remue également ses jambes que l'infirmité avait rendues inertes. Ce corps le quitte au réveil : « Soudain, une gêne presque douloureuse a de nouveau meurtri mes épaules appuyées à l'oreiller, comme si un sac de soldat avait été inséré de force entre mes omoplates et le coussin qui les soutenait, un corps étranger que mon poids ne meurtrit qu'en ses racines médullaires comme si j'étais couché sur des ailes mortes. » (L.M.L., p. 145). Y a-t-il ici une allusion à l'androgyne cosmique, cet « oiseau-roi » qui a « mis ses ailes au secret. » (L.I.P., p. 34).

Parfois encore, dans le songe, le corps s'illimite en

se multipliant : « Tandis que je reviens à moi il me semble que mes membres ont dormi dans des membres, mes mains dans des mains. (...) Et je survole par la pensée mon être matériel qui a sa vie dans une voie lactée de corps semblables, comme si j'étais continuellement pétri de mains absentes. » (L.M.L., p. 118-119).

La conscience, elle aussi, peut s'élargir à l'heure du sommeil, en s'identifiant à d'autres consciences : « Parfois, il m'a semblé que j'allais m'endormir dans les souvenirs d'un autre homme. » (L.M.L., p. 98).

Cependant, toutes ces transmigrations ne vont pas sans péril. D'où les risques, toujours conjurés il est vrai, mais nettement pressentis, de ne pas retrouver son corps au réveil — risques accrus, quand l'infirmité et la drogue ont déjà porté atteinte à l'intégrité de celui-ci. Bousquet peut rester partagé entre son propre corps et un corps étranger, qui lui ressemble et tend à absorber sa vie : « j'avais connu l'horreur de m'éveiller sans mon corps, d'émerger de guingois dans une forme-sœur où je me reconnaissais à peine et avec le dégoût de résider cependant dans cette chair désertée, creuse comme une ornière. » (L.S.C., p. 31-32). Il lui arrive même de manquer d'être happé par la forme d'un monstre, animal qui l'enserre dans un « embrasement » d'une « infernale intimité » : « épreuve hors nature », « un peu ce qu'éprouverait un homme anéanti sous l'écorce d'un poirier ou dans le timbre d'un réveil-matin, et qui s'écrirait avec des frémissements : « C'est là où personne ne s'aviserait de me chercher »... (L.E., p. 84).

Remarquons pour clore ce chapitre, que tous ces cauchemars de Bousquet, affres de l'agonie ou de la naissance, erreurs d'aiguillage dans la reconquête de l'identité, se concentrent dans les zones limitrophes de la veille et du sommeil. Ils ne représentent, semble-t-il, que les difficultés ou les accidents de la grande métamorphose que subit l'homme dans le sommeil.

II. *Les principaux traits du monde onirique de Bousquet.*

On n'y trouve pas trace de ces grands voyages à travers le cosmos, qui font accéder le rêveur à des contrées lointaines et fabuleuses, comme chez Nerval, Daumal et les romantiques allemands lus de Bousquet, tels Jean-Paul et Novalis. On n'y trouve pas non plus cette multiplicité étourdissante d'images souvent splendides qui signale les rêves surréalistes, cette « féerie intérieure », disait Breton, qui métamorphose l'univers quotidien, dans « la grande nuit qui sait ne faire qu'un de l'ordure et de la merveille » (10).

La séduction des rêves de Bousquet tient à des raisons plus subtiles : modification d'éclairage, changement dans la structure et les lois du monde quotidien, qui suffisent, comme nous le verrons, à transformer ce monde-ci, monde de la séparation et de l'anéantissement, en monde de plénitude et d'unité :

> « *Rien ne distingue le rêve du jour : les objets y sont semblables à ceux de la vie éveillée. L'éclairage est le même, mais il tombe d'un astre plus haut qu'effleurent les corps périssables comme des fleurs.* » (L.N.A.A., p. 114).

Selon une curieuse théorie de Bousquet, « si le soleil était plus haut et labourait plus profondément la terre, les fleurs auraient la couleur du charbon, les forêts seraient noires » (11). Quelque chose de semblable se produit dans le monde des rêves, éloigné de la surface où les corps ne font que réfléchir la clarté du soleil. Toutes les couleurs y tendent à foncer — « vous les voyez noires, dit à Bousquet son amie désignant des fleurs rouges, parce que vous dormez encore » (L.M.L., p. 115) — ou, du moins, à s'intensifier et rayonner alors de leur propre éclat sur fond de ténèbres —. « La lumière, observait Daumal, est dans le rêve, immanente à toute forme » :

> « *Je vois des habits noirs se lever,* dit Bousquet parlant d'un rêve, *venir à moi en longue file et le visage dans la nuit comme les piques d'une carte à jouer. (...) Autour de mon lit s'empressent, avec un bruit d'eau froissée, les robes aux nuances d'océan, d'hortensias, de violettes. Les jeunes filles rient, et cachent leurs lèvres dans des bouquets rouges, bleus, lilas, on ne voit que leurs yeux, mais les fleurs paraissent plus rouges que le rouge, plus jaunes que le jaune... Ce sont les couleurs dont se revêt au grand jour la terre des profondeurs ; couleur des yeux, des corps et de la mer ; non l'éclat du ciel mais l'éclat de l'ombre.* » (L.M.L., p. 42-43).

Une clarté diffuse issue des corps eux-mêmes, remplace, alors, la lumière du jour : « Quelle aube singulièrement douce ! L'aurore en veilleuse d'un pays illuminé par un soleil souterrain ; où toute clarté monte de la terre aussitôt qu'elle se détourne du jour. » (L.M.L., p. 124). Ce soleil peut être le soleil diurne, métamorphosé par la distance, mais il existe aussi, dans les songes, un « soleil noir ». (L.G., p. 232), qui est l'Etre même, dont la Création est une émanation, les fonds enténébrés du rêve n'étant pas absence de lumière mais profondeurs de l'incréé : « Il fait sombre, mais ce n'est pas ici le lieu de la nuit, c'est l'obscurité de l'espace. » (L.M.L., p. 120).

Les couleurs ont encore la curieuse propriété de virer pour s'assombrir ou s'éclaircir en fonction du degré d'approche de ces profondeurs increées ou du grand jour de la manifestation. C'est ainsi qu'un chronomètre d'or apparaît à Bousquet dans un rêve où il l'avait longtemps cherché, comme une « large et ronde tache opaque qui aveugle de tout son poids le rayonnement du sous-sol. » (L.N.A.A., p. 80). Or, cet objet, qui enregistre l'écoulement du temps, est pour lui un symbole de mort : parce qu'il avait appartenu à son père défunt, il lui signifiait qu'il devait bientôt « le retrouver de l'autre côté de la vie. » (L.N.A.A., p. 116). Inversement, la poésie étant un acte de recréation du monde (13), un oiseau, qui symbolise le poète, grossit et vire du rouge, couleur des profendeurs, au noir et blanc, en quittant l'obscurité pour la lumière du monde manifesté (le noir rappelle, sans doute, la permanence des attaches du poète avec le monde souterrain) : l'infirmière ayant ouvert les volets, sur l'ordre de Bousquet pour libérer l'oiseau emprisonné dans sa chambre », je vois, di-il, cet oiseau, minuscule et rouge comme un cœur, qui, intelligemment, suit le rayon coulé entre les contrevents et marche sans hâte vers l'entrebâillement qui lui permettra de sortir. A mesure que l'oiseau s'approche du grand jour, il grossit jusqu'à prendre la taille d'un faisan, mais aux plumes blanches et noires, une sorte d'oiseau-corbillard qui, au seuil de la liberté, s'immobilise, espère. » (L.M.L., p. 132).

Mais la propriété la plus étonnante de cette lumière et de ces couleurs souterraines est qu'elles constituent elles-mêmes un regard et qu'elles voient autant qu'elles sont vues. Daumal signalait déjà ce phénomène en parlant du soleil des rêves « qui n'éclaire pas mais qui voit » (14). « Je suis ce qui n'a pas d'yeux étant tout le regard », affirme, en effet, une « femme sans âge », dans un rêve rapporté à Bousquet par une de ses amies qui ajoute : « C'était aussi pur que si mon rêve lui-même avait parlé. » (L.M.E., p. 139). Or, cette « femme sans âge », apparue dans un jardin merveilleux qui finalement est un cimetière, « jardin de mort », dit plus loin Bousquet (p. 148), est bien la Mort elle-même. Sans doute faut-il reconnaître dans ce songe, non seulement une nouvelle preuve de la parenté du rêve avec la mort, mais aussi un exemple de l'illimitation cosmique de l'individu à la faveur du rêve et de la mort : ce regard innombrable est celui de l'Etre universel que l'homme redevient alors.

Le statut des formes et les conditions de l'action subissent des changements non moins essentiels.

Le rêve est le lieu où l'esprit habite véritablement la matière. La moindre forme, même inanimée, paraît non seulement symbolique, mais douée de pensée et de quelque pouvoir d'action :

> « *Le rêve est plus réel que la vie éveillée parce que l'objet n'y est plus jamais négligeable : le revolver, l'aiguille et la pendule y* résument des événements qui, sans eux, ne seraient pas. L'événement et l'objet y sont rigou reusement interchangeables, *comme dans ces aventures accomplies et toutes jugées où une chambre d'hôtel raconte intégralement un crime que l'imagination policière est incapable de réinventer sur le champ.* » (L.N.A.A., p. 22).

Ce n'est pas que l'objet semble lui-même animé d'une vie propre ; il est plutôt hanté par des présences spirituelles qui le dépassent, tel ce crayon d'or oublié par une amie dans la chambre de Bousquet, qui, à la faveur d'un assoupissement, fait rayonner la puissance magique de l'amour : une « fumée humide », une « pâleur » le nimbent tout d'abord. « Ce n'était pas quelque chose d'aigre, d'ennemi, non, au contraire, une présence terriblement neutre, indifférente, attachée à ce crayon, une peur errante qui faisait bloc soudain et se durcissait au contact de ma vie afin de ne se plus distinguer d'elle ». A l'instant du réveil, le poète éprouve, dans une sorte d'extase, son unité avec le monde et la résorption de toutes choses en lui : « Tout le poids de ma vie portait sur la lumière qui ne formait qu'une clarté avec ma voix. » (...) « Puis, ce fut la nuit pour tout ce qui n'était pas mes yeux. Le silence appelait le silence, et toujours il restait quelque bruit pour se laisser recouvrir ». L'amie elle-même n'est que l'incarnation et le vêtement de cette force qui est à l'origine de la métamorphose de Bousquet : « Le souvenir de son nom est le dernier qui se retire. Est-ce que je la nomme mon amie, est-ce que je la nomme mon amour ? » (L.T.S., p. 97).

Réciproquement, il n'est pas d'idée qui ne revête une forme pour apparaître. La mort est le plus souvent une vieille femme et la poésie, un oiseau gigantesque qui s'apparente à l'androgyne cosmique, comme nous l'avons vu précédemment. Tous deux se retrouvent, par exemple, dans le grand rêve allégorique de la mort au monde et du salut par la poésie qu'on trouve dans *Le Passeur s'est endormi :* une « tête blanche » aux yeux « sans regard » apparaît « à la crête d'un mur ». C'est celle de la mort, qui a creusé une fosse où sera allongée une statue décapitée, symbole de Bousquet pétrifiéet rejeté par la vie. Elle déclare, faisant allusion à lui : « On n'est pas de ce monde avec ces façons de marcher très hiver prochain », mais affirme également : « Le monde est l'œuvre des oiseaux ».

En effet, « dans l'arbre mort des ombres survivantes » (...) « un oiseau grand comme une forêt, dont l'ombre décroissante était seule dans l'espace à savoir où elle allait, lentement s'élevait sur la démence du vent, coiffé d'une couronne et portant une tête de pierre entre ses serres » (celle de la statue, qui est Bousquet). (L.P., p. 140-141-142). Ainsi, la poésie doit accomplir le salut de l'infirme dont la personne visible est anéantie. Ce salut est l'illimitation de son être dans la résurrection de l'androgyne cosmique, dont l'oiseau, symbole de la poésie, présente les attributs, ailes et couronne, signalés dans *Lumière infranchissable pourriture* (p. 34).

L'écart entre le moi superficiel, étroitement circonscrit, hérité de l'existence terrestre, et l'Etre infini et éternel que libère en nous le rêve ou la mort, se traduit par la présence du « double », double du poète ou de la femme aimée. Celui-ci se signale souvent par une différence de clarté — il est la face nocturne de la personne visible — parfois de valeur et de beauté. Un jeune homme, dont Bousquet est « jaloux », est assis au fond d'une taverne. « Il est seul, c'est parce qu'il est si beau qu'il est si loin. Bien qu'il soit grand jour, on ne le verrait pas si on n'avait allumé une lampe » (...) « C'est un artiste » (...). Quittant les lieux Bousquet s'entend dire par sa mère : « Au fond du cofé était assis un jeune homme qui ne ressemblait à personne. Tu n'as pas vu, Joë ? Ce jeune homme qui te ressemblait ? » (L.E., p. 168).

La femme aimée est, au-delà de ses apparences superficielles, la projection du sexe intérieur de l'homme, enfoui dans ses profondeurs charnelles et cosmiques. C'est pourquoi, dans un rêve de mort, Bousquet, séparé de la forme visible de son amie, retenue au loin dans sa villa éclairée, finit par la retrouver à ses côtés, après avoir expliqué que « quand la mort vient, c'est la séparation qui meurt » :

> « *Il faisait très noir autour de moi, dans le haut réduit qui m'emportait très vite, comme sur une voie ferrée, sans que le mouvement acrût ni diminuât la distance où brûlait sa lampe, la capitale de l'éloignement était entre mes yeux. Je n'avais qu'à me déplacer à tâtons dans la voiture pour la reconnaître au soupir très tendre d'une forme invisible qui y dormait. Cette forme était mon amour, c'est-à-dire sa présence ; car l'espace, maintenant, ne me connaissait plus et c'était l'image qui s'éloignait.* » (L.E., p. 54). L' « image est la femme dite « réelle », qui n'est qu'une apparence...

Les événements du rêve, comme on le sait, ne sont pas soumis aux lois du déterminisme causal : choses et êtres apparaissent, disparaissent, se transforment et agissent en toute liberté, ignorant les impossibilités et les contraintes extérieures du monde physique. Nul caprice ni absurdité, cependant, dans l'enchaînement des phénomènes, pour qui déchiffre le symbolisme du rêve. Ainsi, tout y obéit à des finalités qui restent souvent mystérieuses. Par exemple, le rêve du papillon géant, réfugié dans la chambre de Bousquet, qu'un livre lui enseigne à couper en deux « pour obtenir deux parcelles ailées qui se dirigeront par des pentes naturelles, l'une vers les étoiles et l'autre vers... ce magasin de sucreries » où Bousquet avait tenté d'acheter des « friandises lumineuses » (L.T.S., p. 26), prend le relais d'un rêve précédent (p. 18), où un condamné à mort allait être scié en deux, et il figure tout simplement le destin proposé au poète : accès à la plénitude de l'Etre infini — les étoiles —, qui a pour contrepartie le sacrifice de son individualité et de sa vie. Les « friandises lumineuses » sont, en effet, la drogue, qui favorise les extases en détruisant l'existence terrestre : un autre version du roman (15), les dit vendues au « fils de la Ramasseuse de sarments » ; or, cette dernière est la mort, selon les explication fournies par Bousquet lui-même (L.T.S., p. 46), la mort par la drogue, « tisane de sarments ».

Le rêve ne peut pas se passer totalement de l'espace et du temps, qu'impliquent nécessairement l'extension et la succession des représentations. Mais il connaît un autre type d'espace et de temps que ceux de la vie éveillée.

Plus d'espace abstrait, qui recevrait les objets. L'espace est déployé par l'objet lui-même et n'existe pas en dehors de lui. En outre, cet espace n'exclut plus la présence d'un autre objet, qui, même avec des dimensions fort différentes, peut se substituer ou se superposer au premier, au mépris du principe d'identité. De là, la facilité des métamorphoses dans le rêve : « Je voyais distinctement, dans ses moindres détails, le pont d'un croiseur qui était en même temps la surface accidentée et rugueuse d'un grain de sucre. Il n'y avait pas à s'étonner de cela. Dans chacun des deux univers où cet objet formait tout l'espace, rien ne pouvait intervenir pour lui disputer son étendue. » (L.T.S., p. 124).

Dès lorrs, les êtres ne sont plus enfermés dans leur forme. Ils peuvent en changer, et même en habiter deux simultanément, se voir de l'extérieur sour leur seconde forme, comme Bousquet, dans les rêves du papillon et du condamné à mort, quitte parfois à s'y reconnaître ensuite : ainsi, le dormeur, dans un autre rêve, voulant avertir un ami qui se compromet dans un mauvais lieu, prend cet homme par le bras, le secoue et ajoute : « Je tiens la manche vide d'un par-dessus suspendu à un clou et devant lequel je suis seul, maintenant, hésitant à endosser ce vêtement qui est à moi, je viens de le comprendre. » (L.T.S., p. 12).

Si l'espace ne cloisonne plus les rêves dans leur forme et n'isole plus les formes l'une de l'autre, le temps ne sépare plus les inspants. Au mépris du principe de non-contradiction, des états incompatibles, notamment, la vie et la mort, s'assument simultanément. Un rêve de *La Tisane de sarments* montre Paule Duval, l'amie de Bousquet, promise à la mort, assise à ses côtés dans un wagon qui contient un mort qu'on n'aperçoit pas, veillé par un gardien. « Mais, dit Bousquet, l'ombre d'une vieille femme (la Mort) passe soudain entre nous et, par la bouche de ma jeune amie, me signifie qu'elle va veilleé le mort, ou bien la morte, à notre place. » (L.T.S., p. 31). Il s'agissait donc de Paule Duval elle-même, représentée sous ces deux états à la fois.

Dans le rêve, la mort d'ailleurs n'est qu'un simulacre. Car le temps n'est plus irréversible. Rien ne s'altère ni ne disparaît, si ce n'est momentanément. Bousquet retrouve en songe ses amis et son père morts. Ils y continuent leur existence le plus naturellement du monde, parlent du passé « avec une sorte de tristesse allégée, précise Bousquet, le sentiment mélancolique des morts pour qui la mort n'est ni une crainte ni un secret. » (L.M.L., p. 44). Et Bousquet voit dans ce phénomène une confirmation de la foi qu'il a « toujours accordé, à la présence réelle des morts. » (L.N.A.A., p. 80).

Cette réversibilité du temps signifie que non seulement les événements peuvent se reproduire identiques, après de longues années, avec des choses ou des êtres qui auraient dû changer ou disparaître, mais que la conscience qui les perçoit ne subit pas le vieillissement et semble toujours vivre dans un éternel présent : « La nuit, comme de hautes fleurs, montait au-dessus de mon corps étendu, les images d'un temps lointain, mais dont le temps seul s'était envolé... » (L.E., p. 141).

L'espace et le temps du rêve permettent donc une sorte de circulation universelle et éternelle des formes, à la fois fluctuantes et impérissables. Tout y demeure en somme intérieur à tout, dans l'unité de l'Etre, accomplissant ce miracle d'être continuellement autre sans cesser d'être soi. C'est ainsi que cette forme d'existence est affranchie de la séparation et de l'anéantissement. Bousquet définit mystérieusement le rêve comme le lieu « où la première fleur est une goutte d'eau. » (L.N.A.A., p. 79). La goutte d'eau semble être chez Bousquet un symbole cosmique, en raison de sa rondeur, de sa possibilité de refléter le monde environnant et de son cycle naturel : souterrain, terrestre, aérien.

III. *La fonction du rêve.*

Le monde du rêve est donc, aux yeux de Bousquet, un monde réel, sous-jacent au monde manifesté, dont il est tout ensemble la profondeur et la vérité. C'est un éclairage philosophique et métaphysique qu'il répand sur l'existence. Il révèle le rôle démiurgique de la poésie, l'inanité de la mort ainsi que sa nécessité pour atteindre à l'Etre, la double appartenance de chacun au monde de la surface et à un envers illimité, l'unité secrète des deux sexes issus de l'androgyne cosmique...

Ces révélations ne sont pas faites en dehors de tout contexte, mais en liaison étroite avec les rencontres et les événements du devenir. Car ce sont les êtres, les objets et les faits de la vie que le rêve met en scène, les saisissant au-dessous de leur point d'émergence dans le monde manifesté, à moins qu'il ne leur substitue des équivalents symboliques pour mieux cerner leur sens. Ainsi le rêve déchiffre la signification mystérieuse de toute destinée. C'est pourquoi il peut prophétiser, mais il aide tout aussi bien à pénétrer le passé et le présent.

Cependant la connaissance qu'il dispense n'est pas un savoir intellectuel, qu'acquiert par le raisonnement l'homme éveillé qui réfléchit sur ses rêves. Le songe illumine la conscience du dormeur en l'introduisant dans les perspectives fondamentales de son existence. Faisant allusion au *Meneur de Lune*, son œuvre la plus riche en récits de rêves, Bousquet confie à Jean Cassou :

> « *Avec prudence, j'ai essayé de substituer à des chapitres entiers les rêves qui les résumaient ou les rendaient inutiles. Alors, j'ai vraiment vu dans ma vie. Je n'ai pas compris, j'ai vu : une sorte de nébuleuse où les faits sont placés les uns par rapport aux autres, où les femmes entrent par deux, plus ou moins semblables à leurs sœurs rêvés qui sont deux, aussi, la Blanche par amour et la Souterraine, chacune avec son thème qui semble faire la loi dans un monde dont elles ne nous apportent l'une et l'autre, que le charme* » (16).

Néanmoins, servir à la pénétration du monde réputé réel n'est pas la plus haute vocation du rêve : vivre le rêve pour lui-même est plus important encore. S'enfoncer dans ses profondeurs, c'est prendre le chemin de l'extase dans laquelle l'homme, retrouvant son unité avec le monde, accède à la plénitude de l'Etre. Au milieu des visions du rêve, Bousquet atteint « un comble sensible », « dont les plus hauts moments de l'inspiration ne sont que la nostalgie. » (L.E., p. 182). « Ce que je souhaitais, dit-il encore, respirait ce que j'étais (...). La vie ne laissait aucune trace si emplie d'elle-même et c'était merveille de s'en souvenir. » (L.E., p. 167).

Le rêve, pourtant, n'est qu'un degré dans la progression vers le centre plus profondément enfoui encore de l'homme et du monde, ce point atomique de l'unité absolue, où ne subsiste plus aucune distinction, ni aucune espèce d'espace ni de temps : néant apparent pour l'esprit et les sens, alors qu'il s'agit de l'Etre même dans sa pureté première. « Les rêves sont dans la nuit sans portes, les ombres de ce qui est plus noir que le noir. » (N.I., p. 92).

Les visions du rêve débouchent donc elles-mêmes sur un au-delà d'où elles sont issues. Bousquet découvre que c'est la parole qui y conduit. « Ils sont silencieux les songes, observe Bousquet. (...) Seules, des voix vous suivent. Et même, il me semble qu'elles mènent au songe et en ramènent ; toujours entendues un peu à côté (...) » (L.P.A.R., p. 68). Ces phrases ou bribes de phrases dont Breton disait qu'elles « cognent à la vitre » (17), et qu'il qualifiait de « dictée magique » (18), lui révélaient la mine poétique de l'automatisme verbal. Mais selon Bousquet, ces phrases sont la source même des visions du rêve : « Je sais enfin que le songe est langage », écrit-il à Max Ernst (19). « Il n'y a pas de rêve, tu sais, il n'y a que des voix », affirme-t-il encore à son amie du *Mal d'Enfance*, lorsqu'elle lui raporte les paroles de la vieille citées plus haut : « Je suis ce qui n'a pas d'yeux étant tout le regard », paroles qui sont conjointement celle du Rêve et de la Mort. « On dit le rêve pour mieux l'oublier, poursuit Bousquet. Mais c'est l'ombrage de ta voix quand la vie te donne les yeux de la bête faitet pour l'habiter. » (L.M.E., p. 139).

Cette parole mystérieuse et merveilleuse que Bousquet se refuse à considérer comme l'expression de la pensée du moi limité, se trace à elle-même sa route, et les mots n'y sont plus des signes, mais l'essence même des choses : « Les mots sont toute la pensée de la réalité qu'ils contiennent, on dirait qu'ils ont eux-mêmes pris conscience » (20). Elle est en somme le Verbe, le Verbe créateur de l'aube des temps, issu de l'Etre même. Et c'est en vertu d'une sorte de transmutation alchimique qu'elle se métamorphose en visions : « Le sommeil (...) avait été la vie même, une tendre illumination dont la parole engendrait le murmure. » (L.M.L., p. 123).

En sens inverse, le monde des visions s'évanouit quand le dormeur s'enfonce dans les profondeurs de cette voix. Un rêve montre à Bousquet la maison qu'il a habitée autrefois, versant la lumière dans la rue par ses six fenêtres immenses. Cette maison contient une salle dont il ignorait l'existence, « salle immense et nue où se forment toutes les voix du monde. » (L.M.L., p. 39). On reconnaît, dans cette maison, un symbole cosmique de l'univers manifesté, et, dans cette salle, son centre invisible, d'où émane le verbe créateur. Or, le dormeur, après être entré, puis s'être promené dans la rue, « transi et comme vidé par la lumière que versent les fenêtres », se dit « profondément agité par le sens secret d'une longue phrase » qui se précise, tandis qu'il s'éveille : « ... mon regard vide la rue noire quand je suis la voix où personne ne peut me voir » (p. 40). La lumière versée par les fenêtres était, par conséquent, son propre regard, celui de l'Etre infini qui double son individu limité et coïncide avec l'univers, la maison représentant également son propre corps, ce corps qui, nous le savons, a « les profondeurs de la planète ». Dans la mesure où Bousquet retrouve, au cœur de lui-même la voix des origines, le Verbe créateur, et où il s'approche du noyau de l'incréé, il assiste à la résorption, dans l'unité indistincte, de toutes les formes individualisées, y compris la sienne.

En remontant encore le cours de cette voix, sans doute arriverait-on au Silence, silence de la plénitude absolue, indifférenciée, comme le suggère cette observation de Bousquet, lors d'un autre réveil : « Le silence vibre, il est la fin d'une voix dans une âme trop grande pour s'exprimer. » (L.T.S., p. 80).

Le monde du rêve s'est ainsi révélé comme le lieu privilégié d'une expérience mystique, au cours de laquelle Bousquet, refranchissant tous les degrés de l'univers manifesté, s'approche de l'Absolu. « Troublé par les relations que j'avais récemment entrevues entre la voix et le rêve », dit-il dans *Le Mal d'Enfance* (p. 145), « j'étais sûr de toucher, dans l'un comme dans l'autre, les Portes hermétiquement closes d'un paradis perdu. »

CONCLUSION

La position de Bousquet à l'égard du rêve semble être des plus paradoxales et des plus inconfortables qui se puissent imaginer. Tandis qu'il dénie toute réalité au monde de la veille, il soutient que le monde du rêve n'est pas un monde de représentations mentales, mais un monde réel, le monde réel, dans lequel nous introduit une métamorphose physiologique et ontologique de l'individu. Il n'hésite pas à écrire : « La sensation du réel me revenait avec le songe. » (L.P., p. 46).

Ce monde réel n'est pas, comme chez les romantiques allemands, Jean-Paul et Novalis, comme chez Nerval et Daumal, un lointain ailleurs, situé dans les profondeurs terrestres ou célestes. C'est l'en-deçà ou au-delà imédiat de ce monde-ci, ou encore ce monde-ci sous une forme antérieure à sa forme manifestée et déchue, celle où il s'épuise au grand jour dans le multiple, à travers un espace et un temps séparateurs et irréversibles. C'est dans cette région sous-jacente de tous les possibles, où règne encore l'unité et l'éternité, et où l'homme ne fait qu'un avec ce qu'il perçoit, que ce qui vient au jour germe, puis se retrouve aprèse avoir disparu de la surface.

Les curieuses idées de Bousquet sur la matière inétendue, pensante, et qui est Dieu, sur les profondeurs illimitées du corps humain, où réside l'androgyne cosmique, ont autorisé ces affirmations sur le rêve. Il se peut même que ce soit le rêve qui l'ait incité à les concevoir.

Toujours est-il que le rêve a été pour Bousquet la révélation de la voie du salut, et que le contenu de ses rêves importent moins encore que la structure, l'éclairage et les lois de cet univers, dans lesquels résident, pense-t-il, les secrets de l'unité perdue.

Ainsi, loin de subordonner le rêve à la veille, y cherchant, comme Freud, des clefs qui l'expliquent, ou comme les surréalistes, des trésors qui l'enrichissent, Bousquet découvre dans le rêve une plus haute sphère d'existence, le chemin d'une ascension vers la plénitude de l'Etre.

Puisque la vie, en tant que telle, est la négation de cette aspiration — « Je cherche à *être*, répète Bousquet (...) le fait est que l'homme n'est pas » (21) —, au lieu d'aller pêcher dans les profondeurs de nos nuits des merveilles pour en parer le jour, il faut réintroduire le « réel » dans les filets du rêve, qui serait sa trame essentielle et première : « *On dirait que l'homme n'est pas fait pour vivre éveillé.* » (L.M.L., p. 123). (22). La création poétique et romanesque, les contes, notamment, répondent aux exigences de cet impératif.

A l'opposé de Breton, ce « terrien » qui cherche à « assigner au rêve une place sur terre », à « prendre possession de l'impossible » pour le « commuer en possible », comme le dit si justement S. Alexandrian, dans son livre *Le Surréalisme et le Rêve,* voici donc Bousquet, l'habitant des rêves, ce « fantôme » (24), qui se reconnaissait pour tel et prétendait devoir le rester, Bousquet dans toute son irréductible et inquiétante étrangeté :

> « *Une aube perpétuelle dans mes yeux ouverts essuie le front du jour et c'est tout le temps l'heure et ce n'est jamais l'heure. Mon cœur sonne minuit dans les abîmes du jour toujours levant.* » (L.T.S., p. 31).

Nicole BHATTACHARYA.

SIGLES

L.M.L. : *Le Meneur de Lune,* Janin, Paris, 1946.
L.N.A.A. : *La Neige d'un autre Age,* Le Cercle du Livre, Paris, 1952.
L.T.S. : *La Tisane de Sarments,* Denoël, Paris, 1936.
L.E. : *Langage Entier,* Rougerie, Limoges, 1966.
L.M.E. : *Le Mal d'Enfance,* Denoël, Paris, 1939.
L.P. : *Le Passeur s'est endormi,* Denoël, Paris, 1939.
L.I.P. : *Lumière Infranchissable Pourriture,* La Fenêtre ardente, Millau, 1964. Première édition : Cahiers du Sud, Marseille, 1935.
L.C.D. : *Le Credo dualiste,* in L.I.P.
N.I. : *Notes d'Inconnaissance,* Rougerie, Limoges, 1967.
L.S.C. : *Le Sème Chemins,* Rougerie, Limoges, 1968.
L.P.A.R. : *Le Pays des Armes Rouillées,* Rougerie, Limoges, 1969.
L.G. : *Lettres à Ginette,* Albin Michel, Paris, 1980.

NOTES

(1) « Présentisme », *Les Cahiers de l'Etoile,* 1929.
(2) P. 123, Gallimard, Idées.
(3) *La Sience des Rêves,* 1900.
(4) *Lettres à Jean Cassou,* 1er août 1934, Rougerie, Limoges, 1970, p. 102.
(5) *Ibid.*, 18 décembre 1945, p. 137.
(6) *Le génie d'Oc et l'homme méditerranéen,* « Conscience et tradition d'Oc », Les Cahiers du Sud, Marseille, 1943, p. 375.
(7) *Correspondance,* lettre à René Renne, 27 août 1945, Gallimard, Paris, 1969, p. 190.
(8) *Aurélia,* première page.
(9) « Nerval le nyctalope », *Le grand Jeu,* n° 3, 1929, L'Herne, 1968, p. 155.
(10) *Les Vases communiquants,* Gallimard, Idées, p. 166.
(11) *Correspondance,* lettre à René, Renne citée plus haut.
(12) Article cité plus haut, p. 157.
(13) Cf. *La Tisane de Sarments,* p. 62-63 : « Dans une idée convenable, il (l'artiste) ne pourra spontanément rien énoncer qui ne soit du même coup aussi réel qu'un phénomène, aussi rigoureusement matériel. Se laissant traverser de la vie, il devra reconnaître dans ce qu'il voit, ce qu'il imagine et ce qu'il dit des expressions partielles, mais également appropriées de l'unité à travers lui manifestée ».
(14) Article « Nerval le nyctalope » cité plus haut, p. 154.
(15) *Œuvres romanesques complètes* de Joë Bousquet, T. 1, Albin Michel, Paris, 1979, p. 443.
(16) Lettre du 18 décembre 1945, p. 138-139.

(17) *Manifeste du Surréalisme.*

(18) *Les Pas perdus,* « Entrée des Médiums ».

(19) *Correspondance,* 12 juillet 1945, p. 177.

(20) *Correspondance,* lettre à Hans Bellmer, 18 avril 1945, p. 125.

(21) *Correspondance,* lettre à Christiane Burucoa, Pâques, avril 1944, p. 264, souligné dans le texte.

(22)) Souligné dans le texte.

(23) Gallimard, collection « Connaissance de l'Inconscient », 1975, chapitre « Les Présidents de la République des Rêves ».

(24) « Je suis un fantôme, mes chaînes en témoignent... Assujetti à la vie, je vois loin sur la route des spectres ». (L.T.S., p. 231-232).

FRANÇOISE HAFFNER

LA POETIQUE DU CONTE CHEZ JOE BOUSQUET

OU LE CONTE COMME EXERCICE SPIRITUEL

Le conteur dit *je* pour raconter des histoires non personnelles. Il leur prête sa voix. Le *je* n'est que la mise-en-branle de l'acte de raconter. « Je vais vous raconter l'histoire de... ». Le *je* qui parle et le *vous* qui écoute sont vite « oubliés » ou veulent se faire vite oublier. Le conte est fiction pure, le domaine du présentatif : Au temps jadis, il y avait... Il était une fois. Objet de langage, langage-objet, le conte existe hors de nous — je et tu — hors de notre temps, dans l'accompli : passé-simple et imparfait. Le « je » et le « tu » sont les signes d'une réactualisation, mais le récit lui-même est répétition. Le conte (en apparence du moins) fait fi du moi. Il est noyau culturel. La part créatrice du narrateur ne semble pas se situer dans la fiction, mais dans la profération de celle-ci, dans l'élocution. Mais même l'élocution est en grande partie prise en charge par des formules, des figures figées, des lieux communs où narrateur et narrataire se reconnaissent.

Un écrivain peut-il se vouloir conteur ?

Quelle ambition se cache derrière cette volonté en apparence anodine : vouloir inventer des contes ?

Joë Bousquet — l'écrivain qui *est* peut-être le plus

dans ses écrits — a voulu ressusciter le conte. Il s'est voulu inventeur de conte, « raconteur ».

La lecture de sa bibliographie est très révélatrice. Si le conte, affirmé en tant que tel, n'apparaît pas toujours (l'œuvre est nommé : roman, récit ou nouvelle, rarement conte), le conte transparaît dans la plupart des titres de l'œuvre qu'on qualifiera de romanesque uniquement pour la commodité : *La Fiancée du vent, Le rendez-vous d'un soir d'hiver, Une passante bleue et blonde, La Tisane de sarments, Iris et Petite-Fumée, Sylvain, Le Meneur de lune, Le Passeur s'est endormi, La neige d'un autre âge, Le Roi du sel...*

L'univers des contes est, en tout cas, une référence constante dans son œuvre. Le réel est d'emblée le féerique, ou le merveilleux. Ainsi dans les *Paroles du Lépreux sans nom,* les « menues aimées » sont dans ses rêves « les petites fées qui leur ressemblent » (p. 25). Dans ses rapports avec son ami Jean, il souligne que « chacun de nous, pour l'autre, mettait sa jeunesse en beau conte d'amour ». (p. 27-28). Dans *Retour,* ce n'est plus l'ami mais la femme qui introduit le narrateur dans le conte : « Elle était si jeune que nos baisers m'introduisaient dans ses contes de fées ». (p. 37).

La Fiancée du vent est déjà un conte et Paul Eluard peut écrire à Bousquet : « Le numéro de *Chantiers* (où avait paru le texte) est délicieux. Le sujet lui nuit. Que n'est-ce un conte sans cieux ni lieux ? Votre façon de conter est vraiment adorable. J'ai retenu plusieurs expressions très pures et très neuves. » (22 août 1928).

Le conte apparaît donc très tôt dans son œuvre, comme métaphore... mais aussi comme forme à créer. L'art du conte a toujours fasciné Bousquet. De lecteur assidu, il tentera de devenir créateur, en interrogeant constamment ce qu'on peut bien appeler la morphologie du conte, mais cette morphologie n'étant jamais uniquement formaliste mais toujours comme l'envers ou l'endroit d'une métaphysique.

Bousquet était grand lecteur de contes : Les grands recueils des XVIIIe et XIXe siècles du type *Cabinet des Fées,* le recueil de *Bladé,* les *Mille et une Nuits,* les *Contes d'Andersen,* de *Perrault,* d'*Aulnoy,* de *Grimm.* Il possédait aussi beaucoup de contes de divers pays parus aux Editions Maisonneuve et était à la revue *Folklore.* Pour lui, la lecture des contes n'était pas qu'un divertissement ; elle était exercice spirituel.

Dans ses cahiers, on peut lire ce type de programme :

> « 2 *septembre : Emploi du temps*
> *Tous les jours : en m'éveillant*
> *avant de m'endormir*
> *Blanche-Neige et les sept Nains.*
>
> *Noter ses effets sur le cahier vert*
> *Notes mystiques sur le cahier blanc.* »
>
> (Encres *cahier saumon, 2 sept. 1938)*

Bousquet s'impose donc comme une ascèce la lecture d'un conte — (au même moment que la prière pour un croyant) — pour examiner l'influence de cette lecture sur le rêve, sur la vie du sommeil, et son influence sur la vie éveillée ; ou pour vérifier si un lien ne peut être établi de l'une à l'autre par le biais du conte.

La connaissance des effets notés sur le *Cahier vert* (si Bousquet les a notés) éclairerait la poétique du conte selon Bousquet.

Il voulait sans doute noter aussi l'influence de figures imaginaires non personnelles sur sa propre imagination. Et le choix de *Blanche Neige et les sept Nains* pour cette expérience est intéressant.

L'héroïne est définie par la blancheur de la neige,

le noir et le rouge-sang. Le miroir magique permet à la fois de se reconnaître et de se perdre. Les auxiliaires magiques sont les nains ; liés à la forêt et au monde souterrain. Les maléfices entraînent le sommeil et la mort — ou la mort comme sommeil. Le réveil, au-delà de la mort, se fait par l'amour.

Autant de thèmes, de figures, d'événements, très sensibles à l'imagination de Bousquet, qui pourraient s'intégrer à ses mythes personnels.

La lecture du conte comme exercice spirituel renvoie à une forme de méditation que connaissait bien Bousquet, celle prônée par Loyola : la connaissance passant par la méditation sur des images ; ce point de départ ne devant pas mener Bousquet à un au-delà religieux, mais à une mystique du sensible où tout se joue dans le langage-image.

C'est certainement le conte, qui, théoriquement, devait l'amener au plus près de ce qu'il voulait réaliser. Car le conte pour Bousquest la forme même de la vie ; faire un conte est le but ultime de l'écrivain :

> *Pourquoi nous écrivons*
> *que les choses retrouvent en nous l'état de grâce.*
> *Aider les choses à matérialiser le plan spirituel.*
> *Ce qui se matérialise est significatif.*
> *La vie est féerique . il ne faut pas le dire, mais le montrer.* »
>
> (Encres ; cahier saumon)

Le langage doit être vision. Le conte réalise dans l'ordre esthétique l'unité qui intègre la séparation et le dualisme.

Dans le conte, tout se réduit à l'unité parce que l'imagination prend la place du réel, parce que l'imagination est le réel. Cela n'est possible que parce que le conte parfait est l'histoire d'un événement — et non plus la rencontre de deux hasards, celui d'un *moi* aléatoire (devenant personnage) et celui d'un *monde* accidentel, ce qui donne le roman, qui ne peut dépasser cet accidentel (qui faisait frémir le poète et le philosophe en Valéry) qu'en l'érigeant en destin par la mort du héros. Le conte, lui, donne le récit d'un monde a-accidentel (peut-être même anti-accidentel puisqu'il apparaît comme postérieur au grand récit mythique dont il prend en charge une grande partie des pouvoirs), les accidents ou épisodes n'étant là que pour satisfaire au besoin d'étaler dans un certain temps — celui de l'audition ou de la lecture — un événement qui est tout entier intemporel, au sens de la durée psychique d'une part et du temps des horloges d'autre part. Ainsi l'enchaînement des épisodes les plus fantaisistes n'a pas besoin d'être cousu par d'habiles transitions. La juxtaposition n'engendre pas le discontinu. Le tissu du conte est aussi serré que celui du rêve parce que ce ne sont pas les épisodes qui le font mais le conte lui-même.

Les personages du conte sont là pour incarner l'événement.

Dans le cahier saumon où il a beaucoup réfléchi à la poétique du conte, il écrit :

> « *Il faut dérober au héros le merveilleux de la fiction.*
> *Elle est humaine et d'autant plus humaine que le caractère merveilleux de sa mission se révèle davantage.*
>
> ......
>
> *Que le héros soit fait pour l'action et non l'action pour le héros.* »

Bousquet rencontrait dans les contes qu'il lisait des personnages qu'il pouvait considérer comme des doubles. Pour Bousquet, nous sommes un corps pour un destin qui a sa source à l'extérieur de nous-même.

Les Fées de *La Belle au Bois dormant* sont la figure du temps du conte, avec leurs dons, leurs prédictions. Dans le conte, il y a prédestination. Le destin précède l'existence. La Belle au Bois dormant n'existe que pour incarner la piqûre, le sommeil, le réveil et la rencontre. Et Bousquet n'existe lui aussi que pour incarner sa blessure, ses rencontres, ce qui « lui » arrive...

Les Bottes de sept lieues pourraient être le symbole de l'espace du conte, un espace aboli, parfaitement maîtrisé — espace rêvé qui était celui du poète allongé et enfermé dans l'espace du lit et de la chambre — espace bu par le regard, prenant la place du poète. Bousquet aura fait de sa vie un conte, mais il n'aura de cesse de mettre un conte à la place de sa vie — comme si, avec cela, il allait pouvoir édifier les créatures — ses lecteurs.

Rappelons-nous Tirelire, le héros d'un des contes qu'il a achevé :

> « *Il a rêvé d'une œuvre qui rendît les hommes aveugles et idiots ; et qu'elle se chargeât ainsi de ce qu'ils sont.* »

(Le Fruit dont l'ombre est la saveur, p. 15)

Le conte nous plonge dans l'irrationnel. A la place de la pensée et du regard, des « larmes » et des « baisers », la souffrance et l'amour ; et ainsi, la possibilité de cueillir le fruit « dont l'ignorance est la saveur ».

Le conte est l'expression du destin par le biais d'événements fictifs mais vrais pour l'imagination et il a une si forte existence parce qu'il ne joue pas uniquement avec des mots comme le roman. Les mots, dans le roman, se groupent par accident et restent accidentels.

Pourquoi écrire « La marquise sortit à cinq heures » plutôt que le cocher rentra à onze heures... Même si dans le conte il y a permutation possible des mots : personnages — lieux — objets, cela n'a pas d'importance car la cellule du conte n'est pas le mot mais l'événement. Le conte est à l'imagination ce que le lieu commun est à l'intelligence. De là, la suspicion à l'égard d'une littérature tout au plus bonne pour les enfants... mais pour Bousquet, « on écrit pour un enfant », un enfant qui accepte le caractère essentiel du conte : l'évidence.

Le mot se fait objet dans le conte — objet de l'imagination pour l'imagination. Les mots doivent s'aimanter entre eux pour devenir les noyaux solides des événements. Ils doivent être ce qu'ils sont.

Bousquet rêve de forger un langage-événement, d'écrire le conte parfait. Les deux tantes du conte *Nuit creuse des pierres claires* dans *Le Fruit dont l'ombre est la saveur* » ont atteint une sagesse absolue. Elles parlent avant de penser. Ce qu'elles profèrent les confond. » Poésie et conte finissent par se confondre chez Bousquet et par rejoindre la notion d'être qui est au centre même de l'imagination occitanienne. L'imagination se retrouve partout dans la civilisation d'Oc « *où les faits deviennent la langue naturelle d'une race qui pense avec ses paroles et touche* en elles, au dire de ses savants, son principe vital. » (« Tradition d'Oc »).

Mot-objet, langage — transparent à la fiction : l'événement est devant le lecteur, *évident*.

Comment pourrait-on mettre en doute l'existence du Petit Poucet ou de Blanche Neige ? Et le conteur ne doit surtout pas donner une quelconque « épaisseur psychologique » à ses figures, pas plus qu'il n'a à se soucier de la vraisemblance des situations.

Encore une fois il faut marquer la collusion de

la logique rationnelle avec l'accidentel, le hasardeux de l'existence prosaïque, qui triomphe dans la notion de vraisemblance. Evidemment le Conte prend sa source dans la logique du rêve et du mythe.

A la vraisemblance accidentelle et donc pour Bousquet irréelle car uniquement fabriquée par des mots en relation avec une pensée extérieure à la vie, irréelle car elle n'a aucun sens pour l'existence, Bousquet préfère le *merveilleux* du conte qui unifie mot et chose, événement et objet-symbole. Et si Bousquet emploie l'adjectif vraisemblable il ne faut pas s'y tromper, c'est dans le sens d'évident, car réel, vrai.

En effet on trouve dans ses Cahiers ce leit-motiv :

« La féerie, la féerie vraisemblable » (Cahier saumon) car pour Bousquet, c'est la seule expression de l'être possible, le seul réalisme vrai.

Le conte est le signe de la quête d'amour, sa trace écrite :

> « *L'amant fuit son corps dans son être. Les lois d'amour sont des lois de vie. En elles, le temps est chanson et l'espace beauté, les causes pensent. Les événements dont l'homme ne pouvait dévier le cours échangent leur contenu contre leur valeur symbolique.* »

Bousquet essaie ici d'expliquer ce que le conte réalise. Il n'y a pas en fait d'échange de contenu, car pour l'imagination le conte est événement, nourriture de vie ; il répond à un besoin dans l'homme, celui de faire coïncider la vie et la parole qui la nomme... L'imagination est réellement créatrice.

« Singulier enseignement », dirait Bousquet, « que n'accrédite mille preuve. La vérité est précisémentt ce qui se passe de preuve, se rendant inoubliable naturellement. » (« Tradition d'Oc »).

« On n'est pas quelqu'un, on est vision, la promesse d'une histoire ou d'un conte... »

Pour Bousquet, le *moi* n'existe un peu que dans l'image où il les voit. Cela éclaire bien la notion de personnage chez Bousquet. Le moi n'est que l'acte ou les actes qu'il est promis à réaliser. Il n'est pas étonnant que ce moi se réalise comme héros de conte, c'est-à-dire comme un *actant*. Il ne s'agit pas de formalisme, mais de vision du monde. Le moi ?

> *« Partout convaincu de sa nullité, puisqu'il recevait sa vie au lieu de la donner ; et ne se connaissait qu'à l'épreuve, sans cesse en peine d'un monde où le moi ne fut plus* somme, *mais* capacité. »

Ce moi n'était plus être, mais vocation à ne pas être celui qu'il était, vocation à réaliser ce qui arrive.

Sur le plan à la fois esthétique et métaphysique, entre le conte et le roman, entre l'idéalisme et le matérialisme, dans leur choc contradictoire, il ne semblait n'y avoir de place que pour Don Quichotte. Et Bousquet s'était longtemps senti le frère de ce dernier ; mais une autre voie était sans doute possible.

Si le conte est né pour prendre le relais du mythe, dans un univers culturel où le peuple ne voulait pas choisir (ou ne pouvait pas choisir) le matérialisme rationaliste (ou l'idéalisme rationaliste : envers ou endroit de la même vision du monde si l'on se réfère aux reproches de Max à Hegel), pourqui le conte, non populaire (mais pouvant peut-être le redevenir), création d'un individu, ne pourrait-il pas naître d'une mise en question du roman comme catégorie esthétique de la rationalité, avec sa vraisemblance, sa temporalité psychologique et historique, ses descriptions réalistes comme reflets de la société et de la nature, sa mise en question systématique de l'imaginaire, et ne pourrait-il pas exprimer l'*idéalisme sensible* ou le *mysticisme matérialiste* qui était le fondement de la création selon Bousquet.

Le conte populaire lui montre une voie, mais il sait qu'il doit le réinventer :

> *Si mes contes ne doivent pas renouveler le genre, ils ne valent pas la peine d'être écrits.* »
>
> (Lettres à Stéphane et à Jean, p. 159).

Cette ambition n'est certainement pas la vanité de faire du nouveau pour faire du nouveau.

Que trouve Bousquet dans le conte populaire ?

Le conte populaire, prenant sa source dans le mythe, est en général une exorcisation du réel. Cette exorcisation a un sens qui est le mouvement même du conte. Le conte garde le souvenir d'une situation initiale paradisiaque, mais le mal s'instaure. Le conte décrit alors la voie du salut, du Mal au Bien.

Bousquet veut inventer un conte qui serait aussi « fonctionnel » que le conte populaire, mais dont le fondement serait son credo dualiste. Nous sommes l'œuvre de la nuit. L'absolu a deux têtes : Bien et Mal. Il ne saurait être question d'une quelconque évolution du Mal au Bien. Le salut n'est pas là.

Le conte créé par Bousquet devra aider le monde réel (qui est le monde souterrain, celui du rêve) à se manifester. L'individu a une capacité illimitée de représentation. Le conte se chargerait de ce que les hommes sont en illimitant le *Moi :*

Germaine peut devenir Poisson Rouge, Bousquet, Tirelire, le Meneur de Lune, Sylvain ou le Galant de Neige ; l'Abeille d'hiver viendra à la rencontre de Marjolet. La rainette du noir allumera une étoile au cœur de la nuit languedocienne.

Il est peut-être temps de cueillir le fruit dont l'ignorance est la saveur.

L'univers du conte traditionnel a toujours alimenté l'œuvre de Bousquet : atmosphère, personnages, tournures stylistiques, structures. Je prends quelques exemples à ajouter à ceux déjà cités au début de ce texte.

Dans *Retour*, on trouve la référence aux légendes (souvent synonymes de contes et même de romances, surtout au début de l'œuvre de Bousquet) prises comme métaphore vraie de la vie du narrateur :

> « *A travers mes légendes de songes une patrie fragile prétend à ses lis exilés* » (p. 39).

Les traits stylistiques ne manquent pas, en particulier la tournure impersonnelle, les présentatifs :

> « *C'est sous ces berceaux que la chanson recommence : il était une fille qui dansait à perdre le cœur...* »

Dans *La Fiancée du vent*, l'univers du conte est partout présent, plus directement accessible d'ailleurs que dans d'autres œuvres, car si la préface est à la première personne, le récit est à la troisième personne. Nous verrons que le problème de la présence ou de l'absence du « je » narrateur est essentielle pour la création du conte bousquetien.

Univers du conte que la présentation de Marjolet et de sa famille. La présentation de la famille du héros tient du conte merveilleux et facétieux à la fois :

> « *Son père, un ours l'a mangé, certain soir rouge, hélas ! où Dieu tonnait ; et sa mère a beaucoup maigri, beaucoup pleuré ; puis elle est morte ; en se mouchant* » (p. 57).

Les personnages de femmes sont des personnages de conte ; et l'amour lui-même est lié au conte.

Miauline, la femme-enfant est « si pâle, qu'il faut croire au loup-garou, se confie Marjolet, pour l'aimer » (p. 62).

Didi, l'héroïne de *Il ne fait pas assez noir*, se transforme. Est-ce la même ? Bousquet avoue :

> « *Les femmes dont j'écris le nom ou le pseudonyme n'ont aucune réalité. C'est de l'autre côté de leur réalité, à contre-jour, que j'ai rencontrées* » (p. 112).

Et Didi devient la Belle au Bois dormant :

> « *La Belle au Bois dormant... Elle renaîtra sur mes cils de son ombre, quand la flamme des cierges brûlera moins haut pour moi que les gerbes de roses* » (p. 115).

Elle revient — est-ce Annie ? est-ce la mort ? est-ce la Sœur Souterraine de Bousquet ? dans *Rendez-vous d'un soir d'Hiver :*

> « *Souveraine d'un monde défunt, la Belle au Bois dormant des nuits soulevait les roses du songe...* » (p. 207).

Les récits de conte viennent s'enchâsser dans le roman, comme l'histoire de grain de mil (emprunté à Bladé) dans *Le Mal d'enfance*, l'histoire populaire du Diable trompé permettant le Salut de Dom Bassa dans *La Tisane de sarments*.

Des formes typiques de la conduite du conte apparaissent aussi : le redoublement ou la triplication de certains personnages ou de certaines situation ; ainsi les lavandières dans *La Fiancée du vent :*

> « *La laveuse aux pieds de bois s'est arrêtée en me voyant. L'autre, avec des cheveux*

noirs, c'est Janou, la pauvre, dans sa belle robe d'hiver... la troisième me regardait avec des yeux de chat » (p. 63).

La structure narrative complète d'une œuvre comme *Le Rendez-vous d'un soir d'Hiver* est la même que celle mise en lumière par Propp dans sa *Morphologie du conte*, comme l'a bien montré Charles Bachat dans son article sur *Les modalités du récit chez Joë Bousquet*.

Cette œuvre est à la fois une Histoire merveilleuse (comme le désigne le sous-titre du manuscrit) et un roman, mais un roman surréaliste, car elle suit un développement organique « où se reconnaisse la *loi itérieure d'un roman* ».

Il s'agit encore d'un roman, mais un roman qui tend vers le conte car il a une structure onirique. C'est un pas vers la féerie vraisemblable qui sera le fond de la recherche créatrice de Bousquet ; mais nous sommes encore dans le roman, à cause de la place du « je » à la fois narrateur et héros.

C'est la liquidation du *moi*, ou plutôt son évaporation, son illumination qui va amener Bousquet au conte, non plus comme élément de création, mais comme la forme même à trouver.

Cela n'ira pas sans un long cheminement à la fois esthétique et métaphysique, ni sans une réflexion constante sur la poétique du conte à partir de 1933-34.

> « *Mes rêves, lui dis-je ? Mais ce ne sont des rêves que pour moi qui suis un rêve comme un autre. Je vous les raconte pour que les bienfaisantes clartés de l'illusion m'absorbent tout entier. Car j'ai voulu que ma vie soit la transparence d'une clarté préparée à s'aimer en moi. Vous m'écoutez ? J'espère que tous mes actes finiront par s'éclairer de la lumière*

qui engendre les songes. Si bien qu'il n'y aura plus, à travers mes joies et mes peines, que le moyen pour un esprit en enfance de cristalliser sa vérité, dans le conte le plus clair qu'il pouvait former. »

(« La Tisane de sarments », p. 301).

Le but à atteindre est fixé mais Bousquet n'attend pas que la cristallisation se fasse seule. Ecrire un conte parfait est conçu à la fois comme exercice de style et exercice spirituel, en fait véritable poétique. Mais Bousquet commence par un retour sur lui-même — On raconte aux autres pour s'absorber soi-même — La profération est d'abord pour l'édification du moi... elle est travail, entreprise — les futurs ici ne sauraient tromper Il se donne ce conseil dans *Encres :* « Il faut que l'acte de communiquer et donc, de se quitter soit pour le poète une façon de se concentrer et de mieux se saisir. »

Il se dicte des programmes :

« *Ce soir : Une heure le conte*
Une heure le témoignage

Exercices à traiter comme des traductions. »

« *Je dois trouver (...) une forme, une façon d'aborder le conte. Les mots que l'inspiration dépasse ; ceux qui sont en peine.*
C'est le tic-tac de la pendule. Sur un arbre mort, une tourterelle écoute marcher un cheval.

......

Parler pour un enfant.
Rendre à un mot ce qu'on reçoit de lui. »

(Encres - Cahier saumon).

Le conte devient le creuset de l'expérience poétique. En cherchant à faire du mot, un événement, en tentant de faire coïncider le personnage du conte avec son acte, il pense lever ainsi l'antagonisme entre poésie-langage et poésie-fiction, entre l'ouvert et le fermé.

Ses cahiers dès 1938 se remplissent d'ébauches de contes, de relevés de personnages. Dans le cahier saumon apparaissent déjà des notes pour le cycle de Lapalme qui paraît déjà commencer.

De nombreux éléments du *Roi du sel* sont dans le *Cahier saumon.* On relève les noms de Bastou de La Palme et de Lison, de Thaïs, de Thècle, de Zorilda, Chirompine, de Zoë, Hermance, Patada et Jean-Flour.

Si pour Nelli l'activité créatrice liée au conte est particulièrement intense à partir de mars 1944 avec le « Journal » de Lapalme, présenté comme *Le Roi du sel* plus complet, il semble bien que cette activité appelée par ses textes antérieurs comme nous l'avons vu, est projetée très explicitement dès août 1938, dans le *Cahier saumon.*

Bousquet note le désir et la volonté d'un renouvellement complet « appuyé sur la mise au point d'un langage plus fort, plus classique, plus dynamique que celui que j'employais. Une expression durcie dans la critique et la lecture des anciens ; avec mon conte pour faire l'essai du conseil donné par Paulhan. »

Le conte lui-même n'est pas nommé... Grâce à toutes les notes éparses dans le cahier, il pourrait s'agir du cycle de Lapalme, mais on trouve aussi sous la rubrique : un conte en actes, l'histoire de Jean la Turquoise, qui n'apparaît pas dans *Le Roi du sel.*

Le conseil formulé par Paulhan apparaît dans une lettre de celui-ci collée sur la page en regard. Paulhan critique les œuvres de Bousquet, reprochant à celui-ci de ne pas avoir encore créé d'œuvre parfaite ; le signe de la perfection de l'œuvre d'art étant la capacité d'échange entre l'ensemble et le détail (1).

Bousquet va poursuivre cette recherche avec beaucoup de conscience :

> « *La ressemblance du tout est dans la partie, la ressemblance de la partie dans le tout.*
>
> *Essayer d'une prose à tiroirs : chaque phrase image du paragraphe qui sera l'image du morceau.* »
>
> (Encres - Cahier saumon).

Mais ne nous y trompons pas, toutes ces notes en apparence techniques sont là pour aider à cristalliser le conte parfait qui, lui n'est pas forme extéieure mais vérité.

Le paradoxe (démarche coutumière de Bousquet) est que celui-ci va se servir des phrases toutes faites, des clichés « poétiques », des lieux communs, des il y avait, des on voyait, des superlatifs convenus, de l'attirail en apparence usé des contes merveilleux, non pour enfermer la création, pour dessécher la pensée mais au contraire pour la libérer, pour l'illimiter dans la Vie mais une vie qui n'oublie pas qu'elle est aussi néant, une vie portée à la fois par un homme qui voit le merveilleux et exprimée par une voix « d'homme aveugle et glacé ».

Je citerai encore le Cahier saumon car Bousquet y exprime avec netteté le problème du rapport de la vie et de la pensée dans l'écriture, et comment l'écriture devient conte :

> « *1er septembre 1938*
>
> Vie ou pensée
>
> *Dans tout ce que l'on écrit, il y a sans cesse de la pensée à réfréner. Alors que les autres arts sont sûrs de garder l'idée jusqu'au*

bout intact des hasards de l'exécution, celui qui écrit doit veiller sans cesse à empêcher la pensée de prendre la place de la vie. Le lieu commun qui doue de pensée une expression vivante peut être à la fois la ressource des mauvais écrivains pour demeurer dans l'imagination quand leur idée les domine, et l'instrument de la poésie qui a ce procédé suprême pour faire réintégrer à la pensée affranchie la ligne du conte. »

Le conte devient l'instrument poétique par excellence, car il permet que la pensée et le geste ne fassent qu'un dans la contemplation. Le conte naît du réel, est le réel. Récits-souvenirs et fabulation sont interchangeables. Il n'y a pas réellement de solution de continuité entre *Le Roi du sel,* dénommé roman et le *Conte des sept robes* ou *Le Fruit dont l'ombre est la saveur.*

Le narrateur du *Roi du sel* nous donne ses yeux pour le voir dans Peau-de-pioche, Bastou le Riche, mais le grand-père Joseph ou Zénou sont autant personnages de conte que Tirelire.

Dans le conte, l'imagination est créatrice ; elle donne au désir une forme imagée et ainsi elle lui insuffle une puissance qui le rend d'abord véridique et bientôt véritable. Le conte est sagesse, évangile...

Forme parfaite d'une mystique du sensible, voilà ce que poursuivait Bousquet en écrivant des contes.

René Nelli, dans la préface au *Roi du sel* constate un relatif échec de Bousquet à réaliser pleinement son ambition. Il est vrai que Bousquet n'a pas terminé tous les contes ébauchés. Il est vrai aussi que Bousquet lui-même était souvent insatisfait.

Mais serait-ce les signes d'un échec ? Personnellement j'y verrais plutôt une réussite. Chaque conte ou morceau de conte, comme dans *Le Roi du sel,* renvoie au conte matrice qui est la vie même de Bousquet. Chaque conte trouvant dans chaque mot sa propre figure, la charge de chaque noyau du conte est proprement sidérante et édifiante... Si le mot dans le conte a toute sa valeur, s'il restitue l'essence de l'objet, s'il note dans « chaque merveille aperçue, comme le souffle d'une présence, l'éclat voilée d'une attente invisible ; dans ce qui est ce qui voit se détourner nos yeux », chaque élément d'un écrit de Bousquet renvoie au tout, c'est-à-dire, non pas à l'œuvre parfaitement close telle que la suggérait Paulhan, mais à l'œuvre parfaitement ouverte ou parfaitement close sur l'Univers illimité.

Ecoutons le Roi :

> « *Une belle garce (...) habitait une contrée d'argent, de perle et d'odeur et se plaignait d'être la lumière d'un pays toujours gris...* »
>
> « *Et après ?* » demandai-je comme il se taisait.
>
> « *C'est tout, fils ! Qu'elle meure de sa tristesse et le monde mourra de ne plus la voir.* »
>
> « *Si cette histoire te paraît trop longue, voici comment tu la raconteras de façon à n'emmerder personne :*
>
> *Une fois, la pluie se plaignait du mauvais temps.* »
>
> (Le Roi du sel, p. 213).

Dans l'œuvre de Bousquet, dans le grand conte qu'est l'œuvre de Bousquet, « il n'est pas trop tôt pour cueillir le fruit dont l'ignorance est la saveur. »

Françoise HAFFNER.

NOTE

(1) Lettre de Jean Paulhan à Joë Bousquet (sans date... mais probablement de *juillet-août* 1938).

Il faut, disait Michel-Ange, qu'une œuvre puisse rouler du haut d'une montagne jusqu'à la base sans rien perdre d'essentiel.

La vraie destination des arts est de poursuivre la vérité et de réaliser le beau (Bénard).

Vendredi

Mon cher ami,

Ceci encore : si nous appelons *ce* qui se produit (mettons l'événement littéraire) ne vous semble-t-il pas qu'il joue différemment, chez vous, pour l'ensemble et pour chaque détail de l'œuvre. Et que cette capacité à tout instant d'*échange* (le détail devenant l'ensemble, ou l'ensemble le détail) qui est, n'est-ce pas, le trait d'une œuvre parfaite, n'existe pas tout à fait chez vous ? Je tâche de cerner la difficulté.

Nous avancerons ensuite.

Votre ami, J.

La fin de Monsieur Sureau est bien belle...

HUGHES LABRUSSE

JOE BOUSQUET,
SOUFFRANCE ET DESIR
DE L'HOMME DU MIDI

Raymond Lulle, Livre de l'ami et de l'aimé :

« *Dis, fou, qu'est-ce qui est merveille ?* » Il répondit : « *Aimer ce qui est absent davantage que ce qui est présent, et aimer ce qui est visible et corruptible davantage que l'invisible incorruptible.* »

Les Dieux réglaient l'existence des Anciens. Le cours de la vie dépendait de la qualité de leur intervention. Aujourd'hui, les augures sont autres. Notre regard s'attache à reconnaître les événements qui jettent des *individus* dans la solitude et le dénuement extrêmes. Ils portent le sens de notre univers. La fascination pour les accidents, pour les malheurs collectifs d'une minorité, pour les actes isolés, pour les faits divers tire son origine de la conviction que le Monde est le lieu de monologues irréductibles.

Il y a dans l'histoire de la poésie des phénomènes analogues. Des hommes figurent cruellement la destinée d'une Epoque. Elle brille dans leur chair et dans leurs écrits d'un éclat terrifiant. Elle circule à travers chacune de leurs pensées.

> « *Y a-t-il donc* — s'interrogeait Baudelaire — *des âmes* sacrées, *vouées à l'autel, condamnées à marcher à la mort et à la gloire à travers leurs propres ruines ?* »

Joë Bousquet n'appartient pas au cirque littéraire. Il est l'œuvre de la nuit, dépositaire d'une *confession spirituelle,* investi par l'abîme. Mais en même temps chacun de ces traits, lui dérobant leurs signes et leur révélation, le disloquait plus durement encore : face à la nudité d'un rêve de femme, corps à la fois riche de ses pouvoirs et captif de sa déchéance.

Ce vers quoi s'avance Joë Bousquet n'est jamais ce qu'il touche ni ce qu'il atteint. Sa main dissimule son cœur. *Le Meneur de Lune* révèle sa duplicité :

> « *Je ne m'approche de mon amie qu'en m'approchant de mon amour.* »

Ainsi, le rayonnement de la réalité provient-il d'ailleurs, d'une splendeur qui la soutient et lui donne ses feux. D'où cette indication, dans le *Bréviaire Bleu :*

> « *Il ne faut pas peindre les personnages, mais la lumière où ils nous apparaissent.* »

Dès lors, rejoindre Joë Bousquet, c'est se mettre en intelligence avec l'Ange de notre temps, jusqu'au secret de son contre-jour.

Le rude apprentissage de cet officier bien chaussé nous trouble, parce que *la diminution infligée à celui qui n'était rien* s'est faite soudain la condition qui agrandit l'espérance, et peut-être la volupté, de l'humanité. Le grand blessé de Vailly, en ce 27 mai 1918, à la tombée du soir, accueilli dans la familiarité de la mort, ne parodie plus les gestes qui mènent à la vie. Il s'agira pour lui de retrouver les instants de son passé, « sans — précise-t-il, — m'y voir moi-même. »

Il tient la place d'une image, d'un mythe. Son existence devient un signe : le nôtre. La balle qui traverse Joë Bousquet, comme la pointe douloureuse d'une parole, en lui refusant la mort subite, prolonge en lui la conscience de notre futurition. Sa lésion le détourne de sa vie afin qu'il se retrouve lui-même. La grâce de ce bouleversement, qui *s'élargit dans l'humanité des autres hommes,* atteint à la dimension poétique quand la détresse initiale s'engage dans l'incertitude d'un événement hostile et l'illumine de la réconciliation de tous ses aspects contradictoires.

Advient la surabondance d'*une autre vie :*

> « *Je n'ai pas eu d'existence individuelle. Je n'ai été que l'ombre d'un fait à revêtir de sa perfection et de son éclat.* »

Joë Bousquet est entré dans son épreuve. Nous la regardons avec les yeux de notre destinée. Poète, il est la chance et l'asile de notre pensée. Entrer dans sa blessure, c'est veiller à *l'événement que nous sommes ensemble,* y porter de l'amour, ajouterait-il.

Il reste exceptionnel qu'un homme abattu ne se complaise pas dans sa faiblesse, mais, faute de mieux, y puise les ressources de sa force, sans un esprit manifeste de vengeance, mais avec le désir de croître.

La question latente, mise en œuvre est la suivante : comment une vie pliée par la douleur peut-elle se construire sans se flétrir ? Les armes de jadis ont rouillé ; il en faut de nouvelles. Dans une perspective de bonheur. Son cas ne manque pas d'apparaître à Bousquet comme le symbole d'une révolution dont l'exigence poétique fera par la suite office de chant de *rédemption.* La conjugaison de ces deux moments permet à Bousquet de côtoyer le surréalisme et prépare sa vénération pour Eluard, homme de sanction morale s'il en est.

Remonter aux sources de l'âme pour juger et compenser un mal dans la transparence duquel on trouve de l'amour, telle est l'obligation dont s'éprend *Le Meneur de Lune* :

> *« J'entends mieux le sens du mot devoir. Mon devoir ? Ce fut d'abord de dépasser la douleur et j'ai vraiment sauvé mon cœur de sa peine, de ramasser ma vie dans la boue et de rendre évident que si elle est, elle est un rayon. Je vois ma tâche. »*

La déchéance prédispose au rachat. Moins comme une transfiguration d'ordre dialectique, que par l'apparition aiguë d'un mal indépassable qui fait surgir simultanément la vérité contrastée du bien moral. Leur alliance originelle ne se confond pas avec leur commencement. Chez Bousquet, il est l'enfant des ténèbres. L'obscurcissement garde donc une prédominance ontologique sur le jour.

Le débat de Bousquet entre sa réalité existentielle et sa connaissance, le truchement poétique ou mystique, le crime du regard, l'anticipation d'un souci mortel, toute la terminologie de l'art et de la morale confirment l'apartenance de Bousquet à la lumière du soir : l'Occident.

Il avoisine le mystère de notre nuit qui s'annonce, mais où le plus extrême dépaysement prépare la remontée vers l'aurore. Entre les confins des crépuscules, il se tient à la *tournure du Monde*.

Nous appelons *tournure du Monde* l'ouverture du temps comme métamorphosoe et appropriation selon la déclinaison du langage.

L'éclosion poétique se découvre ici. Il y a poésie, au cœur d'une parole, quand le dire *se fait* son propre virage, jusqu'à savoir en perdre peut-être son nom, afin de retrouver le souffle.

La Neige d'un autre âge ne cesse d'être suivie comme un chemin. *Poésie*, dit Bousquet :

> « *l'esprit s'engendre de la phrase qu'il engendre, et il ne s'ajuste à la parole développée qu'en s'en éloignant.* »

L'esprit qui, tel un soleil, s'étend à d'autres formes en faisant de l'ombre sur lui-même.

Ce jeu de relations nous conduit au premier partage de notre destinée près de Joë Bousquet.

I. *L'homme du midi et la connaissance du soir.*

Il nous faut traduire Joë Bousquet à partir de son silence. Nous y parviendrons en franchissant le portique offert par le premier des *Neuf poèmes pour vaincre*, de René Char. Il s'intitule : *Chant du refus - Début du partisan :*

> « *Le poète est retourné pour de longues années dans le néant du père. Ne l'appelez pas, vous tous qui l'aimez. S'il vous semble que l'aile de l'hirondelle n'a plus de miroir sur terre, oubliez ce bonheur. Celui qui panifiait la souffrance n'est pas visible dans sa léthargie rougeoyante.*
>
> *Ah ! beauté et vérité fassent que vous soyez* présents *nombreux aux salves de la délivrance !* »

Dans *Le Meneur de Lune*, Bousquet nous invite à une réserve similaire :

> « *Parlons de lui comme s'il était condamné. Otons-lui la parole, parfois. On se trompe sur un homme tant qu'on ne retranche pas de sa personne ce qui fut son espoir.* »

Et du père, dans *Le Pays des armes rouillées*, il dit à sa manière :

> « *Nous lui avons échappé, sous le déguisement le plus achevé, nous voyons un à un ses traits dans le visage du libérateur venu à notre rencontre.* »

Le retour vers le père nous annule et nous sauve. Notre aventure auprès du poète est de même ordre. Après que ses meilleurs compagnons ont trouvé Joë Bousquet, il convient de le perdre. Pour cela, nous lui appliquerons sa propre recommandation :

> « *Un seul être t'échappe, c'est toi. Détourne-toi de l'ombre que tu es et ne pense qu'à créer l'autre en qui tu pourras naître.* »

Ainsi *Le Meneur de Lune* se dispose-t-il aux sources de lumière qui le peuplent. Sa coloration d'absence porte le signe d'une ferme présence. Etre restitué, et renaître, voilà le double aveu de Joë Bousquet, à travers cette belle confesion du *Meneur de Lune :*

> « *Quand il connut sa vocation il comprit qu'il était poète, pour penser aussitôt qu'il n'avait plus l'âge de la poésie. Mais déjà ce n'était plus de lui qu'il s'agissait, il venait de s'en apercevoir en comptant qu'il avait quarante-six ans..* » « *Je ne suis pas l'enfant, se dit-il, je suis le frère de ce qui est, je suis l'incarnation d'une fatalité dont la vie est la forme sensible...* » Le poète n'a pas d'âge ; il naît... *Voix des mers dans une nuit si claire qu'il n'est de bonheur qu'en ce qui dit souviens-toi ! Roucoulements dans le clair de lune dressé sur les pierres, face à l'étang, face à la mer plus loin, face aux yeux clairs du marin qui revient sur une chanson pendant que*

l'homme de barre se redit l'histoire du Meneur de Lune. Voix des cloches, sur le village qui danse, il fait nuit, l'homme ne dormira pas encore, il vient de connaître qu'il est homme et né pour pousser le cri qui retentira avec la voix de la mer, avec le chant des lunes cachées derrière les grandes lames du ciel, avec le cri d'aigle du vent blessé par le feu du mât sur la mer qui souffle et scintille. Il ne connaît pas encore son cri, il vient de comprendre qu'il est né pour le proférer, il sait qu'il est poète dans l'heure qui lui apprend qu'il doit mourir et que toute sa vie est la réalité même des endroits qu'il aime pour n'en avoir été que la chanson. Faut-il appeler malheureux celui qui a connu son étoile en dévisageant la mort, et qui a su qu'elles ne touchaient en l'une et l'autre que le fantôme d'une existence? Malheureux dans la langue des hommes, mais racheté de l'horreur d'être né. *Sa voix n'est qu'un souffle. « Pour ton amour et pour toi, il n'est qu'un cœur... »*

Forcé dans son pressentiment, *Le Meneur de Lune* opère, comme le fit déjà Platon, une distinction de conscience entre l'être qui se connaît *hors-vie*, réalité créée, et la réalité larvaire. « *J'ai voulu déshéroïser la civilisation* », affirme-t-il dans *La Neige d'un autre âge*, et il s'explique :

> « *J'ai détruit la superstition qui faisait résider l'idéal moral dans un monde à imiter. J'ai compris que l'hitlérisme ruinait la notion de héros.* »

L'écartèlement de l'existence règne chez Bousquet comme chez Platon, entre être et néant. Une ligne à parcourir va de l'un à l'autre, alternativement. En quelque sorte, une méthode, une technique de vie :

> « *Et nous définirons notre art : le réalisme d'une créature qui ne se sent pas tout à fait réelle.* »

Le Meneur de Lune, qui parle en ces termes, se doit donc à une progression, à une réalisation qu'il sent indispensables. L'inaccompli devient chcz Bousquet la promesse temporelle d'un monde meilleur, l'évidence d'un passage à effectuer. L'action, à travers ses intuitions, se porte à l'intersection du monde intelligible, immuable, et du monde sensible, toujours en mouvement.

Ce décalage des Mondes, chez Bousquet, tantôt admis comme la condition de notre progrès moral, tantôt ressenti comme risque d'un mélange contre nature, correspond à l'indécision moderne. Ce qui fait question, c'est la possibilité de mener une vie pleine et totale, sans qu'elle soit livrée au totalitarisme. Bref, le propos de la *République.* Mais une pareille difficulté ne surgit que sur le fond d'une rupture préalable, quand la crise du Monde est comprise comme la négation que l'on se doit de transmuer en position vraie.

La pensée de Bousquet n'échappe pas à la contrainte du *manque.* Dans *Traduit du silence,* nous lisons :

> « *Je voudrais comme d'une blessure, sentir ruisseler en moi quelque chose d'inconnu, boire à ce que je contiens.* »

Une telle blessure laisserait couler l'infini. Elle n'exprimerait pas la sobriété de la finitude.

Comment y songer dans le déchaînement de la puissance, dans la frénésie actuelle des messianismes, dans la succession des Guerres Mondiales, avouées ou non ? Comment se comportent les tentatives de pensée, l'art ? Tout se passe comme si, incapables de vivre notre présent, nous lui *ajoutions,* pour nous aider à le supporter, une dimension supérieure. Joë Bousquet, pour sa part, se savait pris au piège. Il puisait, dans son atrophie partielle, les ressources de sa résurrection mais il éprouvait du dégoût pour tout système de compensation, écriture en tête.

Dans l'esprit de Platon, loin de Sophocle, puis conformément à la modernité, Bousquet ressent le besoin d'une justification de l'existence. Si l'aveuglement physique et moral d'Œdipe finit dans la coïncidence instantanée, indiscernable, de toutes les lois et de toutes les transgressions, chez Bousquet, la séparation entre l'être et la connaissanceee s'aiguise à l'idée de justice.

Lors de la Grande Guerre, c'est la colonne vertébrale de l'Occident qui est brisée. Joë Bousquet porte dans son corps la *plaie* de la modernité : sa déchirure et sa faiblesse. Mais également cette vérité : sa vertu spirituelle ne peut être tuée. Dans la formule de Joë Bousquet :

> *Ma force à moi fut dans mon infirmité,*
> *dans mon absence de tout lieu réel* »,

se retient notre secret poétique. Traducteurs de notre croix, notre esprit arraché à la terre, nous ne nous fixons nulle part. L'occident est libre cheminement. Soucieux du temps de sa douleur, il ne se complaît jamais à l'oubli qui la fige. Dans son *Message à la Jeunesse,* Bousquet le soutient avec vigueur :

> « *Vous n'appartenez pas à un lieu : il*
> *n'existe de lieux que pour les esclaves.* »

A l'heure où les écrits poétiques qui se publient se travestissent de lieux et d'espaces, cette parole nous donne à penser. Bousquet ne l'ignore pas : l'intelligence qui s'accomplit dans un paysage est un leurre. L'inverse est vrai. Chaque homme reçoit le don d'une terre afin de s'ouvrir à la « patrie humaine ». Aucune armure ne peut nous enfermer avec le ciel. A travers ce qui l'environne, l'homme doit reconnaître d'abord ce qu'il n'est pas. Car son existence, comme ouverture, cherche toujours à éviter la menace de la pétrification. L'esprit ne se délimite pas ; il illumine. Le *Langage entier* en donne la mesure :

> « *Dans la nuit qui te donne tes yeux, sois un point, sinon pour éclairer, du moins pour orienter ton ignorance.* »

Toutes les considérations qui précèdent rendent difficile l'évocation de Joë Bousquet comme un homme étant doué du Midi. Aussi bien la persistance nocturne que l'impossible localisation.

Mais l'homme du Midi n'appartient à aucun pays. Il n'a pas d'autre accent que celui de sa pensée. C'est à présent Valéry qui nous fait signe aux abords du *Cimetière marin :*

> « *Ce toit tranquille, où marchent des colombes,*
> *Entre les pins palpite, entre les tombes ;*
> *Midi le juste y compose de feux*
> *La mer, la mer toujours recommencée !*
> *O récompense après une pensée*
> *Qu'un long regard sur le calme des dieux !* »

Midi est le point culminant de la clarté qui s'est amplifiée, depuis le départ grec jusqu'à nous. Ultime conscience du savoir qui voile jusqu'à son ombre, itinéraire d'une déclinaison unique dont la volte-face accueille le défi de la *connaissance du soir*. Une coïncidence essentielle veut alors que la connaissance du

Midi s'affine et se révèle avec l'homme du soir.

Un texte de la *Romance du Seuil* a pour titre : *Connaissance de Midi.* En une sorte d'exergue, il porte ce mot : *Le déclassé...*

Le déclassé... c'est l'homme en exil. Le principe de Midi consiste à croître sur un être qui se décompose et à le recomposer « *selon sa raison la plus haute* ». L'heure ultime secrète l'itinéraire dont elle est le cœur et la garde. Lui répond en écho, ou plutôt, en clarté, la Parole, la force de l'homme qui le fait régner sur l'incertitude de tous les instants. Midi préserve son propre temps révolu et déploie la connaissance vers l'unité de l'existence humaine. Le Grand Œuvre consiste à reconnaître que l'homme a moins de réalité que sa vie dans l'ordre poétique, mais atteindre à ce savoir, c'est parvenir au point d'orgue de toutes les réalités. Midi découvre l'homme comme il est. Le déclassé ne veut pas d'autres bornes que celles de la condition humaine ; il ose le mépris du social, contre les institutions, il n'approuve d'autre loi que celle du langage. Son action volontaire en fait un homme en *révolte*. L'heure de Midi est à la fois la plus haute car la plus juste sur l'homme, et celle du retournement qui, voilant son ombre en amont, la voit surgir en aval comme *connaissance du soir*. L'occultation totale de l'ombre, en révélant notre absence de réalité, rétablit en nous l'évidence de l'obscur, et se prolonge en un savoir qui renaît du crépuscule.

« Le jour s'était rouillé dans mes yeux... » Pour l'esprit lumineux, le soleil est un monde opaque. En définitive, l'homme du Midi de la terre désire attacher ses yeux à l'ancrage d'une étoile afin de ne plus être à la merci de « l'épuisante alternative du temps. »

> « *Le jour et la nuit respirent en moi et je sépare le jour de la nuit.* »

La Neige d'un autre âge garde la mémoire légendaire de ce roi d'autrefois qui tenait la balance du jour et de la nuit.

Malgré tout, la vision antérieure de l'aube demeure énigmatique. L'équilibre des contraires est faussé car Bousquet penche vers une hiérarchie nocturne.

> « *Crois-tu que les rayons du jour t'auraient ouvert les mains si tu n'étais pas l'œuvre de la nuit ?* »

Cette question est suivie d'une autre : « Où est la nuit ? »

> « *Au cœur de la terre, au cœur*
> *de notre cœur, nuit diamantée.* »

Au plus profond d'elle, la nuit recèle une splendeur sombre, comme l'encre dissimule un deuil essentiel. La prédominance de l'Obscur règne dans cette pensée. Tous les chemins y conduisent. En date du 12 avril 1947, Joë Bousquet écrit :

> « *Le jour qui va vers le jour*
> *fait avec lui de la nuit.* »

Il y a une Nuit de la nuit qui, dans la dissimulation, dirige la lumière vers son absence, avec l'équivoque de l'*infranchissable pourriture*.

Les femmes mythiques du poète se succèdent dans le pressentiment de ce monde qui en masque un autre. Quand un peu de Méditerranée brille dans leurs yeux, une métamorphose s'accomplit, le regard devient *la primevère du soir*.

Le triptyque de *La Tisane de sarments* dépeint les phases de la vie dont la couronne se reforme toujours sur *fond noir*. L'espoir matutinal, voile d'un rêve ; l'interférence ambiguë de la déchéance et de la conquête *déjà* ténébreuse de soi, entre la vie et la mort ; une étrange sérénité, vigilante qui, en se dépassant, doit retourner à des images d'avant la menace de la brume bleue, et tout est à *redéfinir*, surtout à *redécrire*.

La peine de notre cœur épouse la nuit, et avec plus de gravité, l'obscurcissement qui sépare les jours et les nuits. La plus haute connaissance de l'homme du Midi s'accomplit alors à l'heure la plus irréelle : Minuit.

Et dans *Le Bréviaire bleu* nous lirons ce chant de l'immensité :

> .. « *Le coq avait poussé dans la nuit son cri, haut comme la terreur d'un homme... J'ai cru voir, j'ai vu la terre s'arracher à la splendeur du jour qui se levait sur elle et, dans son frisson d'épouvante, créer l'homme afin de se fuir elle-même.* »

Le coq de minuit s'adresse à cette réalité *d'homme d'ombre*, entre la gloire du jour et la révolution de la planète Terre.

> « *Le jour vient de loin et ne saurait où il va : une ombre est sortie de la terre, elle le mène jusqu'à mes yeux. Après elle se ferme sur mon corps comme une main.*
>
> *Un personnage plus grand que le sommeil m'empêche d'avancer. La nuit est un éclair noir, l'âtre dans une chambre où il fait plus noir encore. Si je me déplace : un pas de plus, un pas de trop dans la fade et tiède nuit où grandit le géant de vase qui me barrait le chemin.*
>
> *Il presse ma nuque avec son poing fermé où vibre régulièrement une minuscule enclume de métal. On n'échappe pas à ce bruit : il hérisse d'épis l'étendue fermée sur moi. Si je l'écoute, une voix m'immobilise :*

« Chacun à son heure à lui », dit-elle : « elle dure quelquefois deux heures. »

« Tu en as obtenu dix, continuait la voix, heureusement pour ceux qui t'aiment à qui je n'en accorde pas moins de douze. »

« Deviens l'un d'eux ; et la montre t'appartiendra : Hâte-toi, elle va sonner... »

Quand le jour apparaîtra, sans doute nous chassera-t-il hors de nous. L'homme du Midi éprouve l'occultation de son ciel et de son énigme. Mais son errance dans la nuit loin de le jeter dans la dispersion, dans la fragmentation, rassemble ses transparences multiples et le remet à son Destin.

Retrouver en soi l'homme du Midi, c'est d'abord préserver dans sa mémoire cet appel qui engage chacun et l'humanité entière à entrer dans la mort.

Mais chaque civilisation, chaque peuple, chaque homme a la sienne. Comment la modernité endurera-t-elle son approche ? Auprès de son ombre, *Le Meneur de Lune* nous l'apprend :

« Nous ferons l'expérience du néant, nous saurons qu'il n'est pas l'absence, mais un amoncellement de choses tuées. Il faut que le néant soit l'œuvre de l'homme. »

Notre destinée découvre ici son deuxième partage.

II. *La présence de la mort et l'expérience du néant.*

Joë Bousquet distingue le néant de l'absence. Ou plutôt, comme la nuit remonte à une source primordiale, l'absence surgit de la bienfaisance réalisée du Néant. Mais que signifie une expression aussi contradictoire que : réalisation du néant ?

A vrai dire, Joë Bousquet en appelle rarement au

néant absolu. Quand *Le Meneur de Lune* le nomme, il le fait comme une désolation telle que la nostalgie du bonheur et l'ombre du passé jailliraient encore de nos imaginations désorientées. Dans la ligne constante de notre propos, il faut penser le néant comme anéantissement.

Et certes, nous comprenons alors qu'une guerre suffit à l'homme pour anéantir l'homme ; que la volonté de conquête ensevelit le monde sous les décombres qu'elle *fabrique*. Mais Bousquet nous dit : *il faut* que le néant soit l'œuvre de l'homme. L'homme est le mortel, l'être revendiqué par la mort. Cela ne signifie pas seulement qu'il doit disparaître et qu'il assume la connaissance de la mort, mais également qu'il convertit à son risque et à sa manière de mourir tout ce qui est. Il y a peu de différence rituelle entre les fleurs rompues pour le sacrifice du bouquet qui réjouit le cœur de la maison, et le malheur des hommes quand il nous élève à la conscience d'une cosmogonie.

L'homme se donne la mort à laquelle il est voué. Il ne la choisit pas, car elle ne lui est pas extérieure. Elle et lui s'enchantent et se détruisent mutuellement. Ainsi *se fait* le néant. Il n'abolit pas l'être ; il se déroule comme son négatif. Vivre, c'est réaliser de l'obscurcissement. *Le sème chemin* en est le parcours :

> « *Une fleur s'ensoleille et prend la forme mais en s'épuisant dans cette apparence crée sa propre absence dont sa forme sera le* foyer. *De même, l'homme porte son absence à travers ses actes,* enveloppe dans l'invisibilité sans limites de ce qu'il est le germe : ce qu'il paraît. »

Joë Bousquet ne parle pas de sa mort au futur, mais au présent. En effet, l'imagination ne trouve rien en essayant de la dépasser, et se rabat sur les images de la vie. De plus, la mort m'emporte *maintenant* vers le Monde dont je suis momentanément absent et qui me veille. Mourir, c'est, tout au long de la vie, faire germer du réel et donner naissance à une aurore qui se passera de cet événement créateur :

> « *Toute mort fait la mort sur le monde dont elle emporte la graine pour ensemencer le ciel.* »

L'espérance grandit dans ces parages. La vie m'attend à la sortie de ma mort, une vie sans frustration à laquelle j'accède en mourant de mon autre vie, celle qui se prolonge sans que j'y loge vraiment. L'espoir de l'âme s'attache à l'homme parce qu'elle ne le croit pas encore né.

Le Bréviaire bleu appuie d'une double affirmation ce renversement de la perspective. Il débute par ces mots : « *Ma mort attend que je sois entré dans ma vie.* » Et s'achève ainsi : « *C'est à ma mort de me faire entrer dans ma vie.* »

Dans ses lettres à Max Ernst, Bousquet explique comment tous deux grandissent à la lumière d'un soleil souterrain, font mûrir des évidences nocturnes. De ce versant-ci du monde lèvent lentement les semences, nourries de l'ombre, et les conflits mortels viennent du douloureux enfantement hors des éléments qui retardent l'échéance ou qui n'ont aucun droit à l'apparition sur l'autre versant. Je suis en quelque sorte la mort des choses que je ne peux éterniser, qui ne s'éveilleront pas dans le Monde futur où je serai reçu. L'homme fait donc œuvre de mort. Cet impératif ne laisse aucun doute à ce propos :

> « *Devance en toi le travail de la mort. Tu meurs parce qu'il y a dans ta vie des choses dont il faut que tu sois la mort.* »

Plus éclairante encore cette déclaration que souligne l'aveu *traduit du silence :*

> « *Quand on est une pensée et la mort de ce qui n'est pas la pensée, on aspire (parfois) à déruire le réel avec ses propres armes ; on souhaite de vérifier en soi la toute-puissance de l'esprit. Comme si l'esprit devait tirer de son propre sein une matière pour anéantir la matière... On se croit capable de venir à bout de tout. Et même ce qu'il connaît comme identique à soi-même, la beauté par exemple, c'est à travers ses liens matériels que l'on souhaite d'en avoir raison.* »

Texte terrible dont les nuances jouent comme autant de clés pour situer Joë Bousquet dans l'ordre de la pensée. L'exigence d'un passage de ce Monde à un autre n'a pas un caractère religieux déterminant car il implique une continuité matérielle. La substance spirituelle est un aspect de la matière dont la singularité consiste à contrevenir aux autres corps. De l'antimatière dont l'homme est le foyer. Dans ce travail du négatif s'opère une purification subtile. Il peut en sortir du *bonheur*. Sur fond de dialectique, appliquée au poème quand sa définition est ainsi proposée à Louis Emié :

> « *Un miroir où le langage fixe une vision de l'esprit avec une image de son mouvement — de son mouvement à lui, de son mouvement organique.* »

Jusqu'aux fiançailles mille fois répétées du *surréalisme* et du *communisme*. Et nous découvrons que Joë Bousquet appartient à l'époque des « conceptions du monde » dominée par l'image et la représentation. Dans la mesure où, devant Vailly, il est mort à la réalité, toute sa vie en est la spéculation. Un poète devient alors la figuration de l'histoire moderne dans ce qu'elle a de plus tragique : l'absence de réalité.

Pourtant, dans son article consacré à *Conscience et Tradition d'Oc*, publié par les *Cahiers du Sud* en février 1943, il nous renvoie plutôt à la foi qu'à l'histoire. La différence est la suivante : l'histoire dissocie le regard et le cheminement ; elle agit en pointillés. La foi se veut être une connaissance indivisible de l'univers. Le désir profond de Bousquet tend à faire *chair* la conscience.

Nous prenons à présent un virage décisif. L'alliance nocturne brille au seuil de la mort qui, à son tour, égalise la lumière de l'esprit. Que toute chose vienne à se personnifier, mais que dans ce « jet » de la personnification puisse se fondre en un même abandon l'univers, tel est le principe de l'Inconscient ou de l'irrationnel. Autrement dit, il existe un point de confusion universelle où se perdent en un seul amour toutes les possibilités d'être.

Dans une lettre de 1948, à Gaston Puel, Bousquet écrit :

> « *Et la foi, je veux bien. Sous cette condition que trouver Dieu inaugure pour moi la joie de me faire un ami en le lui montrant et d'inventer ainsi une amitié où ce Dieu perde sa route et son nom.* »

Ce n'est pas moins que la *Mort de Dieu,* comprise comme occultation qu'il prend en charge, peut-être à son insu. Il y a sans cesse un affaissement, exprimé dans les dernières pages de septembre 1950, par cette ligne : « Ne plus être... c'est trop difficile d'exister... » Paradoxe : l'écriture qui, selon Bousquet, détruit notre union avec le monde, enrichit le dédoublement de notre vie sans lequel nous sombrerions dans la bête. La *métamorphose* de Kafka habite bien Bousquet. Mais chez lui, elle ne va pas dans le sens de l'absurde qui nous laisse stupide. Elle est une sorte d'épreuve, car la victoire spirituelle consiste à aimer sa croix, en l'occurence son infirmité, ce qui revient également à dire qu'il n'y a pas de victoire sans croix ni infirmité, que les deux sont contemporaines, comme la chute et la création.

Mais ne nous y trompons pas : cette conjonction contrastée ne libère nullement son double rayonnement. Au contraire, il le neutralise par avance, l'assimile avant la lettre, l'a déjà bu, vendanges à rebours, si l'on peut oser cette métaphore. Car, décidément, il y a une nuit dans la nuit. Nous lisons ce morceau de *La Romance du seuil :*

> « *Il n'est plus de jours, l'homme a grandi avec le grand jour comme s'il en avait bu toute la nuit maternelle. Plus il fait clair dans le beau temps, plus des ténèbres t'en approchent. Tu découvres la blancheur des maisons, leurs arbres de verdure, tu les verras à jamais lorsque tu en seras devenu toute l'ombre.*
>
> *Rien ne recouvrira la nuit qu'un enfant avait mise au monde ; et la mort elle-même ne saurait enterrer que ses pas.* »

Le projet de Bousquet : réduire l'altérité à une identification. Celle qui le ramène, par exemple, à son enfance à mesure qu'il vieillit. *L'homme dont je mourrai* demain, c'est mon cœur d'hier. Ce futur dépassé, dépossédé, me maintient bel et bien dans le calvaire du présent. Lecture assidue de Shakespeare. Le *calvaire,* c'est le crâne. « Ce que j'ai cessé de voir, me voit » dit *l'homme dont je mourrai.* Notre vie se fait hors de nous :

> « *C'est un sommeil que nous entretenons en rêvant qu'il nous éveille.* »

Le Mauser sorti d'un tiroir voisine avec Platon. « Si tu ne te libères de toi-même, tu ne seras jamais libéré. » C'est le *droit de mourir* que Bousquet s'efforce de faire prévaloir, à savoir le droit d'être sa mort. En vertu de ce désir de l'homme de faire l'oubli sur la pensée qu'il a été conçu, et qui exige par-dessus tout l'oubli du temps. Mais ces considérations demandent à nouveau que nous inversions notre regard. Ce n'est pas la lumière qui donne à voir les choses dans leur propre clarté. De même que la *simplicité* universelle reste obscure, c'est le voile jeté sur ma vie qui fait de moi un être et une conscience unique. Je m'identifie à ma mort car personne ne peut me la ravir ni prendre sa place. Aussi, dans *Traduit du silence,* cette proximité essentielle :

> « *Je n'attendais rien que la mort, et la mort l'attendait avec moi.* »

Mais Bousquet avoue sa folie d'avoir aimé une femme *qui a mis le temps* entre eux. Le temps est le lieu de la discordance, du dédoublement qui arrache l'homme à lui-même. En revanche, son déchirement dévoile ce qui demeure permanent en nous. Il nous donne la chance de nous ressaisir. En intégrant à sa vie cela même qui nous en a éloigné, ou qui s'apprête à la déformer. Une consigne indispensable à notre époque : apprendre à évoluer dans le sens « que le poids des circonstances » va nous imposer afin de sauvegarder notre individualité :

> « *Se rendre, au-dedans de soi, apte à créer l'ordre que l'on devra subir.* »

Plus cet ordre extérieur est uniforme, plus la vie de chacun est captée par la réalité ambiante, plus la subjectivité se fait irréelle. L'homme perd son intégrité, lui qui ne voudrait tenir son unité que de lui-même. Mais la conscience de son unité lui est octroyée par le pressentiment de *sa* mort. Le démembrement et l'objectivation publique de l'individu reviennent à lui voler sa mort. A lui en refuser l'asile. Voilà pourquoi l'attitude d'une société vis-à-vis de la mort la dénonce aux yeux de tous. En date du 8 septembre (1942), dans *Le Bréviaire bleu :*

> « *Mesure l'évolution de l'homme par rapport à l'idée qu'il se fait de la mort. Elle a été ton épouvante, puis l'horizon de la délivrance, elle est maintenant l'horizon de la suprême révélation.* »

Ces mots ne concernent pas l'homme isolé, pas plus que le seul Joë Bousquet. Ils témoignent d'une évolution séculaire. Ils correspondent à trois époques décisives. En premier lieu, l'horreur mêlée de défi des Anciens ; puis le deuil confiant du Christianisme ; enfin, *notre époque :* l'horizon de la suprême révélation, la cause claire et entendue, la vie elle-même comme entrée dans la mort, l'homme comme œuvre et comme ouvrier de la mort, et ce parce que le néant le gouverne. Ces trois époques sont dominées par la figure démente de Dionysos, par celle du Christ, et par le *Revenant* qui transite dans la mort, pour l'y rejoindre. Les *Lettres à Isel* portent en exergue une question et une réponse :

> « *La mort ?*
> *La mort, c'est l'ombre que fait notre corps sur le sentiment que nous sommes.* »

La mort plie ensemble les yeux et le corps en un séjour spectral :

> « ... *Il n'y a qu'une gloire : celle de pressentir sa mort, comme l'achat d'une vie prête à craquer de ce qui lui était voué.* »

Nous atteignons pour la première fois l'idée d'un rachat auquel d'ailleurs se voit condamné le *fantôme*. Elle est ordonnée par *la faute d'être né en se fermant à son être mortel*. La vie, l'art de vivre consiste à entrer avec la mort dans cet être. Ce double arrachement à moi-même, cet « *engouffrement en hauteur* » nomment et désignent la solitude de mon supplice. Il traduit mon silence :

> « *Les grandes douleurs de la vie sont celles qui nous révèlent en nous ce qui ne peut être changé, et qui témoigne ainsi sourdement qu'il existe en nous quelque chose à substituer à la Fatalité, une pierre de touche qui, à travers tous les événements auxquels nous sommes mêlés, porte le poids de la mort. Dans le monde qui est vie, nous mourons de n'être que nous.* »

La mort ne se réduit pas au simple dépérissement. Elle porte le signe qui dévoile les limites de notre être. Elle est déchirante parce que cette révélation se double de l'affirmation du Monde auquel nous sommes arrachés, après avoir tendu vers lui. Rapprochons ces mots écrits à distance :

> « ... *nous mourons de n'être que nous.* »

Et dans *Papillon de neige* :

> « *Le miracle, c'est la souffrance qui te montre que tu n'es que toi.* »

Ainsi, sur le chemin révélateur de la mort, *la souffrance*, avec son visage le plus énigmatique, *le désir*, fait-elle apparaître la chance d'un homme, le présage où se dégage son intelligence de notre partage terrestre.

III. *Souffrance et désir, le vocabulaire du soleil et de la perdition.*

Le 29 septembre 1946, Joë Bousquet, dans une lettre à Salomé Vénard, rédige ces quelques lignes :

> « *Que connaît-on d'un corps tant que son ombre n'est que l'absence du jour ? Une apparence, sœur de la nôtre.*
>
> *Un soir enfin, l'ombre d'un corps se dévoile au-dedans de nous, elle est prise dans notre chair aux sources mêmes de la nuit.* »

La souffrance est le langage du corps. Par conséquent, elle est symptomatique d'*une autre vie*. Sous les formes variées qu'elle emprunte, elle déclenche la violence d'un déchirement, d'une séparation avec nous-mêmes, avant de libérer, comme *amour* et *reconnaissance*, le désir secret qui préside à ses manifestations.

Les images et les degrés de cet ébranlement du corps sont aisément décelables, leitmotive de toute la méditation du poète et du conteur.

Les larmes. Elles sont dans la vie de la chair « la clarté qui torture l'homme avec ce qu'il est. » En évoquant les lèvres et le baiser de l'abeille blanche, Bousquet, dans *Le Bréviaire bleu*, ajoute :

> « *Toute faiblesse m'approche des larmes. Mon cœur me pèse comme s'il avait pris la place de toute la vie qui s'éloigne. Il faut avoir vécu pour savoir la douleur de n'être pas aimé.* »

Ce thème nous conduit à celui très trouble du *miroir*.

> « *Dans la rue ensoleillée j'ai vu passer une jeune fille. J'ai tremblé d'un sourd désir, il m'a semblé que je voyais mon amie dans le miroir de cette journée d'été. La lumière en*

> *me la donnant emprisonnait mon regard. Sommes-nous condamnés à n'atteindre notre amour qu'au sein de ce qui nous l'enlève ?* »

La parenté de la *douleur* et de *l'amour* ne fait aucun doute : « Tu n'es pas aimé : souffre de ce moi qui n'a pas mérité d'amour. » Le temps éparpille les instants de l'amour et accentue la douleur. Il sépare de nous une part de notre personne, nous leurre et nous fait languir car nous y cherchons une image de notre désir, « l'image physique et tourmentée de notre désir. » Le double *effroi du temps,* le passé et l'avenir, se conjugue à l'angoisse ressentie devant le miroir et son abîme. Déjà sa naissance fut, pour Bousquet, une venue au monde de l'absence. Il le rappelle avec un certain humour dans *Le Meneur de Lune :*

> « *Une infirmière s'efforçait de me ranimer. En s'éveillant ma mère entendit mon père s'écrier :* »
> « *Quel dommage :* c'était un garçon ! »

Quant à l'avenir, il complète la rupture entre l'être de déchéance que nous devenons et l'enfance que nous n'avons jamais assez connue. Nous la voyons partout parce qu'elle n'est pas accomplie. Nous menons ainsi une double vie, la vieillesse de l'une opprimant l'enfance de l'autre. Il s'ensuit la difficulté d'exister dans un tel *vertige.* Vertige que procure le souvenir de la beauté de l'adolescent en comparaison de l'horreur actuelle du corps. Vertige du monde et de notre sang, quand tout ce qui chante et entre dans notre corps se voit arraché à la réalité par la nuit d'*outre noir* qui nous en éloigne. Vertige devant la douleur elle-même qui m'absorbe et m'échappe à la fois.

Mais bien entendu le supplice le plus tenace est

la *blessure*. Tous les chemins y retournent. Elle contient *le langage entier*. « Always... disent les Anglais... » :

> « *La pensée du mot « toujours » m'a fait entrer dans ma blessure et, aussitôt que je me le répète, mon mal devient mon être et j'en suis l'accident.* »

C'est dans *Le Meneur de Lune* que nous en percevons le plus le double caractère de dégradation et d'élévation. Le corps est diminué par une mutilation. Mais sa défaillance comme une damnation tourne à l'espoir.

> « *Je suis la plaie d'un être immense qui grandit en moi ; la conscience d'un homme un peu plus grand dont je n'incarnerai que la déchéance.* »

Le sens de la blessure repose sur la considération de ce qu'elle disjoint :

> « *Nous ne sommes séparés du monde que parce que nous le sommes de nous-mêmes ; une blessure n'est que cette séparation, et c'est parce que nous sommes blessés que nous ne pouvons aimer qu'en blessant.* »

Un retournement radical dans l'existence brisée. La réalité lunaire se franchit comme un détour vers la perfection. Ma personne n'est qu'un être d'emprunt :

> « *Je dois à ma blessure d'avoir compris que tous les hommes étaient blessés comme moi. Le corps qu'ils traînent n'est qu'un rayon brisé et déchu, ranimé, sans doute, mais jusqu'à un certain point, par l'irréalité des images qui l'éveillent à lui-même, mais bientôt forcé de trouver au-dessous d'elles une inertie pa-*

rente de la sienne, la réalité, comme nous disons son tombeau. J'ai été blessé pour connaître le secret des choses, qui sont aussi de la lumière déchue, mais, heureusement, oublieuse. »

A quoi répond en écho cette constatation presque heureusee :

« *Et maintenant, ma blessure m'a ouvert le cœur ; une gratitude sans limites grandit à travers mon chagrin et veut en découvrir le visage vrai...* »

C'est Bousquet qui, à présent, nous ramène à notre projet initial : sa confrontation avec le monde moderne. Destinataire d'un malheur qui a envahi son existence, la configuration de sa souffrance et la nôtre. Mais dès lors, elle nous engage à sa propre métamorphose en un *langage du bonheur*.

« Si je suis ma douleur, ma douleur n'est pas ma douleur » car je dois sortir de mon être périssable afin d'entrer en intelligence avec sa cause. Comme la tristesse à travers les larmes, elle est la forme de l'espoir. De même le deuil nous confie le secret d'une joie inaltérable. La souffrance offre l'occasion de créer sa vie au lieu de la recevoir. Elle est le chemin possible du bonheur, une grâce accordée à la réalité, une disposition de l'âme en vue de sa totalité, au détriment de son repos, car son effort vers elle-même la fustige.

« *Connais les privilèges humains et intellectuels dont tu bénéficies. Ne vois à travers eux que le fait dont tu es le signe. Effraie-toi de ta beauté, tremble comme si tu avais choisi ce don entre tous. Tu t'effraieras du même coup d'avoir pour l'obtenir si peu souffert.* » (Le Bréviaire bleu).

Il y a nécessité de beaucoup souffrir et d'apprendre à juger sa souffrance ainsi que son désespoir, afin que la vie ne meure pas. Au point que l'homme cherche peut-être inconsciemment à souffrir. Il a « le sens de son destin et le pressentiment de la plénitude morale où ce destin s'accomplit ». Ce double jeu a rapproché Bousquet des mystiques, non en croyant, mais par la certitude et la passion d'une vérité cachée. Son ascendant le plus lumineux demeure certainement, en l'occurence, Raymond Lulle dans la mesure où l'arbre de vérité s'enracine dans la chair et sa révélation par l'amour. Dans leur correspondance, Gaston Puel et Joë Bousquet on envisagé ce mythe qui se trouve dans les tarots : *Vénus dans la Vierge.*

Si la femme incarne l'amour, elle rassemble, audelà de sa silhouette, l'engloutissement le plus poignant et le plus grand espoir : celui du rêve. Dans toute l'œuvre de Bousquet, la femme se tient au premier plan. Mais toujours et partout, il semble la traverser du regard, s'abreuver de ses yeux et de son espace en passant outre pour atteindre à l'horizon un point imperceptible. Sans doute ce qu'il appelait sa *cruauté.*

Bousquet contemple la femme comme s'il se voyait lui-même, en cherchant en elle que ce qui ne peut être détruit. Il n'hésite pas à déclarer dans *La Romance du seuil* que « la femme accidentellement enlaidie sera la plus désirée. »

En effet, le désir se porte vers tout ce qui veut vivre ; le désir de l'amour est une aspiration aux cimes les plus élevées chez tous les hommes ; plus fort encore chez Bousquet qui le rapporte de l'enfer.

Le cœur qui épouse le miroir de la souffrance se métamorphose en cœur qui console. Comme l'amour, il jette un défi à la vie ; comme le rêve, il affronte l'amour d'un autre monde. Le cœur nous enseigne à nous reconnaître dans les événements, dans les rencontres, dans les lieux « où figure l'étendue de son action pour nous. » Si donc le corps est retranché de la vie, si la chair est la déroute de la conscience, la parole de cette malédiction dégage l'homme de la condamnation qu'il personnifie, « Parce qu'elle est la chair de ce qui ne peut être ruiné » nous assure *Le Meneur de Lune*.

Dans ces termes, Bousquet se fait notre contemporain le plus magique. Il délivre, au sens littéral, l'homme du soir et son Occident. Il en devient l'Oiseau-Phénix. Il en conjecture les trajets et les réverbérations. Ainsi, de René Char, ce frère en modernité, d'assurer qu'il « incarne cette flèche imbrisable que le moyen-âge a poussée jusqu'à nous à travers la Renaissance... » (Lettre à Gaston Puel, mars 1949). Formule parallèle, dans *Langage entier* :

> « *Le désir est une flèche tirée à travers le firmament dont le corps est le fruit.* »

Quelques lignes plus bas :

> « *Je suis mon corps, c'est là ma pensée : elle en est la nudité.* »

Bousquet est de notre Epoque parce qu'il n'a jamais été tenté de nier ses racines, à savoir la révolution permanente de son exil et de son voyage qui ne mène nulle part, en laissant à l'espoir le soin de notre dépassement.

La souffrance qui s'empare de la chair d'un homme, avec le désir qui s'y entrelace, est l'irruption dans un individu de la destinée de l'humanité. Rendons-la en retour à la peine universelle. Elle se nomme la *misère*. Comme tristesse qui désoriente et détache les choses de leur lumière, elle émerge d'une confidence vêtue d'ombre : c'est le *Mal du Soir*. Elle n'est pas exempte de *peur* ni de *larmes*, quand elle s'enténèbre davantage. Alors, elle s'enfouit, prête à jaillir comme un atroce rayon, dans les fusils et les canons. Quand elle construit autour d'elle, elle œuvre avec la mort. Quand le monde devient hideux, l'espoir du bonheur défaille.

L'obscurcissement nous a saisis. Mais plus terrible l'aveuglement qui s'ignore comme tel. Dans *Langage entier,* Bousquet apporte à ce propos, une remarque qui pourrait se situer dans le droit fil de l'interprétation de Heidegger. L'omission même de l'oubli constitue, pour le penseur, la menace extrême. Pour le poète, l'homme court un risque analogue :

> « *(La pire douleur, c'est qu'il ne sent plus le chagrin. Sa tristesse, c'est de vivre sans en pouvoir souffrir.)* »

La douleur du cœur ménage son éclaircie. La misère du monde engendre le désir de s'accomplir sous une forme nouvelle, sans se renier. Encore convient-il de mesurer avec justesse l'amplitude et les raisons de la misère. Là aussi le *langage entier* de la condition humaine s'impose. « Supprimer la bombe atomique, pense Bousquet, *n'est pas une solution* ». Il précise :

> « *Tout ou rien : le devenir est indivisible, on ne saurait l'orienter dans deux directions à la fois. C'est le savant qui est à supprimer...* »

Comme Baudelaire, Joë Bousquet n'est pas loin de penser qu'il n'y a de véritable progrès que *moral* ou, pour mieux dire, que spirituel. Il recommande donc aux Etats de « désigner les directions dans lesquelles l'esprit doit s'exercer. »

Tant que la souffrance authentique de l'être est recouverte, elle traîne à l'état diffus à travers les approximations de la réalité. Au paroxysme de sa prétérition, la *guerre.* « Une autre guerre va éclater » annonce *Le Meneur de Lune :*

> *Que saurais-je apprendre à ceux qui vont connaître mon sort ?* »

Bien que prématurées, les guerres modernes trahissent l'avènement d'un combat à peine décelable, une tragédie où se décidera le Destin de l'homme. Bousquet, ressuscité du champ de bataille, le sait. Son propos, sans héroïsme inutile, n'en demeure pas moins clairvoyant quant à la « valeur » existentielle de la guerre. Voilà ce qu'en dit, avec le *bourdon du noir, Le Meneur de Lune :*

> « *Je ne sais pas d'où la guerre est sortie. Les hommes à qui elle a été imposée n'en connaissent pas davantage l'origine. Est-ce la guerre, ou la génération de la guerre qui est le malheur de ce temps ? Nous sommes nés marqués de ce signe atroce. Le conflit ne pouvait qu'éclater puisque nous voilà tous, ses victimes. La guerre est une partie de nous-mêmes. Elle est ce qui nous manquait tant qu'elle n'était que notre épouvante. Ah ! nous qui étions nés pour avoir la peur de ce que nous sommes, ajoutons-nous le drame qui, sans nous, serait resté une chimère. Nous l'appelons la guerre pour nous persuader qu'il pouvait être évité : un de ces drames que l'on nomme dans un monde et conçoit dans un autre. La pensée et le nom, c'est-à-dire la peur de la guerre et la guerre ne se rencontrent jamais.* »

Toutes les forces de destruction assemblées nous apprennent que l'homme n'est pas *à* sauver, qu'il est *le* salut. Il porte son désespoir et son mal comme un *crime*. Mais avec la conviction que la mort saura le laver. D'où une certaine attirance pour le sacrifice qui purifie. *Le Bréviaire bleu* nous dit :

> « *La tentation de me trouver absous par ma souffrance me crucifie plus sûrement que ma souffrance.* »

L'agonie purifie la douleur. Le déchirement de l'âme et du corps, de l'homme avec lui-même, de la société avec elle-même fait écho au pressentiment de l'absolu, dérive en *pitié*, puis s'érige en salut de la vie.

L'idée de *salut* traverse l'œuvre de Joë Bousquet. Elle n'est pas le résultat d'une injonction extérieure ; elle ne relève pas d'une fatalité abstraite. Elle s'écrit dans le désir de l'homme amèrement subordonné à sa « dérisoire et monstrueuse liberté ». Le rêve, le désir ressemblent à quelque chose comme la prière. Une telle volonté ne peut que s'unir à une pureté *négociée* — le terme est aride, mais il se trouve dans *Isel* — par celui qui nomme Dieu.

Nous ne pouvons plus maintenant éviter cette référence. Dieu est là, surtout dans sa défection.

IV. *Dieu, l'héritage à double face (le bien, le mal), la réplique d'une hérésie.*

> « *Le dernier rendez-vous. L'inconnu.*
>
> *Imaginez-vous le désespoir de l'homme broyé ? Il craint de nommer sa propre douleur, comme s'il savait que tout ce qu'il éprouve a été ramassé dans la boue. Un malheur vous suit comme une faute ; et le mien m'a pourchassé avec les ombres d'un crime. On dirait que ce qui détruit un homme est*

> *son propre crime quand il doit faire remonter la cause à Dieu même.* » (Le Bréviaire bleu).

Point culminant de l'Homme du Midi, la connaissance de Minuit. Au zénith de la nuit : le refus et la violence divine. Quand l'on ne ressent plus Dieu en soi, tout se fait horreur, même l'amour. A l'heure suprême « *l'homme est le Dieu absent de l'homme* ». Minuit doit aider à faire servir les dernières forces à saisir ce trait indiscernable : « Goût de disparaître en enchantant ». Le *Langage entier* ramasse en un apophtegme saisissant cette exigence qui ne se laisse pas définir à l'avance :

> « *Dieu, ce serait l'oubli de Dieu, dans la nouvelle que Dieu est.* »

D'une part, l'homme au comble de son aspiration se sent extérieur à soi-même. Il éprouve le désir de s'accomplir sous une autre forme. Ce phénomène de dédoublement semble être un effet de la foi en Dieu. Mais, d'autre part, la recherche de Dieu et sa nomination le dissimulent par la découverte friable de l'homme, en définitive seul avec son Dieu. Il y a là une récurrence de l'idéalisme allemand, de ce Dieu de Schelling qui est le lieu-dit de cette lumière infranchissable qui nous sépare de l'absolu. Dieu, en quelque sorte avant le Néant. Aussi, quand Bousquet décrit l'homme en son intermittence, compris par l'aube souterraine et la pleine nuit dans l'esprit, se laisse-t-il aller à cette ambivalence irréductible :

> « *Dieu est mensonge, Dieu aussi, mais le mensonge le plus mince dans ce monde étranger à la vérité, où l'existence même est un compromis.* »

Mais ici nous sommes transportés au seuil d'une révélation innommable. Elle prend une autre allure quand nous lui substituons un nom de baptême qui suffi à introduire l'étoffe voluptueuse d'un poème dans ce monde-ci, et à le rendre présent.

> « *Dieu est le Verbe, quand le Verbe est tout l'homme. La vie est l'exil de l'être.* »

Aujourd'hui, c'est à l'abîme que nous touchons. L'engagement de l'homme moderne le porte, sans renoncer à son impossible misère, à atteindre « le sommet de l'espérance ». « Sa grandeur, dit Bousquet, se définit par le poids de ce qu'il aspire à sauver ». Seulement, pas de nom pour désigner Dieu dont la voix s'est tue à travers les épreuves et les expériences passées. L'homme habite un monde où il dispose de tous les noms pour trouver Dieu. Mais alors, Dieu ne devient-il pas synonyme de *recherche* ? Cela que j'ai déjà trouvé, parce que je le cherche, tel est Dieu. Ou plutôt, dans notre exil, *l'unité des instants*. Ce qui revient à faire de la totalité du déchirement la seule proximité de la divinité.

Ecoutons la progression des alternances du *Meneur de Lune :*

> 1) « *Croire en la vie, c'est trop prétendre et ne rien attendre que de moi ; n'attendre ma vie que de moi, c'est croire en Dieu.*
>
> 2) « *Crois en Dieu et doute de tes maux comme de toi-même.* »
>
> 3) « *Mon Dieu, tu as trouvé ce meneur de lune sur le chemin de ta grandeur. Tu l'as détaché de son humble origine, tu lui as inspiré un amour trop vaste pour se connaître et tu l'as enfermé dans ton sein... Pour qu'il porte aisément le poids des heures, tu as mis leurs ailes en lui, pour qu'il ne subisse pas sans ton aide l'éloignement et l'absence, tu as élargi*

son regard avec les couleurs dont tu ne lui as pas ôté toute la conscience...

La vie n'est pas dans ton attente. Quand tu la nommes, tu ne fais que rêver d'elle. Elle marche dans les paroles que tu écoutes, t'observe dans la vision de ces traits qui seront ton amour si tu n'y prends garde, elle est dans le parfum qui dispense l'oubli d'un monde auquel tu te croyais égal. »

Au début de ce troisième extrait, Dieu est présent, l'adresse le vise et l'environne. A la fin, il s'estompe à travers l'homme qui le suggère et le perd.

Comment, dans les limites de leur perdition actuelle, spatiale, les hommes peuvent-ils coexister dans l'offrande d'*une autre vie ?* Telle que la question se pose dans la pensée de Bousquet, elle n'évite pas l'immensité intérieure de la conscience, à la mesure de ce que nous sommes selon le double royaume du *bien* et du *mal.*

La douleur est une forme du mal. Mais à travers la souffrance une grâce est faite à l'être déchiré qui est méchant. Elle lui permet de triompher de sa malice. Etre éprouvé dans sa chair, expose le *meneur de lune,*

« *ce n'est pas acquérir des mérites, c'est avoir son démérite à merci.* »

Le mal n'est donc pas haïssable, car dans son être sensible l'homme peut appeler à lui tout ce qui l'aidera à le surmonter. La vision de la conscience morale provient du *moi* à la recherche de son unité. Aussi :

« *Ni le bien ni le mal ne sont le produit de la conscience ; celle-ci est le produit de leur antagonisme.* »

C'est la grandeur de l'homme, mais également son désespoir de se savoir responsable de « son propre souffle », au-delà de toute notion.

L'homme se trompe s'il s'insurge contre un malheur où l'a précipité un accident matériel. Il lui faut au contraire accepter la déchéance morale, car sa justice est aux mains de sa vie et la mesure du bien, s'il lui donne son cœur et ses yeux, contrebalance le mal. D'ailleurs, le principe de la justice se conçoit comme une forme de Dieu. Si nous ne considérons que notre misère, nous sommes « l'injustice incarnée ». Mais la conscience a le sens « d'un absolu de justice ». Nous n'évitons pas ce pressentiment déchirant et c'est pourquoi les justes souffrent de la force qui fait loi. La conscience est à la mesure de ce qui est, la connaissance à la mesure de ce que nous sommes. Nous élever de l'une à l'autre, mettre la conscience à la place du connaître, voilà notre avenir. Mais ce cheminement commence par la douleur que procure l'expérience de l'injustice. Elle nous pénètre et nous « crucifie au pressentiment de la justice. »

La conscience morale est la subjectivité du monde. Elle recouvre une dimension inépuisable de l'être. Seul, l'homme d'OC, selon Bousquet, a fait de la notion d'être, la valeur par excellence :

> « *La notion d'être, dans la pensée d'oc, ne se laisse pas limiter par la définition du sujet, elle l'illimite.* »

Le verbe contient son sujet, l'être est donc profond comme la mer. Il est le gisement de l'inconscient, non l'individu. Ce principe fait l'hérésie intellectuelle, la conscience et la tradition de l'imagination occitane. Nous exposerons à présent, dans ses grandes lignes, l'article qui réunit les *fragments d'une cosmologie,* publié dans le numéro des *Cahiers du Sud* consacré, en *1943*, au Génie d'Oc et à l'homme Méditerranéen.

L'être vient tout entier dans chaque homme qui en est à la fois l'image et le temple. Mais l'homme n'en a qu'un aperçu lointain. Par son imagination, il en saisit le germe à travers l'antagonisme du Bien et du Mal. Deux royaumes, avec un seul centre situé dans le cœur de l'homme. Ce point le plus dense est également la source de la lumière et de l'espace. Imaginons que ce point délicat s'accroisse de telle manière qu'il s'inscrive comme les années dans le tronc d'un arbre : ce foyer indivisible serait, dans sa chute, encerclé par son propre centre. Toute l'étendue de la création séparerait cette créature de son foyer originel. Elle ne serait pas la victime de la « chute » mais son fruit et son signe. Ainsi l'éloignement brille sur la carapace des monstres apocalyptiques, au fond d'un abîme. En ce sens, l'espace perceptif est l'image du relèvement à partir de l'indice de la chute. Cette différence nous porte à la compréhension de ce qu'est le Mal, qui n'est pas un « court-circuit » de la création, comme chez le Chrétien, mais la présence d'une épaisseur divine, comme chez les Cathares.

> « *Ce Dieu énorme et plein nous tend dans la matière des pièges à son image.* »

Si bien que même quand il ne se perd pas lui-même, l'homme est perdu.

Le Dieu unique est, affirme Bousquet, « une divinité de théorème ». En revanche, le Double Dieu se dévoile, dans son incertitude, à la subjectivité de l'homme. Il est le seul Absolu concevable.

> « *En étant double pour la connaissance qui affirme et nie, Dieu est un pour la foi qui ne connaît que l'affirmation.* »

Celui qui croit au Double Dieu tombe ou s'élève dans un monde tournant sur lui-même. Aussi, le problème du Bien et du Mal est-il le lien de l'âme et du corps, non une alternative pour la raison. Il n'y a donc qu'une seule objectivité pour la créature et pour l'univers. « Et dans un monde qui naît de lui, l'homme peut tout devenir. » Notre subjectivité en s'extériorisant, a extériorisé celle du monde. Grâce à la présence d'une femme, de l'amie, par exemple, notre vie se développe comme amour de la vie. Le visage heureux brille ailleurs que dans l'imagination. Il apparaît dans un monde réel dont il recule les bornes. Aussi, toute séparation ne serait qu'une apparence « dans un monde qui est un contenu de ce que nous sommes. »

Le corps de l'homme est l'image de son essence. Il a sa beauté au-dedans de lui. Elle représente l'un des aspects de cette coexistence avec nous-mêmes qui ouvre l'homme à son double. Mais la contemplation du corps féminin qui libère le passage à l'altérité de l'amour fait apparaître aussi un dédoublement. L'androgyne, c'est l'identification dans la ressemblance. On ne peut se le représenter « parce que sa forme n'a jamais coïncidé avec ses limites extérieures », mais avec ses limites intérieures. Il s'agit d'abord pour l'homme de recouvrer son essence virile en abolissant la femme ; puis à l'inverse, Bousquet tente de se fondre dans ce qu'il n'est pas, le corps féminin. Dans le texte qui nous occupe, il écrit :

> « *L'homme et la femme sont séparés par l'épaisseur de l'univers. L'androgyne primitif ne s'est point dédoublé en homme et femme sans prendre aux pièges du multiple la totalité même du cosmos.* »

Quand les amants sont séparés, leur chair les appelle l'un vers l'autre. Dans leur amour la vie est promesse de réalité. Quand les amants sont déchirés par la séparation, elle les assimile à l'être dont ils sont l'image.

> « *L'absence est un amour qui a trouvé Dieu.* »

L'amour est donc une vérité qui dépasse l'accident d'une personne. Il importe dès lors à l'homme de se mettre en quête d'un bonheur dont la vie n'est que le moyen, ou plutôt, la préfiguration. Mais cela exige de lourds sacrifices, c'est pourquoi « la poésie de l'homme d'oc est une poésie d'ailes brisées. »

Quand l'homme se possède dans ce qu'il n'est pas, « son corps se ferme comme en un rêve sur un bonheur d'avant la vie. » Le bonheur éveille la pensée qui, après avoir perdu l'homme, est à son tour sauvée. Par la pensée, le monde est un dans la séparation, il est divers par l'être. Mais l'homme a de plus le pouvoir d'agir sur ce qui est spirituellement éloigné de lui. Une telle action engage forcément l'esprit au cœur de la réalité matérielle. « Le chemin de la perdition, nous dit alors Bousquet, est donc libre. » Il développe ce propos :

> « *La situation de l'homme au milieu des objets de son désir serait désespérée s'il n'avait pas la faculté* divine *de créer de l'éloignement et de se porter au large de ses actions en les pensant ; peut-être bien en les nommant. La devise de l'artiste d'oc est :* Se détacher sans s'appauvrir. »

Créer, c'est donner à l'autre l'illusion qu'il agit lui-même. Prêter aux hommes des pensées, sans les amoindrir. L'espace virtuel entre les hommes est le lieu du salut. L'homme de chair doit s'arracher à la discontinuité de son moi pour lui substituer un homme qui reconnaît son idéal dans un être en renonçant à le posséder. Ce qui implique une reconversion de l'amour.

> « *La science d'assujettir les lois de l'amour à la nécessité du salut est de révélation divine.* »

Nous atteignons à la transcendance d'un Absolu qui ne s'oppose pas à la vie matérielle, mais qui est un Absolu matériel. Notre chute dans le temps inaugure par conséquent notre salut. Loin de se sauver de la matière, l'homme doit la sauver avec lui. Ce qui se tient éloigné, séparé, porte la promesse de l'amour et, par là, se verra restitué à l'Absolu.

> « *Le Temps et l'Espace étaient la perte de l'homme, ils sont son salut. Ils sont le Dieu tombé et, dans l'amour, les ailes que le ciel lui a données.* »

L'homme se doit donc d'introduire la valeur de l'éloignement, la *distance* dans la mesure de la conscience. Telle est la condition du respect ; la reconnaissance y combat l'appropriation du désir ; la Beauté en est l'asile. La poésie se définit ici comme « la langue naturelle de ce que nous sommes sans le savoir ». Grâce à elle la pensée de l'individu « mérite d'être le génie du monde ». Chacun peut contribuer à la manifestation du monde dans une configuration qui le représente, car l'individu n'est pas un fragment du tout, « il est le tout, un peu. » L'homme d'oc est fils de la lumière dans sa langue où précisément la parole est « la reine de l'action et s'envole tandis que celle-ci s'accomplit. » Cette dernière phrase se trouve ailleurs, dans la présentation par Bousquet du même Cahier. Elle explique également que le catharisme a cherché à matérialiser l'expérience spirituelle, autrement dit, il a parlé *à l'âme la langue des sens.* Ils sont absorbés par leur étreinte qui les élargit et les transfigure. L'homme y est accueilli et s'éveille pleinement à l'Art Majeur d'exister.

Nous parvenons à présent au seuil de notre ultime partage.

V. *Orphée.*

Exister est un art. Néanmoins, il est étrange que le langage soit devenu, pour Joë Bousquet, une manière d'être, *faute de mieux.* Le ravissement poétique de jadis, l'enchantement qui subjugua les peuples de l'Ionie jusqu'à les perdre, se muent, à l'autre bout du monde, aux confins de notre histoire, en une désillusion de la douleur s'appliquant, de toutes ses forces, à sauver la poésie. Comment ? En faisant d'elle l'instrument de la *rédemption.* La poésie est sauve quand elle devient la clef de l'avenir.

L'homme dont je mourrai y insiste :

> « *Ecris beaucoup, déchire presque autant : parle peu : que chacun de tes mots soit payé de souffrances obscures, et qu'il achète une espérance, une espérance unique, à partager.* »

Le poète joue le rôle d'un Médiateur qui authentifie les noms et les choses. Il accomplit le *rachat* du langage. Il remédie, il restaure, il donne à renaître.

Nous pourrions reprendre sous cet angle notre texte, et l'infléchir vers une interrogation sur la poésie comme telle. Nous retrouverions, à travers le miroir de Bousquet, cette formalité récupérant, dans la cohérence de son langage, ce qu'elle paraît libérer pour ne pas sombrer dans son corps périssable.

L'écriture est aussi une *blessure.* Elle rompt avec la vie. A partir de quoi, il faut la découvrir comme le cheminement d'une destinée qui s'enroule sur elle-même et fait écho à sa propre duplicité.

Le langage naît, lui aussi, de la nuit. Il porte le pressentiment d'une beauté, ou d'un sens, ensevelie dans la matière. La poésie en révèle l'horizon. L'homme serait-il donc le gardien d'un trésor, dépositaire de l'énigme qui ouvre le monde ? En vérité, il y a, dans *Le Meneur de Lune,* un aveu terrible :

> « *Il a bien fallu que je soutienne seul la vue de ce que nous sommes en secret, cette vérité humaine sans lien avec la parole.* »

Voilà qui confirme le rôle second, et donc symbolique, du langage chez Bousquet. Il ne révèle pas tout, et de plus son silence lui échappe, il n'est pas tout. *Le Meneur de Lune* y revient continuellement :

> « *Je me ferai une vie dont la poésie soit le reflet et non la lumière.* »

Bien sûr, la parole peut atteindre à l'évidence d'une perfection, sans embarras d'esprit. Mais elle témoigne, dans ce cas, d'un monde dont nous ne sommes que le *regret* ou *l'espoir*. La restriction reste significative. De même quand il nous est dit :

> « *Le mot est son signe parce qu'il n'y a pas de place dans le monde où nous nous éveillons pour l'immensité qu'il est.* »

De qui s'agit-il ? De l'homme qui s'enferme dans la boîte roulante de sa parole. Elle est l'engagement d'un homme qui s'accepte, mais dans la perspective de la déchéance dont le noir de l'encre est une image et qui commémore son obscurité dans la libération d'une lumière écrite. *Une autre vie,* jamais définitive, à partir de laquelle s'opère le retournement vers ce qui nous avait mis au monde et dont nous n'avions été que la nostalgie. Cette reprise de soi fonctionne comme un effacement, une rature, un abolissement justifiée parce qu'ils barrent le déchirement originel : c'est une variante de l'androgyne :

> « *Paroles où ce qui est ne se distingue plus de ce que je suis, et à quoi mes souvenirs ne pèsent que leur espoir ; la parole a les deux sexes : elle est mon désir d'enfanter des esprits et cet enfantement.* »

Il faut boire du regard toute la femme pour que la vision prenne le regard unifié de l'homme et de la femme. Il faut réduire la matière pour l'élever à la double face de la spiritualité. Le phénomène de dédoublement est un effet de la foi en Dieu car c'est Lui qui est à double face sous l'identité d'une même affirmation.

Est-il besoin de rappeler la définition de l'androgyne ? L'être ou la divinité qui réunit à la fois le principe mâle et le principe femelle. Tout autre est la pensée du *Neutre* qui ne compose ni ne décompose, mais qui fait signe de manières multiples. Une confrontation avec René Char, à ce propos, s'imposerait. Très instructives apparaîtraient alors les différences d'éclairages provenant, pourtant, d'une même source. Ce sont ces écarts d'intelligence qui, dans l'avenir, nous tiendront en haleine et décideront de nos orientations.

Mais suivons jusqu'au bout le cheminement de Joë Bousquet. Celui, pour terminer, d'un *Papillon de neige*.

Bousquet a conscience d'approfondir la souffrance des hommes. Aussi désire-t-il écrire une œuvre de « fin du monde » sculptée dans la joie. En quelque sorte le prolongement et la possibilité d'un espoir qui permette de dire Dieu. Cependant son effort

ne cesse de surgir du fond d'un arrachement. « Le bonheur n'est pas sur la terre, écrit-il, mais nous ne sommes pas sur la terre ». Bousquet fait l'épreuve de l'absence, de l'oubli en leur donnant une coloration morale : ils deviennent bassesse, déchéance.
Et lui-même aspire pourtant à un langage plus naturel, nous oserions dire plus *sain*. Le rayonnement de ces images provient sans doute de ce jeu indispensable de purification qui l'emporte parfois contre le fait redouté de la douleur.

L'écriture de Bousquet confirme l'*acte rituel* auquel il aspire. Quelque chose comme une *religion horizontale* qui d'une lumière physique fait une lumière spirituelle à travers l'affranchissement de l'art. Toutefois le danger de l'altération menace, car l'écriture fixe la langue et porte ainsi son propre venin. La langue courante dégrade continuellement le symbolisme naturel qui est plongé dans la nuit. La poésie, le conformisme littéraire, à certains degrés, n'échappent pas à cette fatigue commune. Pour y remédier Bousquet évoque le *mythe* qui ne sombre pas dans l'exactitude de l'expression, qui fait varier les mots et leurs acceptions, qui déchoit lui aussi, c'est vrai, mais qui renaît de ses cendres.

> « *Empire du mythe qui vit de la vie même de ceux qui croient que l'amour est une destinée.* »

Le mythe est associé à l'amour qui efface le réel. Pourtant c'est dans le réel que les amants veulent le connaître : ils offrent leur cœur à la vie. Un tel sacrifice confirme l'étroite relation qui existe entre l'amour et la mort. En définitive, c'est la volonté de mort, « la passion active de la nuit » qui dicte la « résolution finale ».

La fureur de l'anéantissement peuple les pensées

de Bousquet. Il nous le propose comme une fusion vivante, comme la diffusion d'une lumière universelle qui préserve en son foyer la duplicité de son origine. Ce n'est pas tout : elle est incarnation, le paradis y mûrit tandis que l'enfer y transpire. La sensualité de Bousquet reste, dans ce domaine, d'obédience chrétienne, donc vouée maladivement à une introspection charnelle. Ce qui n'enlève rien à l'évidence de cette pensée, mais nous met au contraire sur la voie de sa délivrance.

Comme Orphée, Joë Bousquet a eu pour Destin d'aller chercher l'amour de son chant dans la mort. Nous l'y accompagnons. Mais comme Orphée, Bousquet, et nous avec lui, ne croyait, au fond, ni à la vie ni à la mort. Le retournement du Monde ne lui a guère paru possible. Pour forcer le destin, il y a regardé de trop près, et son chant d'amour fut condamné à l'*exil* auquel, en vérité, il appartenaitt à jamais.

« Quand le langage s'écrit, l'exil s'éternise »... Nous écrivons, nous pensons comme pour alléger le réel, ce qui revient à s'isoler de son opacité secrète. Comprenons bien le balancement d'un pareil horizon. Il suppose tout d'abord une présence qui nous asphyxie, qui nous oppresse, et par ailleurs une fuite qui aspire à une réversion bien improbable. L'acte d'écrire est le *couronnement* du mystère de l'homme et de l'exigence de sa justification par son accomplissement. Mais l'on ne peut pas accomplir plus que son *imperfection,* quand elle est essentielle, quand elle découvre que le monde peut se passer de chacun d'entre nous.

> « *Je suis... un clown vêtu d'étoiles... Don Quichotte de l'absolu.* »

A la limite donc la *dérision* devient indispensable. Plus il comprenait le sens de son exil, plus il devenait deux fois ce qui l'entourait et ce qu'il était, plus Bousquet s'adonnait à sa propre reconstruction du réel. A fortiori, il s'est éloigné, comme Orphée, après son échec, des images solidifiées par les expériences communes. D'où cet hommage à la *Liberté pure* :

> « *Avec Eluard pour parfait artisan. Char, Eluard, les plus grands par leur refus hautain et silencieux, ils ont anéanti les arènes que l'homme construisait. Ils ont anéanti l'illusion qui fait édifier les tours de Babel.* »

Qu'il nous soit seulement permis de douter de la constance de cette vertu chez ce poète politique et, parfois, « d'église » que fut Eluard, à ses mauvaises heures. Mais Bousquet sait lui reconnaître des qualités autrement positives.

C'est l'amour contrarié qui traduit la destinée humaine et sa réconciliation poétique :

> « *Il est dans l'exil, le langage de l'exil, la durée de la malédiction dans le langage du maudit, où le dire serre l'être de près. Par lui, le* sens des paroles est plus près du cœur que la parole même. »

La poésie devient ainsi *la parole de la parole*. Complétons cette définition par cette genèse dont le secret germe en nous :

> « *L'esprit s'est brisé pour créer l'homme et il a mis le monde autour de lui. IL est l'homme, il est le monde et il est leur séparation. Toutes les fois qu'un homme s'absorbe dans la nature, oublie dans les passions qu'il est à jamais retiré de son sein, l'esprit se retrouve, mais sous une forme qui reflète à la fois son union et sa désunion, dans les ombres du langage, où tout est un si tout y est distinct.*

« Ainsi toute parole a deux sens. Celui de sa formation, celui de sa nécessité. Elle dit avec sa chance humaine d'exister la nécessité de son existence. »

Dans le poème repose l'esprit dans son mouvement et dans l'ombre de sa dualité. La beauté poétique n'a d'authenticité que si elle devient plus naturelle à l'homme que son amour. Elle libère une âme qui, sur les lèvres humaines, redécouvre l'attente du cœur. Elle permettra à l'homme de rejoindre l'*unité concrète* qui contient toute multiplicité, toute contradiction. Le poète est né en exil : il est qualifié pour cheminer vers la *terre promise.*

Le 20 mars 1942, Joë Bousquet, dans une lettre à Jean Ballard, développe ces thèmes. En 1970, la revue *Sud,* fondée par Jean Malrieu, dans son deuxième numéro publie cette lettre et adopte pour devise cet extrait :

Révolte de l'homme du midi qui veut être la chair de son chant.

Révolte de l'homme du midi qui, d'une part, se révèle à la clarté de minuit, d'autre part adhère à la volte-face spirituelle du monde.

L'homme de midi qui veut être *la chair de son chant :* le chant, pointe lumineuse de la vie, ensorcèle la matière, l'élève dans la transparence de sa nudité, et, trait d'union du poème qui médiatise, retourne au corps de l'homme glorifié, son corps, c'est-à-dire, *le nid de l'être.* La transfiguration indivisible de la poésie réconcilie l'être mortel avec la destinée du monde et de l'humanité. Sans doute est-il grand temps que la souffrance et le langage forment une arche d'alliance qui autorisera le passage vers ce firmament à créer. Et *confesser* peut-être son nom le plus spirituel ? Ecoutons Joë Bousquet :

« Les poètes méridionaux ont autorisé l'idée que le poète rivalisait avec la nature, que l'homme était un instrument de création, mais aveugle et qui n'avait d'yeux que sur le plan du visible.

Mais je crie :

Nous n'avions pas tout à fait réalisé notre union avec le monde puisque notre parole n'est pas encore la voix incompréhensible de Dieu. »

Le papillon de neige et le papillon de nuit laissent dans le regard la même clarté, celle du *ciel dans la mer,* celle de l'apport ou de la défection de la divinité. Exigence des besoins spirituels, pense Bousquet. Comme s'il n'y avait pas là tout l'arrière-plan d'une question primordiale, portée en silence par notre Histoire : quelle divinité, ayant besoin de quelle humanité ? Commentons, par-delà Bousquet. Aujourd'hui, l'on discourt allègrement sur l'absence, sur le silence et d'autres lieux communs. Sans considérer que l'éloignement de la présence comme telle implique sa manifestation. Que le silence qui nous accapare ne se distingue pas du bruit. Seul le vacarme propage et entretient le refus qui nous cerne. Si bien qu'endurer l'abandon de la divinité, ou l'occultation du Présent, va de pair avec nos réclusions les plus ordinaires : être embarqué dans le métropolitain, franchir les grilles de l'usine, s'asseoir devant un bureau, assister à la construction d'une autoroute, fréquenter le climat des centrales atomiques. En revanche, le recours à la tranquillité champêtre, les soupirs envers les vieux objets, ou pire, les aliénations structurelles, restent attelés à l'ombre. Dans un autre domaine, qui sait si la musique de Wagner, tournant du XIXe siècle, en raison des enjeux et des combats qu'elle avive, ne profile pas encore l'avenir, plus que ne le peut un chant grégorien, apaisement du cœur, mais aussi sans commune mesure avec le désarroi de la modernité ? Le risque subsiste de se perdre dans ce que l'on voulait éviter, tout en l'affrontant. Cependant, une telle déviation appartient à la grandeur d'une époque, avec ses erreurs, ses échecs, ses troubles. Tout se passe comme si nous ne cessions d'exorciser le *tragique* de l'existence, ce qui contribue à accentuer le trait dominant de *notre* tragédie : son effacement. En ce sens, pour fermer la parenthèse et revenir à Bousquet, mettons en doute l'utilité des conseils qui l'ont engagé à composer des « chansons ».

Cela dit, concédons l'application intempestive du symbole ambigu d'Orphée à Joë Bousquet. Parce que son chant s'imbibe de nostalgie, se complaît à la disparition, est en quête d'une complicité interdite. Orphée n'est plus tout à fait *grec,* il n'est pas encore *chrétien.* Le détournement du monde, en définitive, le sauve du vide où il se tient. De même, l'enlacement poétique de Joë Bousquet est de nulle part. Il surgit, affilié à ce *Temps indescriptible,* désigné par René Char, qui nous rapproche du sinistre et qui exige de nous « une santé du malheur ». De là seulement, nous gagnerons notre *contrée,* nous irons à la rencontre partagée du Monde en sa tournure. *Le Pays des armes rouillées* s'achève sur ce projet :

> « *Le sujet de mon livre ? Ce que le temps n'a pas effacé et qui jamais ne s'effacera du temps. Je donnerai une voix à ce que le silence des hommes et l'oubli du monde me font trouver au bout de la peine comme au bout de la joie ; et qui reste le même dans la douleur que j'accepte et dans la douleur que je surmonte. Je rendrai présent ce qui m'éloigne*

autant de ma jeunesse que de mon âge mûr ; et m'éloigne aussi bien du présent qu'il me fait paraître inexistant et creux, et comme enterré sous le songe. Ainsi entrerai-je en un lieu où l'homme le plus étranger à mes façons de vivre saurait me rejoindre en renonçant à ses chimères, et si bien m'approcher que, riche ou pauvre, il ne se distinguerait plus de moi ; et renonçant à tout ce qui le fait différent de moi, s'accroîtrait de notre ressemblance. »

FINAL

Un jour, en automne 1888, Nietzsche écrivait :

> « *Trümmer von Sternen :*
> *aus diesen Trümmern baute ich eine Welt.* »
> *(« Débris d'étoiles,*
> *de ces débris j'ai bâti un univers.* »*)*

Ce que fit Joë Bousquet qui n'a jamais consenti à la moindre fragmentation du monde. Ce qui reste à faire aux derniers hommes du XIXe siècle. Ce que nous venons de tenter, sans imiter Joë Bousquet, ni nous identifier à lui, mais en le reconnaissant dans notre destinée similaire.

Avec lui, nous pouvons croire à cette sagesse de *La Neige d'un autre âge :*

> « *A travers beaucoup d'a peu près, quelques points restent acquis.* »

Nous avons répondu, sans plus, comme un interlocuteur embarrassé mais attentif. En nous tournant vers la profondeur du dialogue en jeu, avec le regard qui ne cherche aucune exactitude, mais le sens caché. « Car, et c'est Bousquet qui parle, on ne pénètre un texte qu'avec une lumière cachée au-dedans de nous. »

Il s'agit sans doute de la *lumière du divin,* qu'elle se retire, qu'elle se dresse avec une violence illusoire ou qu'elle se métamorphose en bouleversant les possibilités du langage humain.

Bien que jetés par avance dans la prochaine ouverture du divin ou de ce qui lui ressemble, bien que *disposés* à la destinée qui gouverne la venue elle-même des dieux, nous ignorons encore à quelle expérience *cela* répond.

L'aventure de Bousquet est édifiante à double titre : elle nous aprend notre blessure, accuse les traits de notre souffrance ; elle fait signe vers un *déchirement* énigmatique qui est toujours apparu au premier rang de l'étonnement et de la pensée occidentale, ou *Méditerranéenne.* A travers la figure du Christ. Dans le Dithyrambe de Dionysos. Toutefois, et c'est le second point, si elle a su éviter les fausses conversions exotiques, elle est retombée quasiment de toute sa clarté, et par l'intermédiaire de la nuit mystique, dans l'expérience du *dieu caché,* identique à sa création et à sa chute, et décidément voué aux jeux lunaires de la faute, du crime et de la rédemption. Là, nous nous refusons à nous laisser happer par la magnifique langue poétique de Joë Bousquet. Séduction et corruption s'y côtoient de trop près. Son alchimie ne procède pas seulement d'une *version* du monde, mais également d'un goût prononcé de l'occultation. Les métaphores empruntées à la botanique, la symbolique des couleurs témoignent de la percée de la nuit mystique dans l'insertion contemplative et dans l'exaspération de sa flambée. Mais doutons de la conviction profonde de Bousquet. Il reste maître de soi, et sa lucidité fiévreuse ne pouvait lui permettre, sans une pointe de mensonge qui dut l'effleurer bien souvent, de célébrer les noces du chant de détresse et du désir lancé comme un défi à l'Absolu. Il y a du Don Juan en lui. La défaillance de son propre itinéraire, quand elle atteint le langage, lui commande de dérouler et d'augmenter, avec peu de mots, à l'infini, la puissance d'expression. Magie ensorcelante d'une poésie qui ne connaît aucun répit, de peur de se voir arracher ses pouvoirs. L'on raconte qu'Orphée a subjugué les sirènes et fait taire leur mélodie. Une secrète satisfaction doit naître d'un pareil acte. A demi mot, voilà que Joë Bousquet nous prévient du danger qu'il nous fait courir : la fascination qui captive et mutile en imposant sa loi, comme au spectacle, comme au jeu de la cruauté ; car Bousquet est le comédien du sublime et de l'anéantissement. Don Quichotte et Sancho Pança réunis, avec la volonté hypnotique décuplant leur énergie. Encore des figures mythiques et, à la fois, de style. Gageons que la singularité de notre *écriture* s'acquittera, un jour, de sa conformité à ces archétypes paradoxalement *mobiles*. Mais de son rôle dans ce *modelage de la statue*, Bousquet n'est pas entièrement dupe. Il penche pour la suprême parodie de l'existence, rétractation ou rétroversion des derniers moments. Comme Wagner, qu'il ne cite pas par hasard, il met à l'épreuve son œuvre individuelle en la frottant à l'épiderme d'autrui. Il y a une volonté déterminée de provoquer une réaction. La quête de soi, sous cette forme, par ce processus d'excitabilité, fut la grande affaire de Bousquet, son combat permanent pour *tous* et pour *personne*. Il convient d'y répliquer dans les mêmes termes pour éviter la pétrification à l'image agonisante d'un Narcisse cosmique. La vocation de son égocentrisme arme cependant Bousquet d'un grand mérite : il devient en quelque sorte *incon-*

tournable, irréductible, et sa poésie inépuisable. Aucune doctrine, pas même la sienne, ne peut l'absorber ; ni le socialisme ni le surréalisme, ni l'expérience stoïcienne de la douleur ni le dogme cathare. Seule une configuration mythique peut le suggérer. L'égarement d'Orphée pèse sur lui. Il a connu les Enfers, mais a-t-il entendu les lamentations d'Ariane traquée par l'énigme de son layrinthe ? Le fil conducteur est un dieu *inconnu*. Il nous épie et nous torture jusqu'à ce que nous vous démasquions parmi les masques. C'est une manière de conquête de soi que le *penseur subjectif*, qui domine par l'esprit, interprète par le fait d'un rapprochement éclairant :

> « *Se comprendre soi-même dans l'existence était le principe grec. Et c'est aussi le principe chrétien.* »

Il n'y a pas là une pure équivalence, mais bien plutôt l'irruption dans le principe grec de modalités qui lui devinrent, peu à peu, totalement étrangères. Nous sommes les héritiers de cette étrangeté ; notre exil en est la *tourmente*. Notre bannissement obéit au trouble de cette défiguration réciproque de ce qui fut, et de ce qui est par ce qui fut, sur un registre dévoyé. Il est vain d'espérer un retour en arrière, ou de chercher à opérer une fusion plus radicale. Nous sommes engagés, nous sommes disposés à l'inclination, promis à un *virage du temps*, à un commencement semblable à celui que connut la civilisation Méditerranéenne. Mais au début, le langage qui surgit à sa propre destination se manifeste dans l'intelligence du MYTHE. Il confère à l'approche grecque des origines une supériorité incontestable, car ni la religion chrétienne ni les mystiques d'emprunt n'ont un rapport immédiat avec une mythologie : elles sont trop luxueuses, trop charpentées pour cela. De plus, leur émanation prophétique et leurs exercices spirituels les détournent de l'émerveillement du présent.

Notre tâche, à travers la poésie, consiste à remonter de la souffrance du Christ au déchirement de Dionysos, et, de là, à parvenir en un monde où le *devoir ne franchit plus l'être*, où l'être au contraire menace par son séisme toutes les leçons humaines. Cette rétrocession n'est pas une simple restauration puisqu'elle est issue d'un combat permanent en retour. Nous revenons alors à Bousquet qui nous apprend comment on navigue, comment on lutte pour tenir le cap sans céder au désir de renoncer.

A chacun son Odyssée. Pénélope avec Madeleine, mais elles seront touchées au cœur, l'une et l'autre, parce qu'elles donnent, dans un suprême narcissisme, la possibilité détournée de satisfaire à des besoins sexuels et à la loi de la reproduction : l'androgyne dérive en hermaphroditisme-narcissisme. L'androgyne en effet se multiplie dans une parthénogénèse céleste, il s'accouple avec sa compagne qui est aussi son propre corps, accouplement, fruit de l'imagination.

Chez Johann Georg Gichtel la glose de l'androgyne se termine dans un vacarme du tonnerre. L'or redevient plomb. Nous avons perdu Bousquet de cette manière, nous l'avions dit, il le fallait.

En premier lieu, en sachant que « tout homme est la chance d'un homme », à condition de ne pas s'engluer dans la même espérance. Abandonnons-lui l'*espoir* tout entier, et le désespoir qui lui est contigu. Accueillons en nous des rencontres, sans plus, et des visées.

En deuxième lieu, en accentuant les directions et les caractères résolument spirituels, *moraux*, prescriptifs de son langage et de sa représentation, afin de s'en dégager, de les démâter, quitte à s'arracher à leur beauté plastique. Mais, aussitôt, nous sommes exposés à faire mieux, à devenir le rayonnement d'un monde qui ne s'infirme pas, qui brille, quelles que soient ses folies, sans restriction, auquel même on ajouterait des faiblesse humaines. Serons-nous un jour capables de cette *désinvolture,* sans avoir recours à des stimulants ?

En troisième lieu, nous avons transposé Joë Bousquet dans un horizon où sa silhouette, comme il le croyait lui-même, est devenue le portique à travers lequel se découpe le *paysage* de notre Temps. Traduction partielle, certes, qui ne coïncide pas avec la richesse ou les ressources du poète, mais où, perdant l'homme, nous nous sentons solllicités, à notre tour, par l'esprit du Monde qui l'anime et l'environne.

Une violence de ce type s'impose. Il nous faut nous approprier Joë Bousquet, car il parle au cœur de l'attribution qui nous constelle de ses prodiges. Nous avons trop tendance à user du langage en le neutralisant, en le paralysant par des consensus hâtifs. Mais la parole poétique ne trimballe pas avec elle des accommodements publics. Elle nous partage, au sens littéral, nous bouleverse et nous aime *séparément.* Son irrévérence ne se laisse chiffonner ni par les adhésions ni par les adjonctions conjoncturelles. Elle est le défi de déchirer, de traverser de part en part, et de restituer. Elle tire sa joie de sa défiguration qui médite un visage encore voilé.

Paradoxe de l'œuvre de Bousquet : « Le poème sera inauguration de ce qui est dans l'initiation de ce que nous sommes, dans la langue la plus nue et la plus féconde. » Mais l'unité de cette langue contient, absorbe, aligne les diversités dans leur abondance. Elle leur demeure *une autre chose,* comme la vie de Bousquet, avec ses intonations répétées, est la voix d'une autre vie.

Son exil, la solitude moderne, lui indique une

patrie, une ultime terminologie au bout de laquelle *le monde, c'est nous.* N'est-ce pas l'heure de la mort qui est ici mise en éveil ? Ne revient-on pas, une fois de plus, à l'envie de cet apaisement cosmique qui réaliserait l'harmonie sans discordances ? Alors, même le dieu à deux faces serait calme. Chez Bousquet, cette version de l'avenir n'est pas négligeable. Elle constitue ce *justificatif* de l'univers et de l'histoire dont le poète subit les appels.

Sur ce point, nous nous détachons. Notre regard se tourne vers des accointances plus éprouvantes encore, mais capables de préserver l'être en sa dissidence sans trêve. Nous ne prétendons plus à aucun refuge. Nous nous préparons à *reprendre vie,* exposés aux pouvoirs qu'elle décline.

Cette envergure se donne la Méditerranée pour berceau. D'où provient sa splendeur ? De ce qu'elle n'est pas une mer relativement à des terres fermes. Ses rives, c'est encore elle. La Méditerrané distribue la juste mesure de toutes les terres. Chaque île y perd pied avec ses abysses, mais elle scintille. Comme les archipels et les dieux qui en configurent les clartés, l'homme s'enracine dans le déracinement le plus retiré d'un recommencement toujours proche. Entre terre et ciel, entre deux néants impossibles, l'homme et son art (ou sa technique) se trouvent en balance. Leurs vibrations ne connaîtront jamais de répit, car elles n'ont d'autre éloge à attendre que de *reproduire,* sans soutien ni appui, leur sacre, les yeux brouillés par l'ignorance des verbes et des noms à venir. Intervalle de tout ce qui est, l'homme reste à distance de ce qui se montre compréhensible et de ce qui ne l'est pas, de sa chair comme de son chant, aussi bien de l'amour que du divin. Joë Bousquet réveille en nous la souffrance de cet abandon glorieux, de cet espace sans mélange. A-t-il espéré en résoudre les termes, par désolation ? Il le semble. Mais nous voulons nous aventurer plus loin, nous réjouir de l'affliction, sans renoncer à nos forces. Tout ralliement, dès lors, se fait suspect d'arasement. Eviter l'irrémédiable aspiration de l'illimité en épargne les nuances et nous maintient dans l'avènement de notre destin.

Le dernier mot à Reverdy qui se trompe moins que ne le pense Bousquet. Dans *Le Gant de crin,* il nous livre cette parole de son bord :

> « *L'art qui tend à se raprocher de la nature fait fausse route, car, s'il allait au but : identifier l'art à la vie, il se perdrait. On peut, d'ailleurs, en dire autant de celui qui tend ou tendrait systématiquement à s'en écarter* ».

Hughes LABRUSSE.

Pierre Jean JOUVE

RENE MICHA

HELENE

> *« Les innombrables ombres d'Hélène voyagent. »*
>
> Kyrie.

Un grand nombre de femmes ont traversé la vie et l'œuvre de Pierre Jean Jouve; cependant Hélène, formée de plusieurs d'entre elles, l'emporte sur toutes. Comme il est dit à la dernière page des *Années profondes,* elle a été pour Jouve — pour son œuvre de poésie et de roman, pour son être même — « une source parfaite, c'est-à-dire inépuisable ».

Pour parler d'Hélène, je m'appuyerai sur *La Scène capitale,* sur les *Histoires sanglantes,* sur *Matière céleste,* sur *Kyrie,* sur *Hymne,* sur *Génie,* sur *La Rencontre dans le carrefour,* roman paru en 1911 et dont peu d'exemplaires subsistent, et sur un ensemble de textes inédits, que Jouve vers la fin des années trente a réunis sous le titre *Les Beaux Masques,* et dont je possède le manuscrit.

Avant toute chose, il convient que je rappelle les circonstances — les unes vécues, les autres rêvées ou inventées à partir d'une vérité cruelle — qui ont suscité et construit l'image d'Hélène, laquelle porte aussi d'autres noms.

Je tâcherai de ne point oublier que la vie et l'œuvre de Jouve sont étroitement liées, que l'œuvre toutefois a le dernier mot, le seul juste. Je me fierai donc à l'Imaginaire : qui guide la fiction, la poésie, la réflexion : qui guide le sens et l'écriture.

Le premier modèle d'Hélène est fourni par Suzanne H., que Jouve rencontre à Arras, au début de ce siècle. Il a seize ans, elle approche de la quarantaine.

La première fois qu'il parle d'elle, c'est dans un court récit des *Histoires sanglantes, Les Allées,* qui est de 1932 :

> *N'était-ce pas là, sous ces grands ormes qui datent de l'époque de Vauban, non loin du Jardin du Gouverneur et de la Citadelle, que j'avais connu les rares fastes de ma jeunesse ? N'était-ce pas là, au son d'une noble musique, les Huguenots, Sigurd Josalfar, Espana, valeureusement exécutée par le IIIe Régiment du Génie, que j'avais marché dans la poussière, sanglé en un pardessus vert et suçant ma canne, et que j'avais fait de l'œil mille fois à la belle capitaine H... ? N'était-ce pas là que j'avais rêvé à l'art, à moi-même et à l'amour ?*

Repassant plus tard dans les mêmes Allées — c'est en rêve — il s'aperçoit que le jardin s'est morcelé, que de hautes grilles en divisent les nombreuses parties :

> *En même temps une lumière d'or, symbole d'une étrange douceur d'âme où il entrait un mélange de gloire et de regret, passait entre toutes ces grilles et ces arbres et sur cette terre travaillée, lumière à laquelle je donnais malgré moi le nom d'admirable.*

Jouve est plus précis dans *En Miroir* (1954). Il montre que deux éléments d'Hélène trouvent leur origine dans la capitaine H.

— la corporéité :

> *Un visage long, pâle, remarquablement régulier et doux, de beaux yeux grands à la couleur de noisette, et une chevelure, ah ! une chevelure énorme et repliée comme un nid de serpents, de teinte ou fauve ou cendrée — oui, plutôt cendrée. Un grand corps ni lourd ni maigre, aux seins légers et orgueilleux, vêtu d'une robe à traîne de la mode 1900, où la dentelle noire joue sur un fond de soie mordorée.*

— et le baiser dans les cheveux qui, dans *La Scène capitale,* doit sceller le sort de Léonide :

> *Je l'aimais (...) J'allais la visiter chez elle et je bravais son mari. Un moment plus étourdissant que les autres, celui où seul avec elle en son salon désert, j'osai poser mes lèvres à l'intérieur de ses cheveux.*

Le deuxième modèle d'Hélène inspire *La Rencontre dans le carrefour.* C'est déjà Hélène, mais Hélène jeune qui s'appelle Elisabeth ou Lisbé, qui ici porte le nom de Claire.

La Rencontre dans le carrefour est un roman que Figuière a édité en 1911. (J'ai sous les yeux l'exemplaire que Pierre Jean Jouve a dédicacé à Eugène Figuière, que celui-ci a donné à Paul Eluard, qu'Eluard enfin m'a donné.)

Le héros, Jean, voit chaque jour, à l'hôtel des Deux Roses, rue d'Assas, une jeune fille, dont il ne tarde pas à s'éprendre. Ils viennent tous deux de la province : lui du Nord, pour s'essayer au métier des lettres, elle du Midi, pour prendre des leçons de chant. Gauches l'un et l'autre : mais avec un calcul avoué chez Jean, une ruse innocente chez Claire. Il a vingt-deux ans, elle a vingt ans. Dans la salle à manger, où leurs regards se croisent, il remarque « le ruban bleu tournant au travers de la lourde tête blonde », les

« sourcils exacts », le « nez droit », la « bouche ferme et bien taillée dans la chair » et aussi « les épaules et les hanches larges », « tout le corps bien vivant ». Le récit se déroulant du seul point de vue de Jean, nous ne connaissons quelque chose de sa figure que par une lettre de sa sœur : « Tu as, écrit-elle, tout ce qu'il faut pour prendre une femme : tu es fin, un peu indécis, vite triste, à la fois d'apparence fragile et profonde ; on sent ton intelligence sur tes yeux ». La rencontre (nous le saurons dans *En Miroir)* a lieu en 1909 : c'est l'année où Le Fauconnier peint le portrait de Jouve, qui se trouve aujourd'hui au Musée d'art moderne, à Beaubourg. On y devine en effet l'inquiétude, la curiosité, la sauvagerie — la subtilité de l'oiseau. A ces éléments, le roman ajoute quelque cruauté. Jean obtient que Claire se donne à lui, mais il se garde de la posséder : sachant qu' « une fois prise, elle prendrait à son tour ». Leur relation se borne donc à de longues, à d'épuisantes caresses. Jean aime Claire et il ne l'aime pas. Quittés leurs jeux amoureux, le silence s'installe, Jean s'ennuie. Pourtant, chaque fois qu'il la regarde, il est saisi par sa beauté, par la chevelure qu'elle dénude soudain : « avec ses étages de boucles, ses chemins d'or solide » — aussi par « une odeur aiguë de femme ».

Le livre hélas est gâté par la pesante symbolique de l'Ecole unanimiste. Tout au long, on voudrait nous faire croire que l'amour de Jean, très vite incertain, se dégradant sans cesse avant de se perdre dans l'absence, est soumis à la loi confuse de la Ville, à ses « combinaisons hâtives ». Il est heureux qu'ici et là Jouve trouve des images heureuses pour fixer le berceau de porcelaine du Métropolitain, le kaléidoscope des bars, l'habit rouge des violons, la robe en serpent des espagnoles.

A la fin, nous apprenons — c'est cinq ans plus

tard — que Claire fait un mariage de raison ou plutôt de déraison, « sans enfant, plein d'ennui ».

Quant à Jouve, pour autant que nous puissions le confondre à Jean, nous voyons que de son côté il « se guérit » de la jeune fille en se liant à une femme beaucoup plus âgée que lui : « première liaison réelle », écrit-il dans *En Miroir*. Il joue, sans s'en douter, le rôle que Léonide assumera sur une scène plus solennelle. Nous ne savons rien de cette femme sinon qu'elle est la troisième à composer le mythe : que, plus qu'aucune autre peut-être, elle est la *femme maternelle*. Nous ne savons pas non plus à quel moment se place cette aventure. La discrétion de Jouve s'explique peut-être par la proximité de son premier mariage : qui est de 1911. En 1924, il détruira, « par insatisfaction ou scrupule », le manuscrit du *Démon naïf*, qui est sans doute le récit de ses dernières amours d'adolescent.

1910 : voyage de plusieurs mois à Rome, Naples, Florence. 1911 : mariage. 1911 à 1913 : études de philosophie à la Faculté de Poitiers. Puis la guerre et, pendant toutes ces années une œuvre généreuse, mais faible. 1919 : Florence. 1921 : Salzbourg, l'Allemagne du Sud. Des poèmes, un *Voyage sentimental*, la traduction du *Cygne* de Tagore. 1922 : rencontre de B., celle « qui l'appelle et qui le nomme ». 1923 : crise intérieure, rupture avec Romain Rolland et les écrivains de l'Abbaye. 1924 : la « *Vita nuova* », conversion à des valeurs plus hautes émouvant l'âme, l'esprit, la langue.

... Bientôt *Les Noces*, poème magnifique plusieurs fois mis sur le métier. Entre cet ouvrage, dont la première partie, les *Mystérieuses Noces* paraît en 1925, et *Matière Céleste*, qui paraît en 1937 (mais qui comprend *Hélène*, paru l'année d'avant), deux poèmes importants, fruits de la crise et de la « révélation » : *Le Paradis perdu* (1928) et *Sueur de sang* (1933), et six romans (qui plus tard seront réunis en quatre livres) : *Paulina 1880* (1925), *Le Monde désert* (1927), *Hécate* (1928), *Vagadu* (1931), *Histoires sanglantes* (1932), *La Scène capitale* (1935).

En 1933, un hasard miraculeux ou plutôt le hasard objectif, celui que porte le Destin, réunit à nouveau Jouve et « la jeune beauté de jadis », celle qu'il avait connue vingt-quatre ans plus tôt.

Je rappellerai d'abord le récit que Jouve, dans *En Miroir,* fait de cette rencontre et de ce qui s'en est suivi ; puis, je parlerai de *La Scène capitale* où les différentes images d'Hélène se trouvent jointes ; enfin, je parlerai des *Beaux Masques,* qui éclairent le réel et la fiction.

En 1933 donc — un an après la publication des *Histoires sanglantes,* deux mois après celle de la première partie de *Sueur de sang* — Pierre Jean Jouve, par un beau jour d'avril, quitte un autobus, fait quelques pas sur le boulevard Raspail et, non loin de l'hôtel des Deux-Roses, croise celle que voici longtemps il a désirée, aimée peut-être, abandonnée après un long combat « avec son cœur » (1).

Pierre et Elisabeth (ou Lisbé) se retrouvent au point où ils s'étaient quittés, cependant plus proches, plus impatients, comme si dût s'accomplir bientôt « ce qui avait été promis ». Ils s'écrivent. Elle est à présent mariée — mariée à un officier. Elle est enceinte (pour la première fois depuis quinze ans de mariage). Incertain, déchiré entre les chemins qui s'offrent à lui, il part pour l'Engadine. Dans ce pays « beau comme une peinture de Delacroix » une « sorte de fulgurance » se fait : le personnage d'Hélène s'impose à lui. Il se met à écrire, c'est trop tôt, il déchire ses brouillons. Il rentre à Paris. Il revoit et aime Lisbé, toujours belle, d'une beauté changée. Son enfant est mort en naissant ; à présent elle est malade, peut-être gravement. Il s'en retourne en Engadine et là d'un trait il compose *Dans les Années profondes.* Un peu plus tard, il réunit un ensemble de poèmes sous le titre de *Hélène*. Le temps passe. Il porte les deux ouvrages à Lisbé, c'est-à-dire à Madame E. V. La mort d'Hélène y est figurée, elle précède de peu la mort vraie.

Je viens aux *Années profondes :* deuxième panneau du diptyque qui constitue *La Scène capitale.* Ici le mythe atteint sa taille entière et sa perfection.

Le récit est écrit à la première personne.

Léonide, ce jour-là, est sur le point de quitter l'Engadine :

> *J'allais quitter le val aux formes fraîches et rêveuses de la Bondasca, l'âme pleine de la poésie de ma seizième année, pour d'autres contrées plus quelconques, moins dangereuses, et je voyais dans l'évasement de lourdes montagnes forestières les cinq ou six dents déchirées, de la couleur du platine, qui dominent la vallée entière : combien de temps se passerait-il avant que je les revisse ? Le massif lui-même n'était-il pas sous un signe étrange puisqu'il portait le nom de* Disgrazia ? *J'étais arrivé tout en marchant dans le village de Sogno, qui sur une sorte de balcon amoureux et vert regarde du côté de ces hautes disgrâces. J'avais le cœur fin au point d'éprouver les souffrances des fleurs. L'été était dans son plein, aucun vent, et le torrent lointain à la partie inférieure du val avait le luisant d'un vieux sabre : je sentais la vaste terre que j'avais sous*

les yeux comme une splendide terre des morts.

Par une sorte d'enchaînement d'images et de pas, il se trouve devant le cimetière. Il s'y promène un peu. Il heurte du pied une plaque de fer, portant un numéro :

> *Telle était la tombe à Sogno, d'une si grande humilité, et j'imaginai le registre, conservé à l'église, sur lequel en face des numéros étaient consignés les noms et les histoires. La plaque que j'avais heurtée, c'était le numéro 37 — le chiffre de l'homme, le chiffre de la femme. Et je me perdais en conjectures mais je « suivais » la tige qui de cette pauvre plaque rouillée devait descendre droit jusqu'au cœur de la dépouille, homme ou femme.*

Sorti du cimetière, il éprouve le parfum, la tendresse du vent et aussi « la couleur douceâtre » de son propre abandon :

> *Mais que parlais-je d'abandon ? — Oui, c'est bien à ce moment que se produisit l'éclatant phénomène, et plus tard seulement je devais me rendre compte que l'idée d'abandon et l'apparition s'étaient suivies immédiatement. Je vis d'abord l'ombrelle comme un globe changeant, un peu jaune et un peu rose. J'aperçus la tache sur le velours irisé, mélancolique, des prés. Tout de suite je tremblai des pieds à la tête. Après quelque temps d'hésitation la forme parut se dégager de la matière du paysage et l'habiter : une dame, vêtue de mousseline claire, tête nue, qui relevait sa traîne en marchant. De longs gants serraient la peau de ses bras. La robe était abondante*

comme un nuage. Les membres et la démarche me semblaient d'une beauté grecque. Sa poitrine se soulevait car elle montait la côte. Il y avait tant de parties mystérieuses en elle que je ne distinguai pas son visage ovale et tranquille.

Cependant l'extraordinaire est ce qui surmonte le visage : la chevelure — laquelle renvoie à Claire ou Lisbé, plus sûrement à Suzanne H. :

> *Elle avait une masse, un édifice de cheveux ; une chevelure, à la fois pleine comme un nid de serpents et mousseuse ou rayonnante comme du soleil ; dont la couleur était entre le violet, le blond et le rouge éteint, par reflets, et dans l'ensemble d'un ton indéfinissable et chaud de cendre. (...) La jeune femme marchait avec lenteur. Sans doute, en sa beauté de statue, n'était-elle qu'indifférence pour un regard étranger.*

Cette créature merveilleuse est la contessa Elena de Sannis. Léonide la salue, elle lui sourit. L'après-midi, de façon tout aussi fortuite, il la revoit. Hélène pose sa main sur sa poitrine et lui dit : « Voulez-vous être mon ami ? »

Désormais, ils se rencontrent chaque jour : d'abord sur les chemins de Sogno, puis à la Cas'alta l'une des demeures que les comtes de Sannis possèdent au-dessus du village. C'est dans le salon d'Hélène que Léonide contemple la chevelure :

> *La forme, la nuance des torsades négligeamment assemblées, entassées, tordues, tout ce que j'avais admiré et adoré jusqu'ici, ne venait que pour enrichir une autre chose, plus simple, et même ce ton violacé follement*

anormal n'était qu'un ingrédient. (...) La vraie vertu consistait dans la présence magique de la Chevelure, qui agissait comme un aimant *pour attirer vers des jouissances de l'âme, ou du corps, jamais soupçonnées, dont elle était le signe. — J'eus brusquement l'image d'une chose très rouge dans les cheveux.*

Un peu plus tard, Léonide pose un baiser dans les cheveux : « mort divine ».

Cependant il est question parfois du mari d'Hélène, le colonel de Sannis : homme sévère, irréprochable, homme-donjon (Léonide ne sait trop que penser de lui) ; aussi du neveu du colonel, Pauliet : à peine plus âgé que Léonide, être fin, insaisissable, *go-between,* que deux choses occupent ou détruisent : le plaisir et la maladie.

L'automne venu, sa mauvaise santé oblige Pauliet à quitter la Cas'alta pour le château de Ponte, qui est dans la vallée. Humbert de Sannis l'accompagne. Hélène les suit bientôt.

Voici Léonide et Hélène livrés à un colin-maillard amoureux : s'aimant sans se voir, redoublant leurs envois intimes et symboliques, sachant que le dernier acte est proche.

Pauliet meurt. Le comte de Sannis repart ; il va prendre un commandement. Hélène appelle Léonide à Ponte.

Ils font une première fois l'amour, mais mal : Léonide n'a pu maîtriser son désir ou son effroi. Une seconde fois — où elle se donne absolument :

> *Les inventions, les jeux parfois pervers étaient conduits par elle avec une vie admirable, vertigineusement tendue, vers le terme que ses grands yeux pleins de larmes ne cessaint pas de regarder. (...) Le premier je fus*

pris dans le plaisir, pareil à un typhon. Elle me suivit à l'instant même. C'était le Plaisir. C'était l'abîme — dont avait parlé Pauliet — avec un morceau d'intelligence conservé à part, je le pensais. (...) J'entendis Hélène crier, pousser un petit cri plaintif.

Ce cri annonce la mort d'Hélène — que Léonide ne peut empêcher. Pendant les heures qui suivent, c'est « le fracas silencieux de l'horreur ». A l'aube pourtant :

... se fit une révélation. (...) « Quand l'être le plus frappé ne peut plus faire un seul mouvement, il doit accepter ».

Résumant les *Années profondes*, je me suis attaché au mythe d'Hélène, au mythe de la Chevelure — c'est tout un. Mais j'ai négligé sans doute les personnages du comte de Sannis et de Pauliet qui, le livre fermé, et au-delà des apparences, au-delà de ce que rapporte Léonide, paraissent avoir déposé dans Hélène un principe de mort et un principe de plaisir — semblables et dissemblables à l'amour qui unit Léonide et Hélène. J'ai négligé aussi un rêve que fait Léonide : quand, assistant à un mariage, il découvre que l'épouse est la mal aimée, la *femme noire*, latente derrière Hélène — que cependant elle est pour lui un objet d'amour :

Je voyais *tout, son destin redoutable, son martyre. La superbe femme était sur la prairie, tenant ses amis à distance avec le bras levé. (...) Elle riait, elle faisait entendre un rire strident qui par les échos se répandait dans le cirque des montagnes, et la belle femme en éclatant de ce rire désespéré partait vers sa mort entre les vallons verts..*

Enfin, j'ai négligé ce que la relation de Léonide et d'Hélène découvre constamment. Je ne parle pas de leur âge — il a seize ans et demi, elle a quarante-trois ans — mais de l'ambiguïté de leurs jeux, des rapports que l'un et l'autre entretiennent avec le colonel de Sannis et Pauliet, de l'imagination « continuelle, chaude, acharnée » de Léonide — qu'obsèdent « les multiples images des formes, l'odeur bestiale de musc et d'humeurs secrètes, le jeu du regard qui dessine pour ainsi dire la toison d'ours et la chair emmêlées, avec les détails d'emplacement et d'aspect, et la *vie* que cela a ».

Ce dernier point va nous aider à comprendre *Les beaux Masques* et pourquoi le mythe d'Hélène peut être vu de près, obscurcissant le regard, mais aussi de loin, éveillant une ironie aiguë.

Les Beaux Masques assemblent, sans les brocher, cent vingt-cinq pages environ, dactylographiées ou manuscrites. L'ouvrage ne porte pas de date mais de toute évidence il a été *composé* après la mort d'E. V. — qu'il décrit. Cependant il est possible que quelques pages aient été écrites plus tôt : au cours des trois années qui ont suivi la rencontre sur le boulevard Raspail. L'ouvrage n'offre pas d'ordre visible ou certain, bien qu'il admette des regroupements et privilégie les notes qu'annonce le titre, peint en lettres capitales.

Sur la première page ces mots, écrits à la main : « Je ne pourrai jamais savoir qui j'ai aimé — ni dire ce mystère ». Sur la suivante, cette épigraphe prise aux *Caprices* de Goya : « Nadie se conoce » (Personne ne se connaît).

Jouve dit vouloir écrire « l'histoire véridique et simple à partir de la Rencontre jusqu'à la Mort ».

Ce qu'il importe de retenir avant tout ici c'est le

principe des *masques :* l'observation, à deux ou à trois niveaux, des deux amants : Hélène et Léonide.

Cependant l'auteur n'use jamais de ces noms : par une sorte de pudeur à l'égard de l'œuvre écrite, roman et poème, qui l'emporte désormais sur l'existence vécue, et plus encore par la considération d'un mythe qui accepte des modèles, mais les oublie, ou les change, ou les approfondit hors de toute mesure. Je dirai donc comme lui : madame E. V., monsieur Pierre.

Il y a dans E. V. « trois femmes différentes à transformation dans une seule femme », « trois épaisseurs à peu près constantes du même être féminin » : Emily, Zabie, Léa.

Jouve écrit à propos d'*Emily :*

> *Femme d'un général en province.*
> *44 ans.*
> *La charmante madame V...*
> *Encore jeune*
> *belle (jolie)*
> *inquiétante*
> *intrigante*
> *bien française.*
> *Visage rose ou noir. Œil splendide.*
> *Finesse niaise.*
> *Intellectualité zéro.*
> *Mœurs distinguées, manières, goût, art du XIXe siècle.*
> *Emily chic anglais.*
> *Emily bridge.*
> *Emily : collier, plusieurs bracelets massifs,* bagues, beaucoup d'argent et de pierres sur elle.
> *Emily : le parfum de la femme en noir.*

Zabie est le principal personnage inconscient d'Emily.

Voici quelques-unes des notes qui la décrivent :

Etre vampire *constant à lui-même.*

Forte couleur d'éros ; forte couleur de mort.

Hystérie.

Eros énorme.

Crudité, grossièreté.

Ruse.

Zabie habillée se manifeste par : dents, lèvres, yeux, jambes, reins (pas la poitrine).

Dents et idée du sperme chez Zabie.

Zabie mange : elle dévore.

Zabie rabat sa robe sur les genoux d'Emily.

Zabie se regarde dans la glace de son sac, elle se poudre.

Particulièrement horrible. Zabie regarde son âge.

Léa est l'autre personnage inconscient d'Emily, en relation constante avec Zabie : « il est l'incarnation machinée de la *Sœur* » :

« Je suis ta sœur et tu baises ta sœur ».

Léa plus noire que Zabie.

Plus momentanée que Zabie.

Moins obscène et pire.

Léa coupable.

Il y a dans M. Pierre « deux épaisseurs très variables, aux frontières indicibles » : M. Pierre et Saturno.

M. Pierre :

Artiste.

47 ans.

Marié avec vie régulière. Quelque gloire.

Spéculation et travail.
Sur-moi réussi ; ascèse.
Assez haute opinion de lui-même.
Saturno :
Démon absolu (artiste).
Lié à
anal sadique
complexe incestueux d'onanisme avec la sœur.
Voudrait polluer Emily et l'avilir.
Complètement pris par Zabie et surtout Léa.
Autre aspect de Saturno : la mort, la souffrance, la beauté, la chose élevée, le surnaturel.
Grande conscience de cette partie de Saturno.
Saturno sublimé est totalement ignoré *par Emily, par Zabie. On n'a jamais entendu parler de ça.*
Il est connu mais haï *par Léa.*

Il semble qu'on puisse faire les observations suivantes :

1. A partir de trois femmes, Pierre Jean Jouve a composé une femme, Hélène, qui n'est semblable à aucune, qui les agrandit toutes ou pour mieux dire les déborde constamment.

Nous avons peine à imaginer qu'Hélène est beaucoup plus vraie « que les pâles figures de femmes qui l'ont suscitée » *(En Miroir)*. Et pourtant il en est ainsi et tel est le génie de l'écrivain. Nous devons admettre que Jouve avait le mythe en lui et qu'il a « fait surgir Lisbé au moment où l'œuvre avait besoin d'elle ».

2. *Les Beaux Masques* peignent-ils la réalité ? Nous pouvons acquiescer, au moins pour partie, au por-

trait d'Emily et aux divisions — Zabie, Léa — que Jouve opère en elle. Mais nous pouvons croire aussi qu'il la met à distance et la juge avec une cruauté délibérée. Remarquons qu'il n'épargne pas M. Pierre, bien que, dans les profondeurs, Saturno se voie sublimé. Remarquons encore que si Emily est une femme très ordinaire, à laquelle Zabie donne couleur d'éros et de mort, Léa, *la femme noire,* est une création de Saturno : un morceau de sa propre culpabilité.

3. En dépit de ce qui éloigne Hélène de ses modèles, nous trouvons à chaque pas, dans *Les Beaux Masques,* ce que les critiques d'*Ulysse,* parcourant Dublin et *L'Odyssée,* appellent les pilots de l'œuvre, d'autre part les épiphanies. Vous les avez reconnus au passage. Je me bornerai à deux exemples.

L'un renvoie au provincialisme et aux penchants vulgaires d'Emily. Léonide, admis dans le boudoir d'Hélène de Sannis, observe qu'on y voit « des sièges féminins, poufs et bergères, du plus mauvais goût ».

L'autre exemple est une simple transposition. Dans *Les Beaux Masques* il est question du « petit soleil » que forme au bas d'une lettre une goutte de sperme. Dans les *Années profondes,* Léonide et Hélène échangent des pétales de rose séchée ou d'autres fleurs qu'ils ont appliquées sur le sexe.

On s'étonnera peut-être que *Les Beaux Masques* ne disent rien de la Chevelure, qui joue dans le roman un rôle si bouleversant. Mais outre que la Chevelure procède de Suzanne H. et non d'E. V., il faut comprendre que, dans son être vrai, elle enferme « la chose rouge » : le triangle que dessinent la faute, l'amour et la mort, dont les *Masques* parlent inlassablement.

J'observe qu'en dehors de la chevelure, de couleur blonde, qui se retrouve à des degrés divers dans *La Rencontre,* dans *Le Démon naïf,* dans les *Années pro-*

fondes (aussi dans *La Fiancée*, l'une des *Histoires sanglantes*), deux traits caractérisent les héroïnes de Jouve : les seins plutôt petits et les hanches larges. C'est l'image de la Lucrèce de Cranach.

Les vingt-sept poèmes dédiés à Hélène paraissent d'abord à tirage restreint aux Editions G.L.M., en mai 1936 ; l'année suivante, ils forment la première partie de *Matière céleste*. Ce n'est qu'à grand peine que j'en détache ici quelques fragments : je les choisis pour le rapport étroit qu'ils montrent avec ce que j'ai dit.

Inhumaine inimaginable en robe à traîne
Qu'elle était belle vêtue de rochers
Et costumée des fleurs de l'herbe ! Dans les grands soirs
Des maisons hautes blanches et nues, grillagées
Qu'elle était nue, et triste ! et quel amour aux mains
Et quelle force aux reins de sa splendeur rosée
Qu'elle avait pour aimer et pour vivre ; et quel sein
Pour nourrir ! et les douces pensées
De son ombre ! et comme elle sut bien mourir
Dans un baiser rempli de palmes et de vallées
(Pays d'Hélène)

Admirables les dépôts de Dieu dans les mémoires
Le céleste tombé dans les copulations
Les miroirs les baisers roux et les gloires.
(La Matière céleste est une)

Etrange ! ô je suis encore une vraie fois
Contre ton sein ton globe mystique au parfum

Plus suave que la rondeur du printemps
Et que la mort rosée chargée de veines,
Ton mamelon de femme des vallées
Mon Hélène ! et je vois gonfler dans tes cheveux
La rose magnétique et pourpre de ce monde
Dans la touffe effrayante et des tresses d'enfance
Le merveilleux sentier en gloire et en fumée
La fente de la vie la rose de la langue.

(Etrange ! ô je suis encore)

Tes seins étaient dressés aux places militaires
Il fallait les toucher pour vivre, leur venin
Se répandait sur le désert.
Deux biches allaitaient les serpents et les pierres.

(Juin ou Lisbé)

Je suis riche et nue. La beauté de chaleur
Infiniment blanche et rousse aux plis du corps
S'élargit harpe chanteuse mais je vieillis
Avec le soleil des montagnes de neige
Mon sauvage accent mort je le tiens dans mes tresses

Chevelure bondie des plages aux serpents
Et l'odeur de mes yeux du tunnel de mes sens
Se pose sur le tas de froment de mon ventre
Moisson insaisissable à cet époux qui entre.

(Thème d'Hélène)

Etions-nous du même sang quand je rencontrai ta blondeur
Avions-nous pleuré les mêmes larmes dans les cages ?

(Lisbé)

Que tu es belle maintenant que tu n'es plus
La poussière de la mort t'a déshabillée même de l'âme

.. ..

Il fait beau sur le plateau désastreux nu et retourné
Parce que tu es si morte
Répandant des soleils par les traces de tes yeux
Dans ta terrible Chevelure celle qui me faisait délirer.

(Hélène)

Dans *Kyrie*, qui paraît en 1938, plusieurs poèmes encore portent le nom d'Hélène ou d'E. V. : ils sont pour redire la mort ,la tombe :

Tes longues cuisses nues et tendues à cet âge
Te préparaient au plus profond plaisir
... plus belle qu'un cheval de mort
Tu mordais les draps purs et tu te réveillais
Quelques instants encore avant ta mort.

(Tes longues cuisses)

Jamais plus chaude l'anémone
Jamais plus sanglant le lichen
Jamais plus noire la pensée
Jamais plus nue la violette
Qui pousse à la fente de l'urne

.. ..

Jamais plus graves les pensées et grasses les tourterelles
Plus mystiques les pas sans traces
Autour de la tombe inspirée
Ni plus étrange la musique
Que tu fais dans la pierre E. V.

(E. V. dans le Tombeau)

Kyrie s'achève sur un adieu :

Adieu. Les troupes de cristal
La matière céleste
Se sont réunies en haut du dernier jour
Les innombrables ombres d'Hélène voyagent
Sur ce pays poussées par le souffle de Dieu
Tout est profond tout est sans faute et cristallin
Tout est vert bleu tout est joyeux et azurin.

(Adieu)

Mais, comme Jouve l'écrit dans *En Miroir,* le mythe ne voulut pas le quitter :

Il fut comme le recours à moi-même pour rouvrir toujours la source d'inspiration aux heures les plus sombres (...) Dans toutes les périodes de travail (...) il y a le passage de la Morte — la seule sous des vocables différents : tel celui d'Aurora, qui masque à la fois Lisbé et Hélène.

Lisbé, Hélène, Aurora, sont présentes dans *Hymne* (1947) et dans *Génie* (1948).

Elle vivait encor rigide jouissante
Hélant la mort sur le boulevard St-Germain

(Antérieur)

Pour Aurora, une noire ombre déjà traîne
A ses mains et les oiseaux frais vont au port

(Aurora)

...les drapeaux les canons et les anges
Ebranlaient son grand corps amaigri et qui fut
Docile et virginal mais les plus lourdes fanges
Son grand œil les voyait s'accumuler enfin

Sous les talons de ses hauts souliers et les
fautes
De son esprit et les tristesses de son ventre
Aurora des amours adultères et hautes.

(Aurora II)

...aux heures pures
Où chaude et sous la volupté d'un autre azur
Aurora dans ses cheveux d'or peignait sa mort.

(La beauté du haut espace)

Les longues citations, à partir de maint livre, un commentaire que j'ai voulu aussi proche que possible de son objet ont donné à voir, je l'espère, qu'Hélène est la figure centrale de l'œuvre de roman et de l'œuvre de poésie de Pierre Jean Jouve.

Plusieurs facteurs en ont décidé ainsi.

D'abord il s'est trouvé qu'à divers moments de la vie, une femme a surgi, dont l'aura, le souffle, le mouvement, dont l'avidité sexuelle ont ému Jouve : une femme presque maigre, aux seins légers, aux hanches abondantes, au casque d'or. Grâce à Blanche Reverchon, il a fixé cette image fantasmatique : où se lient les puissances contraires. E. V., abîme érotique, enceinte d'un enfant qui mourra en naissant, proche elle-même de la mort, reproduit cette image.

Puis, les opérations d'analyse dont Jouve a eu connaissance et la chaîne des rêves que *Vagadu* reflète en partie, ont poussé plus loin l'expérience commencée avec *Sueur de Sang*. Il a reconnu qu'il existe dans chaque être plusieurs niveaux de réalité. « La partie dominante d'un personnage, écrit-il, peut désormais n'être que le reflet du besoin d'un personnage voisin. Tout est véridique mais rien n'est solide. La sincérité se distingue difficilement de la machination. » Ces constatations, faites à propos de Catherine Crachat, en qui se réalisent, dans une tension perpétuelle, l' « affranchissement des fautes et des erreurs », le « lavage des expériences », enfin la « liberté », ces constatations mènent sans aucun doute à la théorie des masques. Si quelque chose, après *Hécate,* devait être continué, si Catherine devait rechercher l'explication de son « ténébreux pouvoir », recherche qui allait donner naissance à *Vagadu,* on peut supposer que *La Scène capitale* réclamerait à son tour une élucidation du pouvoir d'Hélène.

Le titre des *Beaux Masques* doit être retenu. J'y vois une remémoration du *Livre des Masques* de Rémy de Gourmont que Jouve a lu adolescent ; et l'écho ironique qui redouble ses démarches les plus graves. Le mot *beaux* signifie : couvercle sur l'innommable, éclat du péché.

Reste que le discord entre Hélène et les femmes qui l'ont formée est considérable. Hélène leur doit la Chevelure, l'écart des âges, la force amoureuse — peut-être un mal secret et la pesanteur du bourreau. En termes jouviens : l'Eros, la Mort, la Faute. Hélène comprend son ombre, la Sœur incestueuse : elle porte la mort et la vie. De là, dans les *Années profondes,* deux récits en abîme : le rêve que j'ai cité, et la vision d'une « famille trouble et sacrée » : paysans de Lenain qui jouent, à même la terre chaude, les rôles fabuleux de Loth et de ses Filles. (Cette famille appartient aux Sannis, seigneurs du lieu ; Hélène la protège.)

Cependant l'énigme d'Hélène, la résurrection par Hélène, la nouvelle naissance en Hélène, échappe aux modèles évoqués. Nous avons affaire à une allégorie : dont il existe c'est vrai des exemples dans bien des littératures, mais que Jouve formule dans un raccourci admirable — qui guide jusqu'au bout des vouloirs opposés : la « nostalgie d'une innocence » et la « poussée sensuelle » (2). Les *Années profondes, Matière céleste, Kyrie, Hymne, Génie* inventent Hélène et Aurora, lesquelles font reculer — mais non point disparaître — la triade Emily - Zabie - Léa des *Beaux Masques*. Aurora allie l'oubli avec la mémoire.

Jouve, qui rejette toute référence à *Faust*, n'exclut pas des images venues du monde grec ; mais il ne s'explique pas là-dessus. Pour moi, je ne puis me défendre du sentiment que l'*Hélène* d'Euripide a joué dans sa mémoire et dans son invention. On sait que la désastreuse expédition des Grecs en Sicile conduit Euripide à exalter la paix, à ménager Sparte, à réhabiliter Hélène que jusque-là, dans son œuvre, il a sans cesse insultée. On sait aussi qu'il prend souvent des libertés avec la légende et la littérature traditionnelles. Parmi les traits qui distinguent sa tragédie, il en est trois qui méritent d'être rappelés ici :

— Hélène naît des amours de Zeus (déguisé en cygne) et de Léa, c'est-à-dire d'un œuf.

— Hélène est victime des intrigues qui ont guidé le jugement de Pâris. Ce n'est pas elle, mais son image formée par Héra, qui vogue vers Troie, tandis qu'elle-même est transportée par Hermès sur les bords du Nil. Il y a donc deux Hélène : l'une, perfide, adultère, qui provoque le malheur des siens, la haine de deux peuples ; l'autre, pudique, fidèle, qui sera délivrée un jour par son époux Ménélas. Elles sont également belles. (Je n'ai point parlé de *La Victime*, qui est la première partie de *La Scène capitale*. L'héroïne de ce récit est suspendue entre la vie et la mort : son dédoublement est l'œuvre du démon.)

— Il est possible que l'Hélène d'Euripide doive ses souffrances à une faute qu'elle a commise. Henri Grégoire (3) croit qu'elle est coupable d'avoir célébré *chez elle* des mystères dont le lieu naturel est le temple. Ces mystères sont ceux de Déméter et de Dyonisos.

La Scène capitale est le dernier roman de Jouve. Peut-être, comme il l'écrit dans *En Miroir*, est-ce parce que « la culpabilité » a interdit toute nouvelle expression autre que poétique ; peut-être est-ce parce qu'il ne s'est plus trouvé de figure antithétique, telle Hélène, qui le divise à son tour. Or, il dit expressément : « Mon existence dépend d'un personnage double ». Jouve vise à la fois l'autre et lui-même ; la vie et le mythe.

Est-il beauté plus grande, ou plus sûre, que la beauté des masques ?

René MICHA.

NOTES

(1) Cette phrase de Héraclite : « Il est dur de combattre avec son cœur » est placée en épigraphe à *La Rencontre dans le carrefour.*

(2) Jouve définit de la sorte *Le Paradis perdu* et la *Symphonie à Dieu.*

(3) Qui a traduit et introduit le texte aux éditions des Belles Lettres (Association Guillaume Budé).

DANIEL LEUWERS

PIERRE JEAN JOUVE
ET
ROMAIN ROLLAND

Pierre Jean Jouve présente, dans l'histoire des lettres, un cas exceptionnel et quasi unique de reniement littéraire. En février 1928, à l'âge de quarante et un ans, Jouve a en effet décidé de rejeter officiellement toute son œuvre antérieure à 1925, soit près de vingt années de production littéraire. Des raisons esthétiques sont certes à l'origine de ce que le poète appellera une « Vita nuova » ou une « seconde naissance », mais tout un contexte humain et sentimental peut expliquer la décision radicale de Jouve, sur laquelle il ne reviendra jamais. Les fluctuations de l'amitié exceptionnelle que Pierre Jean Jouve a connue avec Romain Rolland ne sont pas, comme nous l'allons voir, étrangères à la décision de l'auteur des *Noces* et de *Paulina 1880*.

Les relations entre Jouve et Romain Rolland commencent avec la Première Guerre mondiale. Pour les retracer, nous nous appuierons sur trois documents essentiels :

— Le *Journal des années de guerre* de Romain Rolland (Paris, Albin Michel, 1952).

— Les quelque trois cents lettres adressées par Jouve à Romain Rolland, entre 1914 et 1927, et soigneusement conservées au Fonds Romain Rolland.

— Enfin, l'ouvrage intitulé *Romain Rolland vivant,* écrit par Jouve après la Première Guerre mondiale — avec l'aval de Romain Rolland — et publié chez Ollendorff, à Paris, en 1920. Ce livre marque d'ailleurs un moment-charnière dans la relation entre les deux écrivains : il couronne une longue amitié en même temps qu'il annonce sa rupture toute proche.

Nous évoquerons d'abord la ferveur de l'amitié naissante entre les deux écrivains (1914-1919), avant de nous attarder sur la conception et l'écriture du *Romain Rolland vivant* (1919-1920) et d'examiner le lent processus de la rupture (1921-1927).

I. — *La ferveur d'une amitié naissante (1914-1919).*

Il n'est peut-être pas inutile de rappeler que Jouve est né à Arras en 1887 ; il a donc 21 ans de moins que Romain Rolland, qui est né, pour sa part, en 1866. Une certaine relation de type filial tendra donc à s'imposer entre les deux hommes.

Les premiers vers de Jouve sont symbolistes, puis, en 1911, le poète se tourne vers l'unanimisme de Jules Romains. L'approche de la guerre l'incite à s'intéresser aux questions sociales et à suivre la ligne politique socialisante de Jean-Richard Bloch. La première femme de Jouve, Andrée, professeur d'histoire à Poitiers, pousse d'ailleurs le poète vers les idées progressistes. C'est à la Mérigote, maison que Jean-Richard Bloch possède précisément à Poitiers, que Jouve entend abondamment parler de Romain Rolland et que l'homme et ses idées lui deviennent familières.

Lorsque, au mois d'août 1914, la guerre éclate, Jouve (qui est réformé pour raisons de santé) est fort déçu de voir Jean-Richard Bloch partir au combat dans l'enthousiasme. Cette attitude, qui trahit certains idéaux socialistes, conduit le poète, qui s'est engagé comme infirmier volontaire à l'Hôtel-Dieu de Poitiers, à s'interroger sur le bien-fondé de la guerre. Jouve cherche alors un guide ; ce sera Romain Rolland. En effet, la découverte fortuite de l'article *Au-dessus de la mêlée,* paru dans le *Journal de Genève,* est pour Jouve une illumination. Il est heureux d'y voir si fortement exprimée l'iniquité de la guerre. Jouve décide donc d'écrire sa première lettre à Romain Rolland.

Cette première lettre date du 24 novembre 1914. Jouve écrit notamment :

> « *Il y a longtemps que j'ai le désir de vous connaître, depuis que j'ai pu recevoir et suivre autour de moi le rayonnement moral de votre œuvre, depuis que mon ami Bloch m'entretient de vous avec une chaude amitié.* »

Le 19 avril 1915, Jouve envoie à Romain Rolland un long poème intitulé *Europe,* qui se veut le pendant poétique de ce que fut, sur le plan de la pensée, *Au-dessus de la mêlée.* Jouve entend ainsi s'affirmer en tant que créateur et que poète aux yeux de son aîné.

Le 6 juin 1915, beaucoup plus sûr de lui et déjà plus familier, Jouve confie à Romain Rolland son vif désir de le rencontrer. Et il lui parle beaucoup de Tolstoï qu'il est en train de lire avec ferveur et dont il aura toujours par trop tendance à confondre la pensée pacifiste avec celle de Romain Rolland. En août, le poète commence à demander à l'auteur de *Jean-Christophe* de le protéger contre ses propres angoisses, de le rassurer. Romain Rolland consent à lui apporter ce réconfort, mais non sans réticences. Au mois de septembre, Jouve qui a contracté des maladies infectieuses à l'Hôtel-Dieu de Poitiers, se fait fort pressant. Il veut venir se soigner en Suisse, mais il manque d'argent. Romain Rolland va alors s'arranger pour organiser la venue du jeune poète qui lui dit sa joie :

«J 'ai souvent pensé que vous voir et vous parler serait sans doute pour moi, en ce moment, une lumière qui éclairerait beaucoup de ma vie à venir — et même cette vie toute entière».

Jouve arrive en Suisse à la fin du mois d'octobre 1915.

Il s'installe dans un chalet de Vevey, et son premier désir est de rendre visite à Romain Rolland. Mais — ô surprise ! — c'est Romain Rolland lui-même qui se rend à Vevey auprès de Jouve.

Romain Rolland, in *Journal* : « Jouve, que je ne connaissais pas encore, est d'aspect maladif, maigre, déplumé ; mais il est jeune et vif de façons. Il m'est sympathique. J'aime son naturel, l'élan de ses sentiments et son humanité ».

Pierre Jean Jouve écrit, pour sa part dans ses lettres :

« Je ne crois pas que, de ma vie, j'oublie cet après-midi de Vevey. Comment m'exprimer ? Je sens que j'approche pour la première fois un homme de génie » (4 novembre).

« Quelle joie de vous avoir rencontré ! Il me semble que ma jeunesse devait aboutir à cette heure libre de Vevey » (6 novembre).

« Vous m'êtes apparu le seul homme demeuré grand ; et, pour moi, le sauveur » (8 novembre).

Les lettres de Jouve se font nombreuses, pressantes.

Le 12 novembre : « Je voudrais vous connaître avec toutes les délicatesses de l'amitié ».

Le 10 décembre : « Je voudrais vous voir, être seul avec vous quelques journées ».

Des visites réciproques ont lieu en 1916.

Fin mars, Jouve va à Genève (Romain Rolland, in

Journal, note : « Très nerveux, hypersensible, affectueux, débordant »).

En juin, c'est Romain Rolland qui passe plusieurs jours à Montana où Jouve s'est installé (Romain Rolland, in *Journal :* « Un jeune frère de même race, qui vous comprend à demi-mot »).

En présence de Romain Rolland, le poète s'interroge beaucoup sur le pacifisme et reprend à son compte la doctrine tolstoïenne de la « non-résistance ». Romain Rolland ne cesse alors de tempérer le radicalisme de Jouve et de lui montrer que cette « non-résistance » peut avoir parfois des conséquences fâcheuses.

En août 1916, Jouve va voir Romain Rolland à Thun. Il en revient illuminé :

« J'ai connu hier auprès de vous une illumination de l'esprit. Peut-être me souviendrai-je de ces heures toute ma vie » (9 août).

Jouve voudrait écrire une étude sur Romain Rolland, mais celui-ci se méfie de l'ardeur de son disciple. Il remarque dans son *Journal :* « Jouve veut noter ma pensée. Mais il a une tendance à la tirer à soi, à la tolstoïser, à la fanatiser ».

Le rêve de Jouve est alors de passer plusieurs mois auprès de Romain Rolland. Ce rêve va se réaliser au cours de l'hiver 1916-1917, à Sierre ; Jouve habite un chalet proche de l'hôtel où Romain Rolland s'est installé.

Dans *Romain Rolland vivant,* Jouve se souvient : « Nous passâmes l'hiver ensemble, lui à l'hôtel du pays, et moi dans une petite maison de vigneron. Je ne saurais oublier de ma vie cette période privilégiée, si heureuse pour l'amitié et la pensée ».

S'ouvre alors, pendant six mois, une période enthousiaste de promenades communes et de discussions que Jouve retranscrit scrupuleusement sur des fiches qui serviront à l'écriture du *Romain Rolland vivant*. D'autre part, le poète ressent une grande fierté d'être auprès de l'homme sur qui les yeux de l'Europe sont braqués, lorsque Romain Rolland reçoit le Prix Nobel. Pourtant le miracle a une fin, et, en mars 1917, Romain Rolland quitte Sierre pour Villeneuve. Jouve est soudain désemparé, triste. Il s'installe à Genève et se jette à corps perdu dans le journalisme engagé. Il défend l'idéal tolstoïcien et pacifiste dans *Les Tablettes, La Feuille, etc.*

Romain Rolland suit ses activités avec sympathie et admire ses poèmes (*Danse des morts, Poème contre le grand crime*).

Les événements de Russie passionnent la colonie pacifiste qui publie un recueil collectif, *Salut à la Révolution russe*.

On voit alors Romain Rolland tempérer souvent la fougue révolutionnaire de Jouve.

En 1918, Jouve se lasse du journalisme et aspire à la solitude. Sa fougue révolutionnaire s'est émoussée, et il ne voit dans l'armistice qu'une paix illusoire. Il veut du moins témoigner de son compagnonnage de quatre années auprès de Romain Rolland. Ce dernier donne son accord, et l'éditeur Ollendorff prend commande de l'ouvrage.

II. — *Romain Rolland vivant* (1919-1920).

Jouve abandonne tous ses travaux personnels en février 1919. Il veut faire vite et devancer la traduction française d'un livre de Zweig sur Romain Rolland.

Le 8 février 1919, il écrit à Romain Rolland : « Ce sera un livre pieux ; une sorte de grand poème de vérité, si je suis assez fort pour le mener à bien ».

A la fin du mois de février, deux chapitres sont rédigés. Fin avril, Jouve a atteint neuf chapitres. En juin, la première partie (soit 14 chapitres) est achevée. Jouve a évoqué l'attitude de Romain Rolland pendant la guerre. Il ne lui reste plus qu'à parler de la pensée et de l'art de son ami. Or, en juin 1919, Jouve vient de faire paraître un recueil poétique, *Heures, livre de la nuit,* où il parle de son enfance et entend exorciser ses souvenirs de la guerre. Romain Rolland avoue alors ne point aimer ce recueil, ce qui va profondément blesser et vexer le poète qui délaisse soudain le *Romain Rolland vivant* pour se consacrer exclusivement à la poésie, et notamment à l'écriture du recueil *Heures, livre de la grâce.* Le poète revendique soudain ses droits en face du penseur, avant de se dresser bientôt contre le penseur...

Le manuscrit d'*Heures, livre de la grâce* va fort heureusement avoir l'assentiment de Romain Rolland. Ce regain de confiance sera propice à l'achèvement du *Romain Rolland vivant,* entre les mois de décembre 1919 et de février 1920. Ce travail intensif n'ira pas sans de multiples retouches et reprises, et, le 20 février 1920, Jouve pourra écrire à Romain Rolland :

« J'ai remanié le manuscrit de fond en comble. J'ai simplifié, clarifié, rassemblé les développements et fait tomber les répétitions ».

Romain Rolland lit ce manuscrit et, en mars 1920, le juge « bon ».

Le texte est donc envoyé à l'éditeur Ollendorff, tandis que Jouve quitte la Suisse pour l'Italie où il va vivre pendant plus d'un an. C'est à Florence qu'il corrige les épreuves de l'ouvrage. A Romain Rolland qui lui demande une certaine réserve, Jouve répond le 1er juin 1920 :

« J'ai encore adouci des expressions laudatives. J'ai concentré ».

A l'invitation de Romain Rolland, Jouve corrige certains développements sur la pensée de l'auteur de

Jean-Christophe, mais il refuse de modifier son chapitre sur l'art.

En octobre, le tirage est achevé, et Jouve écrit avec fierté à Romain Rolland :

« Voici donc le livre qui m'unit publiquement à vous, mon Ami, au terme de ces temps difficiles ».

Quel est le contenu de ce livre ?

Il se compose d'une :

— préface
— introduction *(Romain Rolland vivant)*
— 1°) *La pensée contre la guerre*
— 2°) *L'art et la philosophie*
— bibliographie

— Dans la préface, Jouve se pose en poète, d'emblée : « Ce livre sera poème et acte de foi. Une grande figure d'homme est un merveilleux poème — le poème des poèmes ». Son livre se veut donc intuitif et empreint d'amour. Jouve s'y compare à Eckermann devant Gœthe.

— *Romain Rolland vivant* était au départ la partie la plus longue. Jouve la réduit finalement à un portrait de Romain Rolland. Jouve y parle aussi de l'hiver 1916 passé en commun à Sierre.

— *La pensée contre la guerre* est la partie la plus développée ; elle est basée sur maintes citations extraites des entretiens de Jouve avec Romain Rolland.

Jouve parle de l'influence de *Au-dessus de la mêlée* et il montre l'évolution de la pensée de Romain Rolland pendant la guerre.

— L'Art et la Philosophie.

Jouve présente surtout les dernières œuvres de Romain Rolland, *Colas Breugnon et Liluli,* mais il ne cesse d'user de formules restrictives telles que : « Peut-être l'intérêt de sa pensée dépasse-t-il la grandeur de son art » ou « La véritable grandeur de Romain Rolland ne semblera plus tant dans son esprit qu'en lui-même tout entier ». Jouve entame une comparaison entre Romain Rolland et Tolstoï pour conclure : « Tolstoï artiste demeure plus complet ». Jouve prend enfin appui sur une formule que, dans *La nouvelle journée*, Jean-Christophe applique à son œuvre musicale (« L'œuvre n'est pas bonne encore ») pour l'appliquer à l'œuvre même de Romain Rolland. Bref, tout le propos de Jouve, au terme de ce livre d'apparent hommage, est de dénigrer l'écrivain Romain Rolland pour ne conserver de lui que l'image d'un penseur courageux. Aux yeux du poète Jouve, Romain Rolland est intéressant pour le fond de son œuvre, jamais pour la forme.

Cette attaque critique n'est pas très explicite certes, mais elle ne va pas tarder à se développer, pour finir par ternir les rapports entre les deux écrivains. Jouve se placera sur le piédestal de l'artiste pour mieux dénigrer l'humanisme de son aîné.

III. — *La rupture (1921-1927).*

La rupture qui va survenir entre les deux écrivains s'explique essentiellement par la volonté de Jouve d'inaugurer une œuvre totalement nouvelle. Jouve est d'abord fortement déçu du peu de succès que rencontre le *Romain Rolland vivant*.

Il renonce à l'idée d'écrire un autre livre consacré aux pacifistes français pendant la guerre et se réfugie dans une poésie très intériorisée et subjective (retour aux souvenirs de son enfance). Au printemps 1921, Jouve a loué, sur les collines de Florence, la villa où est mort le savant Galilée. Sa correspondance avec Romain Rolland, jusque-là très régulière, commence à s'espacer, et Jouve en donne la raison dans une lettre qu'il adresse à Romain Rolland le 28 mars 1921 :

« Pardonnez-moi de ne pas vous écrire plus. Nous avons Mlle Reverchon, et nous causons beaucoup ».

Cette Mlle Reverchon est une psychanalyste que la femme de Jouve a fréquentée dans les cercles féminists de Genève pendant la guerre. Le séjour de Blanche Reverchon à Florence, auprès des Jouve, va être le point de départ d'une grave « crise intime » qui conduira le poète au divorce. La crise éclate véritablement à Salzbourg où Jouve et Blanche Reverchon participent, en août 1921, à une rencontre internationale organisée par Stefan Zweig. A peine arrivé à Salzbourg, Jouve avoue, le 2 août 1921, à Romain Rolland qu'il est la proie d' « une brusque petite aventure sentimentale ». Le 5 août, il lui confie qu'il traverse « une tragédie intime, admirable et terrible ». Blanche Reverchon s'associe bientôt à Jouve pour demander à Romain Rolland de les recevoir et de cautionner leur union. Mais Romain Rolland refuse d'entrer dans ce jeu et ne veut pas prendre parti dans ce dilemme sentimental. Désormais les lettres de Jouve deviennent froides et de plus en plus espacées.

En 1923, alors que Jouve vient de quitter sa première femme et d'obtenir le divorce, on assiste à une reprise des échanges épistolaires entre les deux écrivains, mais Jouve ne peut s'empêcher d'en vouloir à Romain Rolland de ne l'avoir point reçu en 1921 avec Blanche Reverchon. D'autre part, l'influence de celle-ci se fait de plus en plus forte sur le poète qui a le sentiment de trouver dans les découvertes freudiennes le fondement de l'œuvre nouvelle à laquelle il aspire depuis des années. Aussi, lorsque Jouve épouse Blanche Reverchon à la fin de l'année 1926, il ne le fait savoir à Romain Rolland que de la façon la plus sèche. Désormais sous la protection de celle qui lui apporte les secrets de la psychanalyse, Jouve peut se débarrasser de celui qui fut pendant des années son guide spirituel et intellectuel.

Mais Jouve va tenir à donner à sa rupture avec Romain Rolland un aspect dramatique et spectaculaire.

En décembre 1926, Jouve envoie à Romain Rolland son dernier recueil, *Nouvelles Noces*. Quelques jours plus tard, il s'offusque que Romain Rolland ne lui ait pas aussitôt répondu et il lui annonce que, comme vengeance, il brûlera toutes les lettres que Romain Rolland lui a adressées depuis 1914. Une réponse rapide et paternelle de Romain Rolland permet heureusement d'éviter le pire. Mais ce n'est que partie remise. Jouve envoie en effet en février 1927 son dernier roman *Le Monde désert* à Romain Rolland et se livre à la même mise en scène. N'ayant pas de réponse immédiate de Romain Rolland, il brûle alors toutes ses lettres et, dans un geste de vengeance sacrificielle, lui écrit :

« Je viens de brûler toutes les lettres que vous m'aviez écrites. Cette fois-ci, adieu. La mort même ne nous fera pas nous retrouver ».

Il faudra attendre 1939 et 1940 pour que Jouve renoue, par deux lettres, avec Romain Rolland. Ces lettres, écrites au début de la seconde guerre mondiale, semblent témoigner d'un certain remords de Jouve et d'une admiration rétrospective. Dans sa lettre du 17 juin 1940, Jouve écrit :

« Je ne pense jamais à votre action de jadis, à votre pensée, aux nobles drames de la Révolution, sans un infini respect et une grande affection. Et disons ensemble aujourd'hui, après de si grands abîmes : que la conscience armée ait raison de l'inconscience naturelle et terrible ! »

Dans *En Miroir,* livre de confessions paru en 1954, Pierre Jean Jouve consacre un chapitre à ce qu'il appelle son sentiment d'exil intérieur ; il discerne en lui une tendance quasi héréditaire à la rupture. A propos de sa rupture avec Romain Rolland, il écrit notamment :

« Lorsque je fus amené en 1925 à rompre avec une amitié que quelques épreuves en commun avaient sacrée, je le fis avec une peine énorme, mais je le fis — ayant raison de le faire car il s'agissait finalement de mon propre développement et de ma liberté ».

Jouve croit en fait à la force régénératrice du sacrifice. Une phrase de son roman *Le Monde désert* est fort révélatrice à cet égard :

« Pas de grande vie sans mutilation » (1).

Jouve obéit à une forme de masochisme nourricier.

Il est en tout cas certain qu'après avoir adoré en Romain Rolland une figure paternelle, Jouve accomplit, en 1927, un véritable « meurtre du père » — façon pour lui de s'affirmer sur le terrain esthétique dont il exclut délibérément l'auteur de *Jean-Christophe.*

Il n'est guère surprenant que dans les lettres qu'il adresse à Romain Rolland peu de temps avant la rupture, Jouve revendique l'exemple d'Arthur Rimbaud. D'autre part, les poèmes de *Noces* qui escortent le mouvement sacrificiel de Jouve sont fortement imprégnés du message spirituel de mystiques comme Ruysbroeck l'Admirable et sainte Thérèse d'Avila qui n'hésitent pas à faire de l'arrachement une vertu positive. Enfin la psychanalyse freudienne n'est pas en reste, qui insiste sur l'aspect bénéfique de certaines ruptures.

Tout un environnement idéologique se rend donc complice de la décision du poète et de son accession à cette écriture secrètement éclatée que nous lui connaissons dans son œuvre « officielle » (celle d'après 1925).

En donnant au reniement de son œuvre première une allure dramatique et spectaculaire, Pierre Jean Jouve n'a, en réalité, fait que pousser à son paroxysme un des aiguillons majeurs de la quête poétique moderne qui veut, depuis Rimbaud, que le pas gagné s'accompagne toujours du congé donné. Aiguillon que René Char circonscrit admirablement lorsqu'il constate qu' « en poésie, on n'habite que le lieu que l'on quitte, on ne crée que l'œuvre dont on se détache » (2).

Daniel LEUWERS.

NOTES

(1) Il est curieux et troublant que dans ce roman où Jouve brosse, à travers Luc Pascal, le portrait d'un écrivain que les ruptures dynamisent (son propre portrait, assurément), l'avant-dernier chapitre nous montre le héros en train de brûler toutes les lettres qu'il a reçues.

(2) *Sur la poésie*, Paris, G.L.M., 1974, p. 28.

SALAH STETIE

De « Sueur de sang » à « Matière céleste »
UNE DIALECTIQUE DE LA SUBSTANCE

Pierre Jean Jouve est un poète dialecticien. Il en est d'autres, parmi les plus grands, dont l'ancêtre immédiat de Jouve : Baudelaire. Aussi bien l'œuvre de Jouve, en sa totalité reconnue, s'inscrit-elle dans une époque dialecticienne et qui aura fait de la dialectique, à tous les niveaux et selon tous les axes de sa recherche, son cheval de bataille et sa clé. Le surréalisme, contemporain de l'œuvre de Jouve, peut être, lui aussi, considéré dans cette perspective — du moins le surréalisme très intellectuel d'André Breton lequel croit pouvoir déclarer : « La beauté sera convulsive ou ne sera pas », affirmant par là une torsion de forces complémentaires et contrastantes dont la synthèse vivante et dramatique est l'un des ultimes avatars du baroque. Seulement le surréalisme périra, poétiquement parlant, de n'avoir pas su toujours maintenir à son plus haut point de tension, et sans verser dans le déséquilibre, les éléments constitutifs de son vertige, un peu trop vite tenté par les facilités de l'explosion. Explosif ici, ailleurs atténué contre la nature même de la force qui le porte, le surréalisme ira, selon l'un ou l'autre de ceux qui le fondèrent et le pratiquèrent, vers ds égarements diversifiés mais, tout compte fait, semblables. Le baroque, l'inspiration baroque est liée à des instants de l'œuvre qu'il faut, sans cesse remise en question, réussir à perpétuellement sauver. Toute suspension du va-et-vient dialectique, toute victoire trop aisément visible du vide sur le plein ou du plein sur le vide, toute pétrification de cette respiration vivante, toute cristallisation trop rapide au bénéfice des images, ou toute dissolution de l'invention créatrice dans les relâchements du vécu et de l'aussitôt formulé, tout cela est l'ennemi du lyrisme baroque, un des plus grands qui soient — quand il est. Jouve partagera avec le surréalisme certaines inquiétudes, certaines intuitions, la lecture de Freud, une nouvelle liberté conquise pour étendre le domaine de la parole et agrandir, vers les limites illimitées de l'obscur, la conscience de ce qu'elle porte jusqu'à nous. Cela dit, sa quête sera dès le début autrement orientée et tout autrement écrite. Eux, les surréalistes, feront, dans la confusion, un travail le plus souvent peu élaboré de détection, de mise au jour et de thésaurisation brute ; Jouve, lui, œuvrera pour une élucidation. Eux sont des accumulateurs, au sens quasiment électrique du terme ; il est, lui, le formulateur d'une lumière. Il est un créateur — complexe, et compliqué, et lucide. Sur l'ensemble de ces approches et de ces approximations, il faudra bien évidemment longuement revenir si l'on veut, surtout, que soit dégagée la figure du poète à travers l'étonnant théâtre d'une œuvre dont c'est précisément la force d'être à la fois traversée de champs contraires et, ainsi traversée, de tirer d'une dualité périlleuse l'inquiète simplicité de son chant. Non pas simple, ce chant : à tout moment, je le vois menacé, dans ses intensités successives ou parallèles, par sa chute en lui-même et sa résorption en ses propres doutes internes. Simple, cependant, à cette ligne de crête où il parvient à se hausser vertigineusement et, entre des à-pics, à mystérieusement se préserver. Cela, cette double postulation — qui fut une fois définie par

Baudelaire — fait le poème tourner chaque fois sur lui-même en un extraordinaire état d'invention à la manière, pourrait-on dire, d'une colonne torsadée du Bernin ou d'une architecture obsédée de Gaudi. Mais ces références à l'art, à l'art des autres, je les pressens superflues. Jouve, le poème de Jouve, est en prise directe sur la nature, une nature en tous ses éléments choisie selon l'imagination la plus personnelle du poète dont il semblerait qu'elle soit fille de son expérience accumulée — entre expérience et nature : imagination médiatrice. Cette formule — chimique, alchimique — infiniment tendue et toutefois jamais brisée ni jamais ne se brisant, explosive et jamais explosée, sera celle de Jouve dans sa production la plus haute : la plus inspirée, la plus élaborée. Œuvre baroque, si donc l'on veut, et le sommet baroque de l'œuvre se situant, selon nous, entre 1933 et 1937, quatre années déterminantes qui verront coup sur coup la publication en 1935 de « Sueur de sang », en 1937 de « Matière céleste ». Dialectique, ai-je dit : voilà deux titres (« Il faut réfléchir aux titres », me disait Jouve) dont la nature dialecticienne est évidente.

Deux œuvres, oui, capitales. Deux recueils qui pourraient n'en faire qu'un dans la complexité de leurs thèmes, leurs entrelacs et leur étagement, leur similitude existentielle et leur entrecroisement symphonique. Et pourtant ces deux recueils décrivent tous deux l'arc bref d'une conversion, avec des points d'ancrage dans le réel, et un cheminement. A ce moment doublement crucial de la vie et de l'œuvre de Pierre Jean Jouve, peut-être sommes-nous en quelque point aigu, suraigu, de cette vie et de cette œuvre où il pourrait sembler difficile, sinon même hasardeux, d'imaginer voir bouger, évoluer tant soit peu, les figures et les lieux de la parole. A se vouloir autre, à se vouloir si peu que ce soit à côté d'elle-même et ailleurs, elle décroîtrait. Et pourtant, dans cet air raréfié, en cette « mousse de rayons » et cet « ozone majeur » où se fixe et s'implante enfin une inspiration qui s'est, comme toute autre, longtemps cherchée, en ce lieu, dis-je, de puissante imagination de montagne où se déploie la mythologie jouvienne, on verra défiler dans leur ambivalence les figures d'une création poétique tout à la fois fortement unifiée, et libre, forte de cette force, de déployer la multiplicité de ses obsédants fantômes. Je m'appesantirai tantôt sur quelques-unes de ces ombres et sur leur coefficient d'ambivalence. Je dis ambivalence où le mot ambiguïté formulerait mieux — parce que moins lié au concept — la profondeur, l'épaisseur, le déchirement existentiels. Oui, avec « Sueur de sang », avec « Matière céleste », Jouve quitte enfin les tentations et les gammes, les séductions des théories reçues et les facilités des croyances consenties — en quoi toujours cet être infiniment sensible et singulier fut peu à l'aise — pour rejoindre à sa façon et selon sa voie propre un langage enfin cristallin et pur, enfin dur, auquel il n'aura plus de cesse que de se référer, celui de Mozart, dont il nous aura réappri la plus vraie signification et le plus véridique usage. Mozart est, au regard de Jouve, l'accomplissement avant la lettre de cette conversion des douloureux et dangereux abîmes freudiens en quelque altitude limpide et mystérieuse — « maîtresse transparente des hauteurs », comme il est dit en conclusion de « Sueur de sang », dont la célèbre préface — aujourd'hui rendue sans doute un peu banale par une citation excessive — annonçait, dans une perspective de sublimation, ce qui suit : « Nous devons donc, poètes, produire cette « sueur de sang » qu'est l'élévation à des substances si profondes, ou si élevées, qui dérivent de la pauvre, de la belle puissance érotique humaine ». Ce mot de « substance », je voudrais maintenant m'y arrêter, car il me paraît le plus digne de contenir l'objet de la quête jouvienne.

« La « substance » est un concept philosophique. Mais, concept, il est ambigu et trouble. Car enfin, par définition, est substance ce dont le concept ne peut rendre compte. Est substance ce qui n'est pas définition, ce dont une définition n'est pas capable. On dit qu'il y a une substance de vivre et, aussi, que de vie l'on fait substance. Y a-t-il une substance des idées, des systèmes ? Elle serait, si elle est, contenu, et la vie est contenant — contenant l'expérience. Contenant la douleur, la joie, l'amour — dont nous sommes, si nous nous observons à la lumière du concept, les contenus. Tout cela qui nous envahit, nous occupe, et nous délaisse, et nous forme, et nous déforme, rêveries, sentiments, sensations, passions et toutes aimantations incompréhensibles et tous irradiants désirs, tout cela, nous nous en savons le jouet. Tout cela, qui est substance autrement dit, et objet de notre médiation d'homme, tout cela qui fait de nous des contenants/contenus, Freud et la psychanalyse vont nous en fournir les angoissantes explications que l'on sait, par quoi il apparaît très vite que la vie n'est, comme l'énoncera Jouve, « que trou et blessure ». Mais ce trou et cette blessure, ces négativités nous sont substance alors qu'une idée, qu'un concept ne sauraient, eux, s'établir comme trous. Privilège de l'existence et d'elle seule que cette possibilité qui lui est offerte de s'exprimer — et de s'exprimer fortement — comme manque. L'homme est producteur de substances négatives, et qu'il sait telles : l'excrément, la sueur, toutes pénibles matière et matières, dont il partage honteusement le destin. Honteusement, mais point désespérément, puisqu'il y a au bout de tout cela Mozart — et quelques autres. La mauvaise substance inexplicable, notre déchet, est aussi, énigmatiquement, par une opération que Freud élucide un peu, la substance que nous devenons et qui nous devient — au-delà « d'une argile noire et d'un placenta sanglant » — quand la sueur, par l'amour, devient ce sang autre et que la matière se fait céleste. Ainsi vue, la dialectique jouvienne par quoi s'opère, combien dramatiquement, la métamorphose de l'inférieur en du superbe et de ce qui vint à manquer en ce qui soudain comble, cette métamorphose, cette conversion du signe à travers l'atroce épaisseur du vécu, qui fait Jouve se retrouver à certains moments de son inspiration dans la proximité christique — christique plutôt que chrétienne —, cette opération de métamorphose, de conversion et d'*élévation,* comme dit Jouve, ou de *sublimation,* comme dit le freudisme, je la baptiserai une *dialectique de la substance,* espérant par là préserver, au-delà du mécanisme supposé, ce double et même mystère du biologique et du spirituel qui nous fonde et qui fonde une telle poésie. « Le merveilleux contre le mystère », affirmait André Breton. « Le mystère contre le merveilleux », semble déclarer Jouve, dont ce pourrait être là, à mon sens, la loi non écrite d'orientation.

Toutefois, ce mystère, Jouve n'ira pas le chercher dans les Mystères. Il le voit à l'œuvre, tout le temps, en lui et autour de lui. Ce mystère à fleur de monde en quelque sorte est celui qu'il reconnaît dans la peinture d'un autre déceleur, d'un autre réceleur de mystère, Balthus. Ce mystère est celui de la vie, est celui de la mort — et de leurs harmoniques obligées. La clé de voûte — voûte dialectique — de l'œuvre jouvienne est simple, admirablement. Elle est clé dans ces hautes églises baroques que sont « Sueur de sang » et « Matière céleste », où chante en accompagnement de ténébreuse et tendre résonance la mozartienne musique, plusieurs fois citée et nommément chérie, comme elle le sera toujours par le poète, futur exégète du terrible et magnifique « Don Juan ». Les mots de Jouve dans la poésie seront simples, eux aussi, et terriblement impurs, je veux dire terriblement crus, pour être, s'il leur est donné de le devenir, irrémédiablement purs : incorruptibles. Il y faudra même, et afin que l' « épreuve » (au sens alchimique du terme) aboutisse, ce que les gens d'un certain goût appellent le *mauvais goût ;* et il y a, dans ces deux beaux durs poèmes, bien du « mauvais goût » — des rapprochements déconcertants, des images extraordinairement précieuses, des formules alambiquées. Il y a cela et il y a sur tout cela le souffle immense d'une inspiration, un vent radieux et puissant qui balaie cette épaisseur, et la fait tournoyer, et la soulève, allégée. Poèmes parmi les plus grands de la langue et parmi les plus grands de toute langue, « Sueur de sang » et « Matière céleste » ont, dans leur splendeur, une étrange banalité thématique en quoi peut-être se définissent et se reconnaissent les chefs-d'œuvre.

Avant que d'identifier certaines des inspirations majeures de la poésie jouvienne, qui, désormais, vont déployer dans le climat de l'œuvre leurs clés et leurs charmes, il importe encore de signaler ceci : que l'un, précisément, des thèmes qui ne cesseront plus de constituer l'une des références capitales de l'œuvre, c'est, comme chez Mallarmé, l'énigme en soi de la poésie, effort visant à la conversion du signe, boue baudelairienne comptable d'un or absolu, réversibilité nécessaire et malaisée. Ainsi décrit, le dessein du poème épouse à s'y confondre le dessein purement spirituel que j'essaie de cerner. Poésie et spiritualité, au regard de Jouve, mêlent leur nuit, en tentation du même point omega dont est attendue toute lumière. Cette économie interne constitutive de l'une et l'autre démarche, elle est, de la poésie de Jouve, non pas le lieu seulement — puisque cette économie, d'être vivante, est sans fin menacée — mais aussi l'aimantation du lieu, une ambiguë nostalgie de l'unité. Cette ambiguïté, cette nostalgie sans aboutissement définitif, fut quelquefois reprochée au poète comme une complaisance coupable destinée, plus ou moins consciemment, à préserver et à nourrir son Narcisse. Et il est bien vrai que Jouve paraît confier à sa poésie, à l'accomplissement de beauté qu'elle recèle, le soin de son salut le plus profond. Souci d'artiste hautement persuadé de la sacralité de son art, religion — au sens fort du mot — d'esthète, l'attitude jouvienne est ainsi faite d'une double et unique aspiration, et qui projette une ombre sur la clarté d'une espérance par ailleurs fermement dite. Héritage du Symbolisme, d'un symbolisme dont Jouve ne s'est jamais totalement dégagé, l'idée que l'art, l'art difficile, est à sa façon une ascèse rejoint chez Jouve l'ambition métaphysique : celle d'arracher au mal qui l'emprisonne, un bien, celui-là même peut-être dont il est parlé dans les Livres Saints, réalité dramatique d'un obscur et sanglant combat que la récente découverte freudienne vient confirmer spectaculairement en l'éclairant d'une très neuve et riche lumière. Ainsi, c'est sur trois niveaux que joue simultanément l'inspiration : le niveau psychologique — psychanalytique — le dernier venu, le niveau spirituel qui est le lieu traditionnel du débat, le niveau esthétique qui est, par la poésie, la conciliation des deux autres et leur fulgurante synthèse. La poésie dans sa définition jouvienne fera œuvre de conquête et d'élucidation. Et la lumière dont elle bénéficiera n'est pas que fille de la beauté, j'entends de la seule beauté promise, car :

Rien ne s'accomplira sinon dans une absence
Dans une nuit un congédiement de clarté
Une beauté confuse en laquelle rien n'est

(Matière céleste)

Il reste que par la double mission dont elle se voit investie — approfondissement du spirituel établi dans le psychisme inexploré qu'il prend en charge et institution d'une parole de beauté salvatrice — la poésie jouvienne, en affirmant son ambiguïté fondamentale, se voit condamnée à demeurer, si haute soit-elle, l'expression de rien que d'un lyrisme, en quoi elle se gagne comme poésie et se perd comme pouvoir spirituel. Attachée à se formuler comme une syntaxe d'images accordée, pour nous la restituer plus clairement et plus ténébreusement, à la structure contradictoire d'une réalité passionnément aimée et passionnément haïe, la poésie de Jouve témoigne avant toute chose de sa fascination pour les étonnants redoutables objets qui la nourrissent et qui la font chanter. Rien de mystique, donc, dans cette corporalité fastueuse que la conscience accueille voluptueusement, si même elle en ressent comme plus singulier encore son pur malheur. Certes, « la fleur de tout » est « illusion », mais cette illusion est « céleste ». Le désir de Jouve ne parvient jamais à se libérer du désir et sans cesse il convoque à son appel désirant l'assemblée des choses désirées, dont seule est demandée à mi-voix, et sans conviction, la destruction libératrice. Il y a trop de rapports étroitement tissés entre le poète et l'univers concrètement présent à chaque instant autour de lui — univers qu'il voit, qu'il revendique, qu'il aime —, pour que le vœu émis d'une destruction soit parfaitement sincère :

Le ciel est dans l'intimité du ciel nuageux
Le nuage dans l'eau et l'eau dans la maison
La maison dans le cœur et celui-ci dans le
Désespoir, mais le désespoir dans le cœur
Le cœur dans la maison celle-ci dans l'espace
L'espace humainement malade sous le ciel —

Commence la destruction de l'ange ; et je suis heureux.

(Sueur de sang)

Cette réversibilité que j'ai dite, on la voit ici à l'œuvre, comme naïvement, pour révéler que le poète l'utilise à quelque fin de délice personnel. Je reviendrai plus loin sur ce que d'ores et déjà je souhaite désigner comme la « paganité » de Jouve, panthéisme riche d'intime et subtile jouissance, que le cadre et le dessein spirituels viennent magnifier. Oui, il y a une jouissance de violente nature dans les exaltations de Jouve et dans ses effusions, si même la ténèbre qui cerne le tout n'est jamais loin : prise directe sur la subjectivité du poète de cette dialectique de la substance que j'ai définie auparavant :

Mon Amant dit le souffle
Mon Amant dit la dent soupire la langue
Mon Amant
Et le jour à jamais s'assombrit dans le jour

(Sueur de sang)

A quoi, un poème plus loin, répond une autre proposition également dialectique, mais de sens inverse :

La nuit longtemps dévouée à la nuit
Tout à coup se poursuit dans l'ombre et devient l'azur

(Ibid.)

La règle spirituelle est formulée dans son ambivalence en forme, l'on dirait, d'équation algébrique :
O Dieu clair, soutiens mes pas chancelants
Sombre Cerf, fait trébucher mes pas clairs

(Ibid.)

Le cadre ainsi posé et proposée la dynamique duelle destinée à l'animer, tous les moments, toutes les figures, tous les symboles de la poésie jouvienne procéderont de ces prémices. A moins que ce ne soient symboles et figures les responsables d'une justification plus intuitive encore que philosophique, découverte après coup. L'un des symboles premiers, primitifs, de « Sueur de sang », appelé selon une vieille tradition hagiologique à figurer le désir et la mutilation du désir par un immense surplus de don de soi, le cerf, cité dans le distique énoncé, n'est-il pas, en sombre, l'*alter ego* du Dieu clair qui, lui aussi, fut sacrifié et se sacrifie encore ? Le cerf sacrifié enflamme en Jouve une imagination sensuelle de torture et de mort, mais aussi exalte en lui la puissance panique d'un accouplement sans fin et comme éternellement inassouvi à la chaude matrice du monde :

Lorsque le Cerf en chaleur
Courait sur le talus de la misère
Il a troué le sol du talus du désir
Le voilà dans l'autre effrayant paysage
Désert parfait matrice de l'air bleu
Où se tiennent droites ses larmes
Coagulées comme du sperme.

(Ibid.)

Le panthéisme de Jouve et ce que j'ai appelé sa « paganité » (mot bien plus propre que « paganisme » à désigner, non élaborée intellectuellement, son approche confusément mystique de toutes réserves de sensations et d'émotions dont le monde est prodigue), trouvent à l'évidence dans la figure projetée du cerf une de leurs expressions fondamentales. Image de l'éros et de la mort — double image médiatisée par le seul — avec terreur et malédiction et ruse et drame —

et sacrifice rédempteur à la fin sollicité : l'on dirait sur la scène intérieure la plus secrète la lutte de ces énergies jusque-là innommées que le poète décrit en préface à « Sueur de sang », qui s'entre-déchirent et s'entre-dévorent et dont l'une, quelquefois, parvient à s'échapper selon sa dimension verticale. Du cerf au Christ — j'entends au Christ personnel du poète — le chemin est court qui traverse la dialectique jouvienne, au-delà de la nuit obscure par eux soufferte :

Rien qu'une nuit obscure
Et la mort s'exhibant dans les miroirs légers
A l'aurore du suivant jour.
Rien qu'un cerf agonisant sur la pierre
Spirituelle et qu'une main aux yeux blessés
Qu'une touffe sur la nuque, et toi Christ immuable !

(Ibid.)

Ou encore :

Le cerf naît de l'humus le plus bas
De soi, du plaisir de tuer le père
Et du larcin érotique avec la sœur,
Des lauriers et des fécales amours.

Le cerf apparaît dans les villes
Entre des comptoirs et ruisseaux
Méconnaissable sous la lampe de mercure
Quand le ciel, le ciel même prépare la guerre.

(Ibid.)

L'imagination symbolisante de Jouve, — on voit là l'une de ses caractéristiques — travaille, dirait-on, à surimprimer une image à l'autre en télescopant, en réduisant autoritairement à l'unité plusieurs niveaux du réel, dont procède — à la fois arbitraire et guidée — une façon de surréalité propre au poète. Cette imagination identifiante, amalgamante, coagulante, à l'une des limites d'elle-même unifiante, j'aurai tantôt l'occasion d'en montrer plus particulièrement l'un des effets parmi les plus remarquables. Et, là aussi, assumant la totalité du monde, ou du moins observant dans la diversité de ses relais le monde comme une totalité, cette imagination préfigurante paraît comme en état de genèse et d'invention d'un corps mystique qu'on dirait parallèle à l'autre, et le recouvrant : nouvel exemple d'un croisement entre le spirituel et le poétique par où il semble bien que, pour Jouve, il n'est pas d'antinomie qui puisse écarter significativement les deux axes de sa même quête. Cette vertu de coagulation du plus divers, c'est ce par quoi la parole de Jouve aux atomes extraordinairement rapprochés gagne en lourdeur, et j'entends dire également : en densité. Parole comme minérale, là où elle n'est pas organique, traversée qu'elle est cependant d'un souffle immense et captatrice qu'elle est, en son resserrement, d'un vaste espace : oui, cette parole alourdie reste vivante et « matricielle » — cette matière, comme il est dit, est céleste.

Thème essentiel de la poésie de Jouve, à partir de « Sueur de sang » : l'érotique, dont toute l'œuvre, en point et contrepoint, sera dorénavant l'illustration violente, mais subtile. Dès toujours, le poème jouvien, du « Paradis perdu » à « Noces », aura baigné dans un climat de fièvre amoureuse, mais, avec « Sueur de sang », les verdures étincelantes du matin et les exquises ingénuités de l'Eve primordiale disparaîtront, balayées par ce qu'une image magnifiquement elliptique appellera « les dentelles furieuses de la mort ». L'érotique de « Sueur de sang » sera le sexuel crûment énoncé dans le franchissement des interdits : jamais plus que dans ce recueil Jouve n'ira loin dans le dévoilement, jamais il ne dira plus délicieusement, plus ténébreusement, la misère et la splendeur — splendeur métaphysique — de nos organes cachés. Il semble que l'animatrice de son inspiration iconoclaste puisse être la mélancolique réflexion de Baudelaire sur le lien mystérieux et terrible entre la pratique de l'amour humain et l'excrémentiel. Oui, voici qu'au sein même de ce qui pouvait paraître le plus élémentaire, l'activité primitive et animale des organes fondamentaux de la race, surgit déjà le mal dialectique. La prostituée est comptable métaphysique et joue un puissant rôle « immonde » dans l'économie de l'être. Elle s'identifie à la bête — j'entends à la bête de notre mort, ouverte, seule ouverte sur le spirituel, femme absolue et qu'il nous faut, golfe amer, traverser pour rejoindre, s'il en est, un pur rivage. Elle est, femme absolue, dis-je, et symbolique de toutes les autres, le « monstre » à qui il faudra pouvoir réchapper — le noir dont est chargée l'image que s'en fait le poète n'étant pas sans rappeler ces noirs impitoyables dont un peintre comme Rouault cerne ses évocations pécheresses :

> *... Inventant sourire était son orifice*
> *Cette merveilleusement belle avait à la fenêtre*
> *Deux mains avec dix beaux doigts sur les autos*
> *Pour chercher et tirer le monsieur de six heures*
> *Et faire patienter la mort derrière*
>
> (Ibid.)

Et cette autre « Bête », titre du poème :

> *Plus rouge que la faute et plus attentive*
> *Que le crime, et du rire sans dents souriant*
> *Elargie par tant de parties d'humanité*
> *Et riant de la semence dans l'abîme*
>
> (Ibid.)

Aussi bien verra-t-on Jouve, afin de mieux restituer la sorte de folie de l'éros qui s'empare de lui pour d'extraordinaires aboutissements de sombre lyrisme, privilégier du corps des zones, des fragments, des détails soudain observés comme au microscope, et qui prennent de ce fait un relief encore plus saisissant. Toutes ces régions de corps de l'homme et de la femme avec leurs « parfums de marine et d'urine » vont devenir les axes de son obsession : yeux, chevelures, « lieu(x) sans forme aimé(s) éternellement », « bouche(s) d'ombre », « fentes du matin », « sueurs » et « traces », « vaux étranges ». Et le détail détaché, agrandi, avive en nous l'angoisse délicieuse du culte de quelque divinité féminine, profonde et maternelle, dont Baudelaire avait déjà rêvé comme au recours apaisant par excellence, « géante » en qui la femme et la mère se mêlent fastueusement et perdent, ainsi déployées, leur précise menace sexuelle. Cette menace, on ne saurait affirmer que dans la vision jouvienne elle s'égare. Bien au contraire, tous les détails magiquement valorisés accentuent la terreur primitive. Terreur ? Mais peut-être aussi, simultanément — comme chez Baudelaire —, substitution rassurante de l'image amplifiée de la mère à toutes les autres figures féminines, et l'on sait que dans sa vie même (je ne crois pas ici violer d'interdit, le fait étant suffisamment connu), Jouve aura été en quelque sorte réenfanté par sa seconde femme, l'énigmatique et sans doute admirable Blanche Reverchon, psychanalyste qui fut liée à Freud et dont l'œuvre aura été — depuis « Les Noces » publié en 1931 — de créer, de recréer, celui qui désormais créera. Dans le même temps l'on verra Blanche déployer autour du poète son puissant pouvoir protecteur pour le sauver de lui-même — lui, si ambigu, si compliqué et qu'on devine avoir été suicidaire — et des autres, et pour préserver en lui, malgré l'information qu'elle n'a jamais cessé de lui fournir (l'étonnant roman éclaté, « Aventure de Catherine Crachat », naîtra de cette étrange collaboration), la virginité de l'instinct créateur.

L'œil, symbole psychanalytique par excellence, la chevelure, la féminine fourrure — « frisons de la forêt de la naissance » — tous emblèmes jouviens après avoir été baudelairiens — les odeurs aussi, le « long drapeau de malheureux parfum », l'arbre — dont le symbolisme sexuel est aussi évident que celui de l'œil — « les eaux sépulcrales » et « les fleuves intimes », sans oublier le sang présent selon ses divers modes, voilà quelques-uns des éléments que Jouve va dissocier de tous les autres, déchirante et cruelle analyse, pour les mieux voir et nous les rendre visibles avant — ce sera en grande partie, me semble-t-il, l'effort de « Matière céleste » — d'en tenter une double nouvelle synthèse : synthèse horizontale où tous ces éléments, physiques et mentaux, objectifs et subjectifs s'intégreront dans la vision unifiée du nouveau paysage, synthèse verticale où ces mêmes éléments perdront leur potentiel d'impureté au bénéfice d'une légèreté neuve, d'une neuve pureté, aérée comme « mousse de rayons ». Mais sur cela, je reviendrai plus loin.

« Sueur de sang » — comme, en prose, « Histoires sanglantes » — abonde en détails, faut-il dire « luxurieux » ? oui, si celui qui regarde et qui dit a le regard méditatif de Jouve, regard voilé pourtant, au-delà de l'étincelle désirante, par l'immense mélancolie de l'être. La trivialité même de l'interpellation, puis sa préciosité insistante, assez inattendue en la matière, accuse, selon des sens contraires, la solitude du langage désirant :

Vos fesses, mes chéries géantes ! vos argentées
Toisons sur vos replis fermés graves et longs

De poils élégamment tordus, et déroulées
Vos peaux cuivrées prenant le jour aux horizons !
Et le monstre endormi, tous vos atours fendus
Vos étoffes chargées de sang et d'endroits nus,
Vos globes de vent mou...

(Ibid.)

Or, du moment que cela, ainsi vu, est « monstrueux » — le vocable « monstre » est l'un de ceux qui, revenant souvent, cerne, de Jouve, la vision qu'il a désormais de l'homme : « Monstre de Désir », ainsi le définit-il dans la préface de « Sueur de sang », « alternant avec un bourreau (si) implacable » —, l'un des poèmes les plus singuliers du recueil sera, précisément, ce « Monstrum », où le poète imbriquant les détails les plus disparates qui constituent le corps de l'homme et de la femme invente, à la façon d'un dieu cruellement arcimboldesque, un composé haineusement unifié de l'homme et de la femme, androgyne mystérieusement glorieux pourtant sur les tréteaux de quelque foire métaphysique, et qui exerce sur l'esprit et le regard du poète une fascination :

N'as-tu pas vu ses seins volumineux
Mais la mentule amère et forte baissant la tête
Pendue au ventre à la hanche en marbre aux beaux yeux ?
Cette femme était donc un homme plus une femme
Heureux toujours uni désaccordé
Sa chevelure au vent et sa voix de stentor
Sa moustache, son gland fumant et sa beauté

(Ibid.)

Haineusement, ai-je dit : non pas ! Ici nous apparaît une première traduction de cette vocation d'unité qui sera, l'analyse ayant été douloureusement vécue, la vocation difficile du poète, et, ontologiquement, métaphysiquement mais surtout lyriquement parlant, sa responsabilité particulière. Cet homme de la contradiction et du déchirement, ce lyrique inspiré par une dialectique, ce penseur de l'aliénation la pire et de la rédemption la mieux établie et la plus structurée, son aimantation fondamentale le conduira, au-delà de compliqués processus sans cesse inversés, vers une condensation en quoi viendront se résoudre enfin et s'apaiser un peu les constituants de son doute existentiel. Cette responsabilité particulière et cet appétit d'unité porte Jouve d'abord à des assimilations, ensuite à des identifications dont l'apparence en partie romantique et dont la connotation scientifique — dans la mesure où le freudisme est une théorie scientifique — camoufle mal une émouvante aspiration à la réduction du foisonnement. Qu'enfin soit satisfaite une enfance — mais y a-t-il jamais eu pour Jouve une enfance ? — disons : un état paradisiaque, enfance de l'espèce, contée naguère avec émerveillement dans « Le Paradis Perdu » et dans « Les Noces », et dont l'absolu fragile jouet était l'Un, au temps du « vrai corps » et de « la rosée divine brillant sur l'origine » ! Reste qu'aujourd'hui, le corps étant celui « de l'inceste (...) blond d'une blondeur/atrocement pure », une étrange enfance — enfance avertie et durement lucide à l'heure même où s'exprime la tendresse — naîtra du dépassement de l'expérience et opérera, par quelque magie, par « ce mode de sensibilité qui procède de la phrase au vers et du mot utilitaire au mot magique... à travers quoi (la poésie) arrive à toucher au *symbole* — non plus contrôlé par l'intellect, mais surgi, redoutable et réel » (Préface de « Sueur de sang »), opérera, dis-je, le renversement lyrique attendu au bénéfice, par condensations et assimilations successives, de l'unité rêvée :

Des ressemblances nous ont égarés dans l'enfance
Etions-nous donc du même sang...

est-il énoncé dans « Matière céleste » qui est le livre de cette unité rêvée, de cette unité difficilement reconstituée à travers et par-delà les affres et les souffrances du vécu. Du vécu, c'est-à-dire de ce qui est prédestiné à mourir, de ce qui est mort en puissance. Ainsi la mort seule exaltera la puissance du vivant : nouvel avatar de cette dialectique jouvienne dont j'ai dit qu'elle était une dialectique de la substance, la mort devenant elle-même, dans cette dialectique, non pas creux ou vide, mais continuation de ce plein, lui-même faussement plein, dont nous sommes :

Séparé comme je suis de moi et d'Hélène,
— dira Jouve —
Je sais à peine que je vis et qu'elle est morte

cela, avant d'énoncer un peu plus loin sous une forme axiomatique :

Car nous n'avons que mort pour véritable azur
(Ibid.)

« Matière céleste » sera donc le livre de l'unification du disparate, alors que « Sueur de sang » était, comme j'ai cherché à le montrer, celui, en grande partie, de l'énonciation de tous éléments dispersés. « Sueur de sang » est, me semble-t-il, l'illustration, un peu volontaire ici et là, de la célèbre préface souvent citée, un livre par moments plus abstrait et plus théorique que ne l'est « Matière céleste » dont la thématique brûlante est très directement puisée dans l'expérience propre, et la plus intime, du poète. Certes, celui-ci depuis toujours se sent, se sait un unificateur et qui a vocation d'unité par la médiation de sa souffrance et de sa lucidité créatrices, comme cela est dit dans l'assez curieux poème de « Sueur de sang », faussement égocentrique malgré ce qu'il en semble, qui s'intitule P, initiale de Pierre :

Cette blanche signification quand je suis né
Je le revois toujours sous mes ciels mornes
Le linge ouvert en deux où je suis né
Sur la droite était marqué en lettres d'ombre :
Bienvenu
Et sur la gauche était marquée la lettre P
Qui signifie : pitié pour tout le monde.

Créateur d'unité par vœu fondamental, Jouve se projette dans le cerf dont j'ai dit l'importance symbolique si cruellement salvatrice, mais il s'identifie également, — « lui/ (,) /le voyeur des chairs bouleversantes » —, à tout homme de misère, à tout « mauvais mari » de toute « mal mariée », autrement dit à tout quêteur de l'impossible union et à toute femme vers qui tend et se tend ce désir de l'union — situation divisée qui porte le poète à se fixer ontologiquement au point de croisement des deux sexes ou natures, donc à se sentir, selon le titre même d'un poème, « de plus en plus femme » :

Oui féminine et grasse et vermeille
Je me suis vu sur le sommier écartelé
Pour recevoir l'hôte de pierre
Lèvres ! celui que je suis et que je hais

J'étais cave et j'étais mouillée
De bonheurs montant plus laves que le lait
Que retiennent les étoiles de ma gorge
Et j'arrivais disais-je à cette mort exquise

Je me relevais fécondé (Sueur de sang)

« Matière céleste » est très probablement la tentation la plus aboutie de Pierre Jean Jouve pour mettre fin à la dualité — aux dualités. Entreprise d'autant plus significative qu'ici le débat n'est dorénavant plus délié de ce que le poète a reçu directement de la profondeur tragique de la vie, par-delà sa longue et douloureuse méditation de l'être : je veux dire que le symbolisme, fût-il immédiat et réel, le cède à l'apparition du noir, au surgissement du manque — paradoxale formule pour dire l'amputation vitale ressentie. « Matière céleste », c'est essentiellement « Hélène », la créature aimée et perdue qui va, d'être aimée et d'être ainsi perdue, sauver la totalité de la création et le poète lui-même en sa création personnelle. Noces encore, mais noces du cœur et du corps avec une ombre — ombre spirituelle, ombre sensuelle, ombre éclatante au « soleil des funérailles ». Jouve a suffisamment raconté ici et là, dans « Histoires sanglantes » et dans « En miroir », certains épisodes de sa liaison avec « la belle Capitaine H » pour qu'il ne soit pas nécessaire d'avoir recours à la paraphrase biographique dont je dis que, de toute manière, elle ne m'importe guère ou que peu. La morte, au-delà et en-deçà de toute dialectique pensée, va devenir le lieu lyriquement géométrique des inspirations contrastantes du poète : thèmes et anti-thèmes étroitement mêlés, fondus en une puissante et tremblante synthèse, établie, saisissante, au bord du déséquilibre et du dessaisissement, — stabilisée mais sans cesse menacée de dislocation d'où donc procède le chant très pur cerné de nuit, très pur d'être cerné.

Hélène, morte, est la médiatrice, agent horizontal et vertical de l'ensemble des médiations poursuivies. Il y a, d'Hélène, un pays, qui est théâtre de montagnes hautes, déchirées, étincelantes, — « dents d'argent difformes du malheur » — théâtre au sens à la fois premier et second du terme, dont Hélène est la comédienne cosmique. Il y a théâtre parce que l'événement pour brutal qu'il ait été quand il fut, n'est plus perçu qu'à travers sa signification dégagée, dans la distance prise que vient emplir, conquise, une sérénité. La femme, dont le cerf nocturne est une préfiguration a, par son sacrifice, permis que le malheur cessât d'être ce qui isole, ce en quoi l'on s'isole. Par ce sacrifice, constitué d'une mort assumée également par le double de la morte, savoir le poète vivant en sa parole, elle a permis, dirait-on, l'approfondissement de la dialectique en vue de sa résolution : non pas synthèse réductrice, mais dissolution des termes contrastants dans une dimension autre où la dialectique n'a plus cours ni sens espace, dis-je, où toute chose, tout élément, devient spontanément le signe spirituel de son contraire, miroir où se confondent les réalités et les apparences, les objectivités et les subjectivités, le vécu et l'imaginaire, l'ici et le nulle part, le maintenant et le toujours :

Par un temps humide et profond tu étais plus belle
Par une pluie désespérée tu étais plus chaude
Par un jour de désert tu me semblais plus humide
Quand les arbres sont dans l'aquarium du temps
Quand la mauvaise colère du monde est dans les cœurs
Quand le malheur est las de donner sur les feuilles
Tu étais douce
Douce comme les dents de l'ivoire des morts
Et pure comme le caillot de sang
Qui sortait en riant des lèvres de ton âme

Par un temps humide et profond le monde est plus noir

Par un jour de désert le cœur est plus humide

(Matière céleste)

Approfondissement du dialectique jusqu'au non-dialectique et réversibilité infinie, voilà ce qui fait de « Matière céleste » — et, notamment, dans « Matière céleste », de la partie intitulée « Hélène » — le livre noir et doré d'une lumière, celui de la réconciliation et de la grâce, probablement l'un des livres absolus du lyrisme français, assez proche en son déploiement fastueux et secret de la musique, on s'y attendrait, de Mozart — à qui plus souvent qu'ailleurs il est fait référence ici —, proche aussi, énigmatiquement, de la suite des « Chimères » nervaliennes dont l'inspiration poursuit, comme l' « Hélène » jouvienne, la résurrection par la parole accomplie de celle qui n'est plus.

Celle qui n'est plus devient le paysage en sa plénitude ; aussi bien chacun de ses détails deviendra-t-il détail du paysage — dimension horizontale du développement cosmique d'Hélène :

Qu'il fait noir aux limites de ton rouge
C'est ici qu'on entre dans la vierge nuit
C'est ici qu'elle déchaîne ses lumières
Fourmillante d'espace et d'espace et de nuit
C'est ici qu'elle fait tomber ses fracas
Manteaux et nudités profondes

Se déploie aussi d'Hélène, simultanément, la dimension verticale qui permet à l'esprit de se reposer en lui-même, dans la négation négatrice d'elle-même — car, poursuit le texte :

C'est ici que tout naît et se lève et adore
En néant dans le Rien et le Non de la nuit

(Ibid.)

Théâtre, ai-je dit. Et le poète : « Les larmes sont la rosée de ce théâtre ». Il dit encore :

Dans les chastes montagnes sont les défilés
(Dans les cheveux de luxe et dans les seins dorés
Les sorties de théâtre et les larmes de pierre)...

Il dit — comme s'il suscitait une scène de théâtre et qu'il la décrivit :

(Ibid.)

Le ciel est formé d'amours
De restes inouïs de baisers dans les espaces
Qui transparaissent en faux argent sous les verdures
Qui baisent le sol roux et rose de haut en bas...

(Ibid.)

« Une ample comédie aux cents actes divers » : l'on peut à juste raison s'étonner de voir, repris par Jouve en titre du second poème d' « Hélène », le célèbre vers du fabuliste, détourné vers un sens plus noir et plus amer. L'amour serait donc cette comédie, entendons ce jeu, qui va à la mort. Il est illusion, apparence, lors même que les protagonistes du jeu semblent communier dans l'extase physique et qu'ils surgissent soudain en fulgurance sur le plus sombre fond :

... Nous deux épouvantés en un
Paraissons une fois sur l'éternité noire

(Ibid.)

Unité factice, et provisoire, et fondamentalement partagée que celle-là. Une autre unité s'oppose à elle où l'esprit et le monde enfin se reconnaissent l'un l'autre et s'apaisent de porter chacun les signes et les symboles de chacun. Cette unité obtenue, peut-être ne pouvait-elle s'accomplir, dialectiquement parlant, que par l'élimination de l'un des deux termes dialectiques, j'entends par l'escamotage de l'un des deux termes par la mort, celle-ci, selon cette vue, n'étant en rien une cessation mais bien plutôt une vacance, une vacuité de l'être : une absence capable de présence et que l'esprit viendra investir de son pouvoir de provocation rêveuse. Pour pardonner à l'être sa fissure et à l'amour, fait de « lèvres basses », sa coupure et son déchirement, Jouve aura besoin de ce désert aux fins d'y déployer sa fantasmagorie mystique et d'y produire l'orchestration de tous ses thèmes, hier encore ennemis — maintenant, du fait du triomphe de l'esprit sur les aspérités du temps vécu, susceptibles de se nouer en gerbe vive. Le théâtre, qui réussit à donner du monde une représentation et qui, ainsi, nous convie à une lecture plus dépouillée de ce monde, résout, par la vertu de la parole imaginante, les mille complexités et contradictions de ce que Jouve appelle le « douteux buisson de l'univers ». Sa poésie pêcherait-elle en ce point par une sorte de platonisme inversé ou, si l'on veut, de facile angélisme ? Il se pourrait. Reste que l'étonnant résultat de cette position dégagée est une mise, ou plutôt une remise en cause, à un niveau mystérieux du poème et de l'être, aussi bien de l'unité profonde réalisée que de la sérénité si âprement conquise. L'ombre portée, ombre longue, sur cette quête de la limpidité, fait trembler l'ensemble du poème comme amoncellement de roches à bord d'abîme. Si le baroque est aussi ce tremblement hautement suspendu et qui fait que le contemplateur retient son souffle dans l'attente d'une catastrophe cosmique, alors « Matière céleste » est l'un parmi les plus baroques des recueils de Jouve, et de toute poésie. Et si, d'autre côté, le spirituel est l'aboutissement de la longue recherche de l'unité au-delà de tous les signes et symboles, et s'il est cette lumière vivante tirée de toutes images porteuses de nuit, alors la poésie de Jouve reste sur la rive d'un fleuve infranchi et tend de longues mains solliciteuses vers un don qui reste à venir. Oui, dans la poésie de Jouve, fût-elle placée en perspective spirituelle, il y a une conversion qui se fait mal et soudain, comme un retour en force des éléments concrets ou symboliques priés à la métamorphose et qui résistent, éléments dont l'enchevêtrement symphonique garde au poème heureusement enraciné dans le *hic et nunc,* sa meilleure, sa plus brutale densité .

Que tu es belle maintenant que tu n'es plus
La poussière de la mort t'a déshabillée même de l'âme
Que tu es convoitée depuis que nous avons disparu
Les ondes les ondes remplissent le cœur du désert
La plus pâle des femmes
Il fait beau sur les crêtes d'eau de cette terre
Du paysage mort de faim
Qui borde la ville d'hier les malentendus
Il fait beau sur les cirques verts inattendus
Transformés en églises
Il fait beau sur le plateau dévasté nu et retourné
Parce que tu es si morte
Répandant des soleils par les traces de tes yeux
Et les ombres des grands arbres enracinés
Dans ta terrible Chevelure celle qui me faisait délirer

(Ibid.)

Nous nous trouvons ici à l'un des aboutissements du poème jouvien. Nous y reconnaissons à travers la femme paysagée — cette sorte de panféminisme mystique qui est le lieu le plus intense et le plus vrai de cette poésie — quelques-uns des principaux symboles liant le plus concret au plus abstrait et le physique au mental, le concret restant quant à lui contradictoire et le mental par soi-même contredit. Par-delà le signe de l'arbre, ou celui de l'œil, ou celui de la chevelure, nous reconnaissons également cette dialectique du désir qui n'aboutit pas et qui se satisfait de cet inaccomplissement comme de sa chance extrême :

risque consenti par le poète de voir l'expérience s'épanouir, de par l'inassouvissement, en création verbale, en chose de beauté. Nous retrouvons enfin ces deux dimensions croisées, l'horizontale et la verticale, dont le point de rencontre accomplit le poème jouvien — avec, le traversant de part en part, cette diagonale tremblante que j'ai décrite, qui vient remettre en cause la figure obtenue et fausser, en le déroutant, l'ensemble.

Jouve est un grand conceptuel : la préface (souvent dite « prophétique ») de « Sueur de sang » le prouve assez et en témoignent, aussi bien, de nombreux essais critiques en marge de l'œuvre, qu'ils éclairent. Mais les idées, mais les conceptions, fussent-elles dialectiques, ne sont que des charpentes inhabitées, inhabitables. Il y faut l'événement, l'avènement, de la substance, ces beaux murs chargés de reliques et qui, nous abritant, nous permettraient, selon la célèbre formule hölderlinienne prise à la lettre, d'*habiter*. Habiter, c'est-à-dire, à la fois, dans l'univers, être *séparés* et être *contenus*. Ajoutons qu'au-delà des idées, au-delà de cela qui est et n'est que charpente, il existe pour l'homme, par chance, un délire : « Celle qui me faisait délirer... » Qu'il existe, en-deçà du délire, une prudence et, dit Jouve, dans une définition admirable de simplicité : « Le poète est un diseur de mots ». La poésie serait donc ce formulé délire formulant — par quoi se pourrait définir tout lyrisme. Par quoi aussi, au-delà de toutes idées et de tous concepts, s'énonce l'unique, oui, l'unique justification du poème — hautement probable dans le cas de Jouve — qui est la poésie.

Salah STETIE.

SIMONE FISCHER

LES SURPRISES DES ROMANS DE PIERRE JEAN JOUVE

Une première lecture des romans de Pierre Jean Jouve le plus souvent séduit et déconcerte. Les mécanismes de la séduction ne nous occuperont pas ici ; nous essaierons par contre de dégager les éléments, tout au moins certains des éléments susceptibles de déconcerter, ceux qui donnent au lecteur le sentiment que l'auteur n'a pas joué le jeu, tout au moins pas le jeu qu'on attendait : des choses étranges ont été contées de façon étrange, et bien des questions restent sans réponse.

Quiconque a aimé le premier roman d'un auteur attend un plaisir semblable de la lecture du second roman de ce même auteur. Avec les romans de Jouve le lecteur découvre, parfois sans plaisir, que le second roman semble n'avoir aucun rapport avec le premier et s'il a la curiosité de lire tous les romans de Jouve, sa surprise ne sera que renforcée par la diversité de chacun des cinq volumes : dans l'ordre chronologique de leur parution, *Paulina, Le Monde Désert, Hécate, Vagadu, La Scène Capitale.* Soit, respectivement : l'Italie dans les années 1850-1880 ; la Suisse d'avant et d'après 1914 ; le Paris des années folles, Vienne, les milieux du cinéma ; l'histoire de la psychanalyse d'une actrice de cinéma ; et dans le dernier volume un mélange étonnant : une fable inspirée du *Wozzeck* de Büchner ; neuf récits de rêves ; une seconde fable inspirée de l'une des *Histoires du Diable* de Martin Luther et l'histoire des amours d'un garçon de 17 ans avec une femme de 43 ans, dans la splendeur d'un château de la Suisse italienne et l'ambiance de la Belle Epoque.

Or, Jouve parle dans *En Miroir*, son autobiographie, de « son roman » au singulier, et d'un « fil conducteur » qui va de Paulina, sa première héroïne, à Hélène, la dernière. Ce singulier pour désigner l'œuvre plurielle et diverse ne doit pas être pris à la légère. Jouve a utilisé la forme romanesque à des fins très personnelles ; quand il écrit « mon roman » pour désigner ses cinq volumes il nous fournit à sa manière masquée un indice de ses intentions (1). Il est d'ailleurs possible que l'idée d'utiliser le roman comme itinéraire de salut lui ait été inspirée par ce que Freud appelle « le roman familial des névrosés », c'est-à-dire le rêve éveillé de tous les enfants qui se créent des parents plus satisfaisants que les parents réels. Ce rêve ne devient névrotique que lorsqu'il se prolonge au-delà de l'enfance (2).

Quoi qu'il en soit, au cours des romans qui constituent « son roman ». Jouve s'est créé une image maternelle satisfaisante, Hélène, et un personnage masculin triomphant auquel il puisse s'identifier. Dans le premier roman, Jouve est Paulina, jeune fille de 16 ans qui se sent obligée de tuer son amant-homme de plus de 40 ans — pour sauver son âme. Dans le dernier roman, Jouve arrivé au terme de son itinéraire s'identifie à Léonide, jeune homme de 17 ans qui devient poète grâce à la mort d'Hélène, sa maîtresse-mère, qui accepte de mourir pour donner naissance au poète qui était en puissance en Léonide. Bref, dans son premier roman, Jouve s'identifie à un personnage masculin victorieux et le personnage féminin est devenu une héroïne généreuse dont le sacrifice est fécond. S'ajoutant à la symétrie inverse des deux couples Paulina-Michele et Léonide-Hélène, la progression régulière du personnage féminin, d'un roman au suivant, dans une même direction renforce la thèse de l'unité organique de l'œuvre romanesque. Les deux personnages féminins qui suivent Paulina, Baladine (*Le Monde Désert*) et Catherine Crachat (*Hécate*) ne sont que les catalyseurs involontaires de diverses destructions, dont elles sont aussi les victimes douloureuses. Marie, héroïne de *La Fiancée*, première nouvelle des *Histoires Sanglantes*, et Dorothée, héroïne de *La Victime*, sont les victimes du péché irrévocablement attaché à l'amour, elles sont tuées pour un péché qu'elles n'ont pas commis et dont elles n'ont pas conscience mais dont elles sont néanmoins coupables. Finalement, Hélène est la victime volontaire et consciente.

Dans cet ensemble il reste cependant à trouver la place de *Vagadu* et des neuf récits oniriques qui constituent la plus grande partie des *Histoires Sanglantes*, première partie de *La Scène Capitale*.

Vagadu est l'histoire de la psychanalyse réussie de Catherine Crachat, l'héroïne d'*Hécate*. C'est une suite et une fin car Catherine étant guérie, libérée et en prise directe sur la réalité à la fin de *Vagadu*, cesse par là même d'appartenir à l'univers jouvien. Il faudrait citer en entier l'étonnante entrevue finale de Luc Pascal — masque de Jouve — et de Catherine, au cours de laquelle l'auteur signifie son congé à son héroïne transformée parce que l' « on ne doit pas changer ». Catherine ayant changé, Luc ne la reverra plus et continuera « sa vie tordue d'un côté » puisque Dieu l'a formé pour la solitude et qu' « une vie haute c'est souvent l'exploitation d'une infirmité » (3). En d'autres termes, *Vagadu* qui est peut-être le roman le plus réussi et le plus original de Jouve, est aux yeux de l'auteur un détour temporaire dans son itinéraire, un chemin qu'il a pris parce qu'il était tentant mais qui débouche sur un monde sans mystère et un personnage équilibré. Jouve n'a que faire d'une telle situation.

Il revient donc aux pulsions destructrices dans *La Scène Capitale,* son dernier roman. Celui-ci est divisé en deux parties, la seconde étant elle-même composée de deux récits qui ont été mentionnés précédemment. La première partie, intitulée *Histoires Sanglantes,* commence par une nouvelle inspirée du Wozzeck de Büchner, *La Fiancée,* elle est suivie de neuf récits qui sont des transcriptions de rêves. *La Fiancée* est une histoire banale : un garçon tue sa fiancée parce qu'il découvre qu'elle le trompe. Entre les mains de Jouve ce canevas devient un mystère, une parabole à décrypter. Au cœur du récit Joseph, le fiancé, ayant vu Marie danser avec le Tambour Major au bal du village, se glisse pendant la nuit dans la « maison de Marie » pour s'assurer de ce qui s'y passe. Il trouve Marie nue sur son lit dormant à côté du Tambour Major ivre mort. Le désordre de la chambre et les bouteilles vides qui jonchent le sol indiquent qu'une orgie vient de se dérouler là. Fin du chapitre. A la page suivante Marie est à sa fenêtre le lendemain matin, belle et pure dans la lumière du dimanche. Elle fait son examen de conscience avec un certain malaise car elle a péché la veille au soir : elle a dansé plus de trois fois avec un homme qui n'était ni son frère ni Joseph, et ceci pourrait être grave. Rien ne permet de penser que Marie n'est pas sincère et que son examen de conscience est incomplet. Que penser de la scène que Joseph a vue dans la maison de Marie et qui semble tout aussi authentique que l'examen de conscience ? Pour comprendre il faut interpréter l'incursion de Joseph dans la « maison de Marie » comme une métaphore de sa pénétration de l'inconscient de Marie et peut-être aussi de son propre inconscient, le lieu des instincts et des pulsions primitives où le sexe et le péché sont indissolublement liés. Marie est une vierge qui est tuée parce qu'elle n'est pas vierge, et elle n'est pas vierge parce que les vierges n'existent pas puisque le stupre et la luxure sont dans la femme dès qu'elle devint femme.

Tout devient clair à condition de comprendre que « la maison de Marie » est l'inconscient de Marie et que Marie et Joseph sont l'Homme et la Femme en qualité de fonctions. Cependant il est facile d'imaginer le découragement des lecteurs de 1932 qui, pour la plupart, ignoraient tout de Freud et qui, même s'ils le connaissaient, n'étaient aucunement incités à penser à une théorie scientifique par un texte littéraire à la fois dense et simple, complexe et naïf comme un conte de fées.

À la suite de *La Fiancée* viennent neuf récits de rêves présentés sans apprêts littéraires (4) (ou qui tout au moins donnent l'impression d'être de simples transcription) qui semblent n'avoir aucun rapport avec ce qui précède ou ce qui suit. Même un lecteur averti peut se demander la raison de leur présence dans une œuvre de fiction, intercalés entre deux fables, *La Fiancée* et *La Victime*. Je propose l'hypothèse suivante. Après *Vagadu*, roman nourri des fantasmes d'une psychanalyse mais qui se défend d'être une « psychanalyse » et le récit *La Fiancée* dont les personnages ne sont que les masques des forces profondes de la psychée, Jouve a cédé au désir de montrer à visage découvert ces forces qui tirent les ficelles de tous ses personnages. Ces neuf rêves constituent un bref coup d'œil dans les coulisses accordé au lecteur, un aveu sans ambiguité de la démarche véritable de Jouve. Si mon hypothèse quant aux intentions de

Jouve est correcte et si les récits oniriques sont là pour éclairer, l'entreprise n'est pas couronnée d'un succès complet. Même aujourd'hui où les techniques psychanalytiques et l'interprétation des rêves sont largement connues, la place et la fonction des neuf rêves restent encore un sujet d'étonnement.

Nous examinerons maintenant certaines caractéristiques de l'écriture de Jouve susceptibles de contribuer à la surprise du lecteur.

La plus immédiatement visible de ces caractéristiques est la coexistence de deux styles contrastants. A côté de véritables morceaux de bravoure littéraire dignes des meilleures anthologies se trouvent des passages écrits en un style elliptique, presque télégraphique en certains endroits, dans lesquels Jouve ne recule pas devant l'emploi d'expressions vulgaires ou même grossières. Ces passages correspondent souvent au monologue intérieur transcrit tel qu'il jaillit ; ils font penser à *Ulysses* de James Joyce. Comme exemples de ces styles contrastants je citerai ces deux passages du *Monde Désert* qui se trouvent respectivement aux pages 13--14 et 22 de l'édition du Mercure de France de 1960 :

> *Lorsque le fils du pasteur Isaac de Todi sortait de son état chronique de rêverie pour constater que le monde extérieur, la « campagne » de son père à Genève, était coloré de telle ou telle façon par la pluie ou par le beau temps, selon la saison et le jour et surtout l'imprévu de son âme à lui, il aimait descendre les trois marches basses du perron, hors du triste vestibule solennel, prendre ensuite à travers la grande pelouse, et même si elle était recouverte de neige, laissant de côté la « salle des marronniers » qui respirait la tristesse ; la pe-*

louse allait en pente molle parsemée de hêtres, de charmes qui étaient comme jetés sur la terre ; franchir enfin la passerelle de fer qui enjambe légèrement la route de Cologny, et après avoir dégringolé en sautant plusieurs petits escaliers, parvenir à son domaine...

On éprouvait en ce lieu un silence très grand et très pur, mais si l'on y réfléchissait ce silence était formé de bruits, des innombrables rumeurs de vagues qui s'abattaient doucement. A la digue tenait un pigeonnier bâti dans la même pierre grise, et qui s'élevait hautement au-dessus de l'eau.

La neige est excellente ; tombée avant-hier, gelée, regelée, ça ira ; de la poudre de verre. Pas la peine de cirer le ski. Et même mon caleçon de toile, je le balancerai dans la descente, Fils du Soleil ! et tant pis, nom de Dieu, si je rencontre une Anglaise.

Une deuxième caractéristique du style est la recherche de l'adjectif insolite. Exemples :

La petite fille chagrine et sournoise devint une adolescente dont la vie captait... les rayons du soleil afin de briller en mots joyeux, en rires étincelants, en mille petites manières légères et nues (Paulina, *Mercure de France, p. 19)* (c'est moi qui souligne).

Elle devenait grande, son corps était bien inventé. (Ibid., p. 35).

Maintenant cet exemple extrait de la célèbre description de la chambre bleue par quoi commence le roman *Paulina*. Il s'agit de la description du guéridon d'acajou :

> *... et les deux courbes se brisent l'une contre l'autre par une pointe que les mains des jeunes femmes ont usée nerveusement tandis qu'elles écoutaient la déclaration d'amour. Sur le guéridon un tapis au crochet,,* lavable, *représente la Crucifixion de Notre Seigneur. (Ibid., p. 13).*

L'adjectif « lavable », totalement inattendu et inapproprié dans le contexte de l'atmosphère envoûtante et mystérieuse de la chambre bleue où flotte le fantôme de Paulina, introduit brutalement la voix des bonnes ménagères que deviendront ces jeunes filles qui écoutent la déclaration d'amour ; mais surtout ce que nous entendons soudain c'est la voix ironique de l'auteur qui prête aux jeunes filles ces préoccupations pratiques et bourgeoises. Le charme est fugitivement rompu par Jouve qui soudain prend ses distances.

Un troisième élément digne de mention est l'emploi que fait Jouve du temps des verbes. Une étude détaillée ne serait pas appropriée ici et entraînerait trop loin. Je donnerai seulement l'exemple d'un imparfait de l'indicatif là où l'on attendrait un passé simple. Les deux imparfaits soulignés produisent un effet de ralenti de l'action.

> *Un tel costume n'étonnait déjà plus Catherine, mais elle regardait surtout le fils dont le visage était beau comme une tranche de pain blanc.*
>
> *Le baron Siegmund Hohenstein* prenait *la parole et il* fallait *lui répondre. La conversation sur le cinéma devint générale.* (Hécate, Gallimard, 1928, p. 76). (C'est moi qui souligne).

En quatrième place vient l'utilisation des pronoms et particulièrement celle du pronom « on ».

« On » suggère parfois la présence d'un observateur-interlocuteur-narrateur qui demeure anonyme ; ainsi dans la deuxième partie de la description de la chambre bleue de Paulina :

> *Le jour se retirait dans une profonde félicité. On s'approchait de l'objet étrange : c'était bien du verre. ... A présent brillait le regard, un regard noir, et dur, mais de matière transparente comme le reste. On était fasciné et il était impossible d'avoir vraiment peur. On voyait l'Ombre, on comprenait comme elle était nécessaire dans la chambre bleue.* (Paulina, Mercure de France, 1959, p. 14-15).

Ce « on » qui s'approche, qui voit, qui comprend, est-ce Jouve ? est-ce un narrateur distinct de l'auteur ? est-ce l'ami mystérieux qui rend visite à Paulina à la fin du roman ?

Ce même « on », masque d'un narrateur — il faudrait dire d'un locuteur — mystérieux se retrouve en plusieurs autres endroits. Dans *Hécate* par exemple :

> *Elle débarquait à Vienne, en septembre, un dimanche soir. Presque heureuse. Lui dira-t-on pourquoi ?* (Hécate, Gallimard, 1928, p. 88).

Encore dans *Hécate*, un narrateur raconte l'histoire de Catherine Crachat à la troisième personne. Au bout de quelques pages ce narrateur s'exclame : « Catherine Crachat c'est moi ». Catherine continue ensuite à raconter sa propre histoire à la troisième personne tout en s'adressant de temps à autre à un interlocuteur — qui est peut-être le lecteur ou l'auteur — introduit dans le récit par le pronom « vous » :

> *Cependant Catherine Crachat a une conception de la vie toute autre que celle que vous*

pourriez lui prêter d'après cette histoire ; sachez qu'elle n'avait aucune raison positive d'agir ainsi. (Ibid., p. 11-12).

Plus loin Catherine arrive à Vienne et est invitée à passer une soirée chez le baron et la baronne Hohenstein. Voici les jeux auxquels Jouve se livre avec le prénom « on » :

> *Catherine portait ce soir une blouse de soie avec un seul petit nœud noir près du cou, ses cheveux non collés, vaporeux, son visage à la pourpre et sa bouche à peine agrandie. On se regardait. On respirait des choses lointaines, indéfinissables. On se sentait en Autriche. On était très bien.* (Ibid., p. 74).

Le premier « on » (« on se regardait ») désigne Catherine et la baronne qui est la seule personne autre que Catherine présente dans le salon. Le deuxième « on » (« on respirait des choses indéfinissables ») représente certainement Catherine et pourrait aussi représenter la baronne : cependant il serait étrange que celle-ci respirât des choses indéfinissables dans son propre salon. Le troisième « on » ne peut désigner que Catherine, puisque la baronne ne peut se sentir dépaysée dans sa propre maison. Le quatrième « on » pourrait désigner Catherine et la baronne mais ne désigne probablement que Catherine.

Le passage continue ainsi :

> *Elle est bonne, imaginait Catherine ; elle doit être bonne. Personnelle évidemment ; mais on remarque ses charmantes façons naturelles... On est étonnée par sa fraîcheur.*
>
> *Reposez-vous. Réfléchissez. Regardez-moi.*

« Elle » désigne la baronne, mais un effort est nécessaire pour le comprendre car celle-ci n'est mentionnée qu'une fois dix lignes plus haut. Ensuite « imaginait Catherine » semble introduire un narrateur jusqu'au moment où l'on se rappelle que c'est Catherine qui parle d'elle-même. « On est étonnée » indique clairement par le féminin de l'adjectif que « on » désigne Catherine. Mais qui dit « Reposez-vous. Réfléchissez. Regardez-moi ? » Le contexte invite à penser que c'est la baronne qui parle, mais sans signe typographique conventionnel. Il n'y a ni tiret ni guillemets. Cependant il serait curieux que la baronne qui connaît à peine Catherine lui dise « Regardez-moi ». Ces trois impératifs représentent peut-être les pensées que Catherine prête à la baronne dont l'attitude semble dire : reposez-vous, etc. Dans le cadre du chapitre dont ce passage est extrait une troisième interprétation est possible. Catherine-narratrice vient de consacrer beaucoup d'attention à la description du château des Hohenstein et aux magnifiques objets qu'il contient ; le château s'appelle Ruhland, ce qui veut dire en français « terre de repos ». Catherine exprime peut-être l'invitation au repos et à la méditation qui semble lui adresser à la fois la baronne et le château. Il me semble impossible de choisir l'une plutôt que l'autre des hypothèses précédentes ; nous avons donc affaire à une prose polysémique.

Un cinquième élément ajoute aux surprises de la lecture : l'absence de signe marquant la frontière entre réalité et fantasme. Le premier exemple se trouve dans *Paulina :* Paulina imagine que Michele, lassé de ses atermoiements, épouse une autre femme. Le « mariage » de Michele est décrit comme si la cérémonie se déroulait véritablement ; ce n'est que plus tard que le lecteur se rend compte qu'il ne s'agissait que d'un fantasme masochiste de Paulina.

Les fantasmes de *Vagadu* sont présentés de façon telle que le plus souvent il est extrêmement difficile de distinguer entre imagination et réalité. Par exemple : l'amie de Catherine, Flore, annonce la visite de Monsieur Trimégiste (5), homme d'affaires très prosaïque :

> *« Trimégiste va venir, ajouta Flore, pour montrer son costume remarquable. » Et Trimégiste se présenta justement. Flore aurait-elle, supposition douloureuse, un sentiment d'amour pour Trimégiste ? En tout cas ce Trimégiste était devenu peintre et jouissait de la même gloire que Flore devenue grande dame. « Que dites-vous de mon costume ? » prononça M. Trimégiste après avoir baisé la main aux deux amies. Il était en Hamlet moderne. C'est-à-dire qu'il portait un smoking plutôt collant, une de ses jambes en pantalon noir et l'autre en maillot de soie rose de la ceinture à l'escarpin.* (Vagadu, Mercure de France, 1963, p. 17).

Les éléments vraisemblables de ce passage sont l'annonce de la visite, l'arrivée de Trimégiste, le baise-main et la question concernant le costume. Ces éléments sont seulement vraisemblables mais ne sont pas nécessairement vrais ; les fantasmes auxquels ils sont mêlés permettent de douter légitimement de la réalité de tout l'épisode. Mais nous ne pouvons pas être sûrs non plus qu'il soit complètement inventé ; nous nous trouvons emprisonnés dans l'esprit de Catherine, nous voyons ce qu'elle voit, nous entendons ce qu'elle entend, nous flottons avec elle du stimulus objectif au fantasme subjectif qu'il a précipité sans savoir où finit le rêve et où commence la réalité. La démarche de Jouve annonce ici celle de Robbe-Grillet, dans *Le Voyeur* et *La Jalousie*.

En dehors des ambiguités de l'écriture il existe dans les romans de Jouve un certain nombre de questions qui restent sans réponses. En voici une liste certainement incomplète mais où figurent celles qui m'ont paru les plus flagrantes : 1°) Qui est l'ami qui rend visite à Paulina dans le dernier chapitre ? 2°) Dans *Le Monde Désert*, les accusations lancées par le fantôme de Baladine contre Luc Pascal sont-elles vraies ou bien sont-elles le produit de l'imagination de Luc ? 3°) Au début et à la fin d'*Hécate*, qui est l'interlocuteur de Catherine Crachat ? 4°) L'histoire de *La Victime* se passe-t-elle au Moyen Age ou au XXe siècle (la sorcellerie est punie de la peine capitale, les théologiens sont des personnages puissants et le Diable intervient dans la vie des hommes ; cependant Dorothée appelle une voiture pour aller à son rendez-vous avec Waldemar, et l'exécution de celui-ci « après torture » est annoncée par les crieurs de journaux). 5°) Dans *Dans les Années profondes* le prêtre fardé qui raconte à voix haute des histoires scabreuses sur la châtelaine du pays dans un restaurant très fréquenté est-il réel ou imaginé par Léonide qui est encore sous le choc de sa première vision d'Hélène ? (6)

Une autre surprise des romans de Jouve est l'usage qu'il fait des signes non verbaux. Nous examinerons comment il utilise les parenthèses, les blancs typographiques et les dessins et fac-similés.

Le nombre de parenthèses qui semblent superflues est frappant. Le texte fourmille d'exemples tels que le suivant :

> *Les parfums arrivent, ils entourent la passante qui marche vite (sans rien perdre des formes ni des lumières) et Baladine ouvre son ombrelle.* (Le Monde Désert, Mercure de France, 1960, p. 192).

Le membre de phrase entre parenthèses pourrait tout aussi bien être incorporé à la phrase sans parenthèses. Le narrateur décrit Baladine dans la rue, pourquoi séparer un détail de la description du reste ? Les parenthèses brisent la continuité du récit ; elles forcent à changer de ton si on lit à haute voix. Il me semble qu'elles constituent une intrusion de la voix de l'auteur, distincte de celle du narrateur, qui délibérément « brise le charme » et impose une certaine distanciation.

Tout un chapitre du *Monde Désert* est entre parenthèses. Il s'agit du chapitre 33 qui décrit le suicide de Jacques et les moments qui précèdent. La parenthèse s'ouvre à la page 155 (édition du Mercure de France, 1960) avant le premier mot du chapitre : « (On voit Jacques au Café du Nord... » et se ferme à la page 158 : « — C'est — Ooh —) » Fin du chapitre. Il ne faut voir dans cette longue parenthèse aucune intention de mise à distance : ce chapitre est placé au milieu d'une série de chapitres qui font partie de ce qui est indiqué comme « Le récit de Baladine » ; or Baladine ignore et ignorera toujours les événements décrits dans le chapitre 33 ; seul l'auteur omniscient sait ce qui s'est passé et ce que Jacques pensait juste avant de mourir ; les parenthèses indiquent simplement que le récit de Baladine est temporairement interrompu et que l'auteur prend la parole. Néanmoins la compréhension du sens de ces parenthèses demande un effort d'attention et de réflexion. Il faudra d'abord se rappeler que le récit de Baladine n'est pas terminé (il a commencé cinq chapitres plus haut) et ensuite comprendre que ce n'est plus Baladine qui parle, ce que l'on ne pourra comprendre qu'au chapitre 34 quand le texte indiquera que Baladine ne sait pas ce qui s'est passé au chapitre 33. Après avoir remarqué l'ouverture insolite d'une parenthèse au début d'un chapitre il faudra chercher sa fermeture pendant tout le chapitre, sans confondre avec d'autres parenthèses qui s'ouvrent et se ferment à l'intérieur du chapitre. Finalement on arrive à la fermeture de la première parenthèse et on se reporte au début pour s'assurer de ce que l'on a lu. Mais ce n'est qu'au chapitre suivant que l'on comprend que ce n'était plus Baladine qui parlait au chapitre 33.

Il est intéressant que Jouve ait choisi le signe non-verbal de la parenthèse pour indiquer un changement de locuteur, alors qu'il aurait pu signaler par une phrase l'interruption du récit de Baladine et éviter au lecteur tout un effort de décodage. Son usage de la typographie manifeste son intérêt particulier pour le signe visuel.

Le plus évident des signaux non-verbaux que Jouve adresse au lecteur est le découpage du récit en chapitres très courts séparés par des blancs qui, le plus souvent ne correspondent à aucune nécessité logique : il n'y a ni changement de lieu, ni changement de sujet, ni arrivée de nouveaux personnages. Simplement les caractères imprimés cessent, l'œil voit un espace blanc qu'il doit traverser pour arriver à la suite du récit. Exemple extrait de *Paulina* :

> *CHAPITRE 13*
>
> *Il pleuvait, la tristesse italienne si particulière, avec sa* luna *ou si vous voulez son cafard, imprégnait les murailles qui paraissaient suinter, et la* luna *pénétrait aussi le cœur de Paulina assise et songeuse. La chambre était sombre, emplie de nuit par en haut, les fortes averses débordaient en ruisselant des gouttières du toit. Paulina aux yeux cernés, délicate et sensible de n'avoir pas dormi, cherchait à découvrir le visage de cette petite peine indistincte qui abîmait son bonheur de la nuit de fête.*

Cirillo entra. Son visage épais, bien que souriant, n'inspirait pas confiance. Il vient pour m'ennuyer. Il m'a espionnée pendant une partie de la nuit, je le sais bien. Cirillo baisa la main de sa sœur, s'informa de sa santé, fit quelques réflexions sur l'état malencontreux de l'atmosphère, et sans transition commença une scène de jalousie.

Paulina apprit qu'elle partirait très prochainement pour Torano.

CHAPITRE 14

Vue de Torano ; les quais avec les arcades, les maisons roses, les toits couverts de colombes ; les rides de l'eau, la gaze vaporeuse sur l'eau, les sabres clairs dans l'eau, les barques avec leurs bâches posées sur des arceaux ronds et les deux rameurs debout, les solides gaillards dans la chaleur qui chantent sur quatre ou cinq notes[e]*; le petit village est en lignes droites pures, il paraît merveilleusement jaune, les barques sont rangées, il est midi, non c'est le soir, les bouquets jaunes ou rouges éclatent, les lauriers-roses, l'église est très haute dans le ciel qui est un peu vert à cause des montagnes, tout cela est enfantin ; le comte tient la main de Paulina dans les ruelles tout à fait semblables à des crevasses entre les maisons. Mais comte, je vous aime, voudrait dire Pauline, je vous aime depuis longtemps ; vous êtes venu à Torano plusieurs fois quand j'étais petite. Il paraît qu'il y sera encore cette année. C'est un ami. La grande villa Pandolfini est rose et jaune. (...)*

La séparation du texte en deux chapitres est d'autant plus remarquable qu'ils sont liés par le mot

« Torano », dernier mot du chapitre 13 et troisième mot du chapitre 14 et objet de la description du chapitre 14. Pourquoi la coupure ? Si l'on excepte l'absence des guillemets qui annoncent normalement le passage du discours indirect au discours direct, le chapitre 13 est conforme à l'usage, un narrateur omniscient décrit et interprète en phrases qui contiennent un sujet, un verbe et un ou plusieurs objets. Au chapitre 14 le ton change ; les premiers mots « Vue de Torano » pourraient être l'intertexte d'un film muet annonçant le paysage qui va suivre. Celui-ci est décrit par une simple énumération de ses éléments, comme par une caméra qui passe d'un objet à l'autre, sans phrases. Le découpage en deux chapitres correspond bien à un changement ; il s'agit d'un changement de lieu : dans le chapitre 13 on est à Milan et on parle de Torano. Au chapitre 14 on est à Torano et on regarde Torano. Le lien logique qui existe entre les deux chapitres n'est pas exploité par Jouve pour lier verbalement les deux textes en un seul chapitre ; il est au contraire écarté au profit d'une séparation qui correspond au mouvement d'une mise en scène se déplaçant d'un lieu à l'autre. Jouve traite son texte comme un metteur en scène de théâtre ou un cinéaste. L'espace blanc qui sépare les chapitres peut être comparé aux « noirs » qui séparent les séquences d'un film. En d'autres termes le livre est intitulé en qualité d'objets signifiants ; le papier blanc, les signes noirs sont autant de moyens de transmettre un message. Cette attitude se manifeste encore plus clairement lorsque Jouve utilise des dessins et des fac-similés dans le texte de ses romans.

1. Dans *Paulina*, une croix noire placée au milieu de la page commence tous les chapitres constitués par le journal rédigé par Paulina pendant son séjour au couvent. De plus une reproduction du reliquaire don-

né par Sœur Perpétua à Paulina figure au milieu du texte à la page 154 de l'édition du Mercure de France de 1962.

2. Dans *Hécate* (édition du Mercure de France, 1963) on trouve aux pages 53, 138 et 193 respectivement : un intertexte de film muet, le fac-similé d'un billet de concert et le fac-similé d'une affiche de cinéma.

3. Dans *Vagadu* (Mercure de France, 1963) on trouve aux pages 109, 110 et 112 le dessin des signes de l'homme et de la femme.

4. Dans *Le Monde Désert* (Mercure de France, 1960) on trouve à la page 175 le fac-similé des colonnes d'un journal financier. Ces dessins, images et fac-similés ne sont pas des illustrations placés sur une page spéciale à laquelle le lecteur peut se référer. Ils sont dans le texte et partie intégrante du texte.

Si l'écriture et la démarche de Jouve semblent surprenantes et demandent élucidation aujourd'hui, quel a pu être l'étonnement des lecteurs des années trente devant ces romans qui tissent le matériau psychanalytique dans le matériau romanesque, qui annoncent le « Nouveau Roman », et qui comptent dans leur univers le personnage de Catherine Crachat, actrice de cinéma, femme libérée bien avant la parution du *Deuxième Sexe,* émouvante imago pour les femmes contemporaines ?

Ma seule conclusion sera que les romans de Pierre Jean Jouve méritent une étude sémiotique approfondie qui seule pourrait rendre justice à la richesse, à la complexité et à la diversité de son expression.

Simone FISCHER.

NOTES

(1) Cf. *Les romans de Pierre Jean Jouve, Le romancier en son miroir*. Simonne Sanzenbach, Paris, Vrin, 1972.

(2) Cf. *Le roman des origines et l'origine du roman*. Marthe Robert, Gallimard, Tel, p. 41 et sqq.

(3) Cf. « *Vagadu,* traversée de l'inconscient à grand spectacle », Simone Fischer, Cahiers Pierre Jean Jouve, n° 1, Paris, Minard, à paraître.

(4) Dans la discussion qui a suivi la présente communication, M. Micha a fait savoir que Jouve avait en fait beaucoup travaillé ces neufs récits. Il s'agit de rêves de Jouve ou de patients de Blanche Jouve Reverchon. *Les Rois Russes,* entre autres, ont paru dans la Nouvelle Revue Française, XL, n° 234, 1er mars 1933.

(5) Information donnée par M. Micha à propos de Trimégiste : il s'agit d'une réincarnation du baron Hohenstein *(Hécate)* dont le modèle était un banquier viennois, mari du modèle de la baronne Fanny. Ce banquier était un admirateur du peintre Cranach dont un tableau maintenant au Musée de Dresde, représente un personnage en costume double, mi-noir mi-rose qui a inspiré le fantasme de Catherine concernant Trimégiste en « Hamlet moderne ».

(6) M. Micha a déclaré que ce prêtre fardé a existé dans la vie de Jouve qui l'avait vu dans le restaurant d'un hôtel.

VERT/S JOUVE : LE POEME COMME REMORDS DEDIE A L'OBJET

Voici l'agrandissement d'un « détail » de mon travail, qui s'était beaucoup accroché à la question : comment se fait-il que Jouve, après avoir laissé quelques romans bouleversants, à partir de *Matière Céleste* (1936) — mis à part les essais, les traductions — n'a plus écrit que des poèmes ? Que signifie pour lui, ce passage à la poésie, dit-il, au-delà de son cas propre, quelque chose qui réponde à la question que nul contemporain n'élude quand il choisit d'écrire encore dans ce genre décrié qu'on nomme poésie : qu'est-ce que la poésie ? — avec quelques sous-questions : par exemple, qu'en est-il du vers ? du lyrisme ?

Passage à la poésie : il est pour moi lié au rapport très particulier de Jouve à la mort, dans la logique de son développement. A l'invention de la figure d'Hélène — « la Morte » — et à la solution qu'à bien des égards elle pouvait constituer. L'évolution interne de l'œuvre de roman donne une première explication du changement de genre. Quelque chose se renverse quand l'héroïne féminine de « meurtrière » devient « victime », et *La Scène Capitale* est le dernier roman. Dans la vie, un « drame des années profondes » vérifie aussitôt, une Lisbé étant morte pour jouer Hélène. Ce n'est pas ce point que je développerai aujourd'hui, l'ayant déjà fait en d'autres lieux (1). Je parlerai d'une seconde explication du changement de genre, qui tient dans un rapport de mots, une chaîne signifiante : on verra pourquoi le meurtre fantasmatique qui a eu lieu ne peut être réparé qu'en poésie. Ronsard apparaîtra pour Jouve un intercesseur peut-être inattendu, à côté de l'inévitable Baudelaire.

Je partirai de quelques remarques autour de la couleur verte que tout, assez énigmatiquement, vient désigner comme une valeur (2) dans les poèmes de Jouve : les contextes où elle apparaît, et souvent, quand elle apparaît, d'insistants anagrammes, qui soulignent.

Ainsi, dans ce poème de *Matière Céleste,* où le vert, avant même d'être signifié, apparaît dans les sonorités :

> Le ci*e*l *e*st fo*r*mé d'amou*r*s
> De *r*estes inouïs de baisers dans les *e*spaces
> Qui t*r*anspa*r*aissent en faux a*r*gent sous les *ver-dures*
> Qui b*ai*sent le sol *r*oux *et* *r*ose de haut en bas
>
> J'*ai* des la*r*mes
> Plein mon s*e*xe d'homme *vers* le ci*el*
> Je t*r*emble de ces montagnes d'éth*er*
> De ces amou*r*s plus beaux et plus noi*r*s que la mo*r*t
>
> Fasse l'*é*té du ci*el*
> Que l'*ér*ection *ver*meille *ait* la lumiè*re*
> Que ma la*r*me obscu*r*e soit *r*écompensée

Lorsqu'enfin le vert apparaît, parce qu'une « couleur d'espoir est morte », le sentiment se renverse, et tout le poème bascule :

> Beaucoup d'angoisse emplit les proportions du cœur
> Aujourd'hui : et *la couleur d'espoir est morte*

Une hémo*rr*agie met en doute ma *v*ie
Je me meus entre des mu*r*s f*r*oids et géants
Seul. Qu'importent ce *v*it et le chant ;
*R*eti*r*é de l'admi*r*able abîme ? Hélène *est* mo*r*te.

Sépa*r*é comme je suis de moi et d'Hél*è*ne
Je sais à p*ei*ne que je *v*is *et* qu'elle *est* mo*r*te.

(3)

Si on étudie systématiquement les contextes, qui font apparaître le vert Jouve comme une valeur, voilà ce qu'on trouve : le vert apparaît comme une couleur qui est au carrefour de la vie et de la mort. Elle dit les passages et les retournements, de la vie dans la mort, de la mort dans la vie. Il est très frappant que le vert, contrairement à sa valeur allégorique la plus traditionnelle, soit dans le contexte de la mort dans un très grand nombre d'occurences. Je donne quelques exemples, là où il y en a cent : « le long du rivage ourlé vert de la mort », « verdures de mort » *(Matière Céleste)*, « verte beauté, serais-tu mort ? » *(Kyrie)*, « promesse de mort très verte » *(Ode)*, « sous l'amoureuse cuisse un fleuve vert des morts » *(Diadème)*. Pour comprendre, on fera un détour par la couleur de la décomposition, matières et chairs mortes. Un exemple, tiré de *Noces* « Vrai corps » :

Elle baise les pieds
Verdâtres, décomposés comme la rose

Mais parfois, le vert est du côté de la vie, proche de la valeur symbolique traditionnelle, comme couleur d'espoir. Ainsi, dans *Sueur de sang*, « les profonds espoirs magnétiques du vert », dans le poème « Calvaire » (quel vert !) Que cette valeur soit plutôt moins fréquente en occurences que l'opposée n'empêche en rien son importance. On va le voir avec un poème de

Matière Céleste, « Vie de la tombe d'Hélène », qui joue autour de toutes les valeurs du vert. Avant de le citer dans son entier, je noterai qu'il est curieusement proche d'un passage de Ronsard *(Dialogue : Le Passant et le Génie).* On verra ultérieurement les prolongements de ce rapprochement. Notez seulement pour l'instant que « génie » désigne un thème-clef chez Jouve, et fait le titre d'un recueil. Je cite Ronsard :

Mais si Ronsard voulait sur sa Marie épendre
Des fleurs pour l'arroser, soudain l'humide cendre
Une fleur du sépulcre enfanterait au jour

A la cendre on connaît combien vive était forte
La beauté de ce corps, quand mêmes étant morte
Elle enflamme la terre, et sa tombe d'amour.

Les trois derniers vers pourraient être de Jouve, s'ils n'étaient de Ronsard, et figurer tels quels dans *Matière Céleste.* Si je lis « Vie de la tombe d'Hélène », on verra aisément quelle est l'idée commune aux deux poèmes :

Des glaïeuls (su*r* *e*lle la plus belle) se balancent
Il fait beau sur sa pie*rre* à mourir de ciel bleu
C'*est* le *re*splendissant automne sans alarme
Le c*r*i du marbre veiné
Où *e*lle noire *est* robuste ent*err*ée
Ense*v*elie nue sous le poids de mes songes

Les monts b*r*illants sont des *ré*ceptacles de la*r*mes
On est ici bien loin de l'âge de f*er*
Su*r* eux tu do*r*s en soupi*r*ant des feuilles
Décomposant
L'*air* f*r*ais du soir et tous ses spectacles du nord
Avec une aff*r*euse hal*e*ine de te*rr*eau *vert*.

Les la*r*mes b*r*illent, ô ma pi*erre*
Les la*r*mes coulent, ô mon sang

Les la*r*mes sont la *r*osée de ce théât*r*e
Et la *verdure* *v*eut *re*ssusciter ton pied des mon-
tagnes
Et nous atti*r*e
Vers le bloc adouci de t*erre* de ton cœu*r*.

(4)

Vie de la tombe d'Hélène : le vert est d'abord celui de la végétation, comme vie sortie de la mort. Mais qu'est-ce que ça dit ? Hélène morte engendre des fleurs de son corps. Ou peut-être, à partir des sonorités de son nom, des poèmes. Le corps grandi se retrouve dans la nature. Il s'identifie au pays, pays d'Hélène tout rayonnant de matière céleste — métaphore de la langue, investie comme céleste matière du corps mort. Son rôle à lui, poète, est d'apporter des larmes, rosée du théâtre. Larmes d'un deuil qui vivifie, car plutôt que regret, il est mémoire et désir : « deuil mémoire herbe verte » (« Sur Hélène, *Kyrie*). Ces larmes expriment le mouvement de nostalgie désirante d'où naît le poème qui recrée Hélène, dans la matière céleste recomposée.

Le poème opère la métamorphose du vert, de décomposition (« décomposant l'air frais du soir... ») en germination, en résurrection (« la verdure veut ressusciter ton pied des montagnes »). Métamorphose d'une « affreuse Hélène de terreau vert », identique à la terre pourrissante, en glorieux corps de langue. Lire l'effet de son nom comme matrice des poèmes chaînes signifiantes appendues à son nom, chaînes connexes d' « elle » ou de « céleste ». « La verdure » ? Je suis tentée de lire, le vert dure, le vers dure. La suite justifiera.

Poursuivre le rapprochement avec Ronsard, qui pour l'instant reste étrange. Dans « Vie de la tombe d'Hélène », Jouve joue à rapprocher les mots « Hélène » et « haleine », dans d'autres textes aussi. On trouve déjà ce jeu chez Ronsard, dans les *Sonnets pour Hélène,* plusieurs fois : par exemple « douce Hélène », « douce haleine ». On sait qu'en l'Hélène de Jouve, ce qui fait problème, c'est le nom, ce nom ne correspondant pour lui à aucun nom de femme réelle, biographique. Est-ce le moment de noter qu'en « Hélène de Sannis » se retrouvent les initiales d' « Hélène de Surgères » (de même, si on en est au problème des sources, que celles de la Mrs H.S. des stances « To Helen » d'Edgar Poë, dont Jouve connaissait bien la traduction par Mallarmé. Mais ici je m'écarte de mon propos).

Je voudrais montrer que c'est à Ronsard que Jouve emprunte la valeur de son vert (de son vers ?) On est ici assez loin d'un problème de source, d'in-fluence. Il y a intersection dans le symbolique, partage d'une chaîne signifiante. Si l' « influence » peut fonctionner, c'est pour cela. Il faut, pour mieux lire Jouve, s'attarder sur Ronsard.

Chez Ronsard, dès le premier livre des *Amours,* la couleur verte est très nettement soulignée comme une valeur. Les mots en /ver/ sont souvent à la rime, ils s'appellent les uns les autres, et suscitent, à l'intérieur du vers, des reprises sonores. Le vert toutefois est nettement du côté de la vie. Il appelle des mots comme « vie », « vif », « vigueur ». Printemps de la nature et de l'âge, la « verdeur » (« gaillarde et gentille verdeur) est synonyme de jeunesse. Jouvence, comme vie toujours renouvelée. Il faut relire le « Sonnet à Sinope » *(Sinople* en héraldique : la couleur couleur verte). De ce texte, que vous avez sans doute tous en mémoire, je ne cite que le début :

L'an se rajeunissait en sa verte jouvence
Quand je m'épris de vous, ma Sinope cruelle

Seize ans était la fleur de votre âge nouvelle
Et votre teint sentait encore son enfance.

(5)

Dans la suite de ce sonnet, le mot « immortelle » apparaît, et les rimes des tercets sont en « vi ». C'est certainement l'amour de la joucence qu'il faut chercher, derrière celui des jouvencelles, qui semble une constante chez Ronsard. « Quand tu as reverdi mon écorce ridée »... C'est lui-même que le grison veut rajeunir.

Faut-il que cette hantise de la jouvence étonne, chez un poète par ailleurs si marqué par la mort ? Ailleurs, on a l'opposition de l'arbre et du marbre. Sur son tombeau, en place d'un marbre, il veut un arbre, « qui soit couvert/toujours de vert ») (« De l'élection de son sépulcre »). Opposition qui est peut-être issue du nom propre, Pierre de Ronsard. « Pierre » évoque la dalle du tombeau, où se grave l'éternel. Le patronyme, lui, suggère quelque chose de coriace et de végétal. Que Jouve rencontre encore ici Ronsard pourrait d'abord sembler plus étonnant que tout. Mais c'est là peut-être qu'on saisit pourquoi, l'intersection signifiante. Dans un article que je ne veux pas résumer ici (6), j'avais étudié « les incidences du nom propre dans le texte de Jouve », ce qui travaillait les textes, à partir des diverses parties du nom propre. Je simplifie beaucoup, mais il apparaissait nettement que Pierre était le prénom dominant, divergeant d'avec le patronyme, Jouve comme jouvence (voir *Noces)*, alors que le second prénom, par son rapport avec le thème Don Juan, embraye sur Giovanni-jeunesse. Il y a donc chez lui aussi une vie jeune et verte qui ne veut pas se figer dans la pierre. Je n'oublie pas que je parle ici devant des spécialistes de Reverdy. Depuis longtemps je brûle de les interroger. Y a-t-il chez Reverdy une pierre qui reverdit ? Chez Jouve et chez Ronsard, oui.

Je termine avec Ronsard. On l'a compris, derrière la jouvence comme vie qui toujours se renouvelle, le vert, c'est l'immortalité. On comprend mieux la hantise des feuillages persistants, myrthe, laurier, lierre. La hantise d'une fleur qui ne fanerait pas, d'une fleur incorruptible. Elle est l'immortelle — la Sempervive — même quand elle se nomme marguerite :

Divine fleur où mon espoir demeure
La manne tombe et retombe à toute heure
Dessus ton front en tous temps nouvelet.

(7)

Cette fleur, allégorique, est l'emblème de la poésie. Je me donnerai le plaisir de lire entièrement le célèbre « Sonnet de la Sempervive », où éclate tout ce que j'énoncerais :

Afin qu'à tout jamais de siècle en siècle vive
La parfaite amitié que Ronsard vous portait,
Comme votre beauté la raison lui ôtait,
Comme vous enlacez la liberté captive :

Afin que d'âge en âge à nos neveux arrive,
Que toute dans mon sang votre figure était,
Et que rien sinon vous mon cœur ne souhaitait,
Je vous fais un présent de cette Sempervive.

Elle vit longuement en sa jeune verdeur.
Longtemps après ma mort je vous ferai revivre,
Tant peut le docte soin d'un gentil serviteur,
Qui veut, en vous servant, toutes vertus ensuivre,
Vous vivrez (croyez-moi) comme Laure en grandeur,
Au moins tant que vivront les plumes et le livre.

(8)

La fleur d'immortalité offerte à l'aimée n'est autre que le poème lui-même. On peut à présent souligner la parfaite homonymie du *vert* (couleur) et du *vers* (poétique). Celui-ci est immortalisant, il immortalise l'objet du poème lyrique :

Si vive encore Laure par l'Univers
Ne fuit volant dessus les Tusques vers
Que notre siècle heureusement estime.
(9)

Chez Ronsard lui-même, il y a des choses plus sombres, en contre-point. Bien voir qu'il y a une autre fleur, que l'immortelle incorruptible corrige et renverse. En effet, la chair aimée est comparée aux fleurs, elle est rose. Ronsard a l'art, comme plus tard Baudelaire, de retourner parfois le compliment, la galanterie, en vacherie sadique. On sait qu'il ne se gêne guère pour dire à Hélène ou Marie la rose bientôt flétrie, c'est-à-dire la chair attaquée par la vieillesse, la mort. Que de violence au fond de l'argument : dépêchez-vous de m'aimer, car vous allez vieillir, car vous allez mourir. Et de représenter à Hélène « sa chair toute moisie » (10). Que d'orgueil dément et de négation de l'objet, quand il proclame : vous ne vivrez plus qu'en mes vers, déjà vous ne vivez plus qu'en mes vers. On est à la fois tout près, et très loin de Maurice Scève. Chez lui, plus près de la tradition courtoise, le rapport à l'objet est autre, plus masochique que sadique en tout cas. Chez lui, c'est l'objet aimé qui corrige la mortalité du poète-amant, qui se prosterne jusqu'à remettre le pouvoir de poésie entre ses mains :

Mais toi, qui as (toi seule) le possible
De donner heur à ma fatalité
Tu me seras la myrrhe incorruptible
Contre les vers de ma mortalité. (11)

Dans ce dizain de la *Délie*, apparaît le chaînon manquant de la chaîne signifiante qui plus tard marquera Jouve. Le *vers* poétique n'immortalise que de renverser l'œuvre des *vers*. C'est la poésie amoureuse du seizième siècle ,marquée par un vif sentiment de la mort, qui en pose l'équation. Les anagrammes autour de / ver / se rencontrent également chez Scève, mais d'une façon moins insistante et systématique que chez Ronsard, qui me semble bien le médium par lequel tout ceci atteignit Jouve. Chez Ronsard et Jouve, le *ver* est d'autant plus tacite et tu que le rapport à la mort est plus cru, jusqu'à l'érotique. C'est comme si, plus le lyrique était coupable de sadisme envers l'objet, moins il osait inscrire ce *ver* dirigé contre lui. Pour l'oser, il faudra Baudelaire, avec son « frénétisme » provocateur :

Oui, telle vous serez, ô la reine des grâces,
Après les derniers sacrements,
Quand vous irez, sous l'herbe et les floraisons grasses,
Moisir parmi les ossements,

Alors, ô ma beauté, dites à la vermine
Qui vous mangera de baisers
Que j'ai gardé la forme et l'essence divine
De mes amours décomposés !

On a reconnu la fin d' « Une Charogne ». On ajoutera l'étonnante pièce XXIV des *Fleurs* (« Je t'adore à l'égal de la voûte nocturne ») et « Remords posthume », qui développe le thème connu du remords trop tardif de la belle, dans une ambiance archaïsante très seizième siècle, avec le thème scévien-ronsardien du tombeau : « Lorsque tu dormiras, ma belle ténébreuse/ Au fond d'un monument construit en marbre noir/ (...) Et le ver rongera ta peau comme un remords ». A opposer à l'autre thème ronsardisant, qui apparaît dans un poème comme « Je te donne ces vers afin que si mon nom ».

Il y a un Baudelaire ronsardisant, et c'est aussi à travers lui que Ronsard atteint Jouve, avec la chaîne ver/vert/vers. Me reprochera-t-on ce nouveau saut de puce, dans la tradition ? Comme toute grande poésie, la poésie de Jouve dialogue avec celles qui l'ont précédée, sans trop se soucier d'histoire littéraire, ou plutôt en dessinant son histoire littéraire personnelle, en suivant le fil d'affinités secrètes. Ici je voudrais m'interrompre un moment, pour faire quelques remarques sur la question de l'objet du poème lyrique, que m'inspirent les derniers textes cités. Question que les textes de Jouve posent et approfondissent d'une façon évidente et forte, car Hélène, assez idéalement, est cet objet.

Les troubadours furent les premiers à faire de la poésie une réotolgie, rendant patent que tout le problème du lyrisme — dont il me semble bien superficiel de faire, comme on le fait généralement, une poésie de la fonction émotive, une poésie de l'expression du sujet (12) — tient dans la question de l'objet, qui est au sens fort du terme un objet amoureux, tout en étant évidemment autre chose. Comme le marque, peut-être, l'écart entre ces deux phrases de Char : « le poème est toujours marié à quelqu'un » et « le poème est l'amour réalisé du désir demeuré désir ». L'objet du poème lyrique : il faut qu'il soit, pour que le désir d'écrire reste désir, mais quelque part sa place oscille entre « rien » et « tout » : « tout » d'évoquer le toujours perdu, « rien » de ne s'y égaler. Objet réel ou irréel, de toutes façons transparent : déjà, ce n'est plus « Toi » que j'aime, mais cet amour, ce désir de « Toi » impossible qui perdure comme chant, l'amour ce n'est plus « Toi » déjà mais la poésie. Cela, presque tous les lyriques le savent, avec bonne ou mauvaise conscience. Ecoutons seulement ce qu'en dit Jouve : « Héllène, la personne aimée par moi inventée et vraiment fausse » *(Moires)*. « L'objet n'est rien mais le désir est tout, pas même le désir mais la phrase du désir » *(Proses)*. Cela, presque tous les lyriques le savent, balançant entre cynisme et culpabilité. Aussi la cruauté et l'idéalisation forcenée de l'objet sont-elles les deux faces de la même médaille. Chez Baudelaire, les poèmes d'amour les plus sadiques coexistent avec d'autres, qui déifient l'objet dans la plus pure tradition néo-pétrarquiste néo-platoniste. Qu'est-ce qui s'éclaircit quand la « dame » du « trobar » devient une morte ?

Serait-ce le lyrique lui-même, amoureux d'impossible, qui a tué l'objet, pour que vive « la phrase du désir ? » — le lyrisme comme chant de la perte, où la femme, toujours plus pâle, bientôt n'est plus rien que ce « cygne au chant de pure absence » (13), signe de la perte qu'elle est. Plus rien que le nom, évidemment faux, mis sur le manque, qui entraîne le désir dans la métonymie qui est son chant sans fin. Le lyrisme comme travail d'un deuil aussi ancien que le désir : si le perdu a toujours été perdu, ce qui est perdu est tout, ou rien.

S'il n'est mélancolique, tout lyrisme est peut-être sadique et nécrophile. Jouve, qui a le courage de la dire, avec sa Morte érigée en objet amoureux du poème, est toutefois moins violent avec l'objet que Baudelaire ou Ronsard : en poésie, il se contente d'être nécrophile, parce que le sadisme est derrière lui, une Lisbé étant morte de l'invention de la dernière fiction romanesque. Redonnant toutefois une singulière dignité à l'objet : Hélène si peu réelle existerait-elle pendant trente ans d'œuvre comme dédicataire-suscitante du poème, sésame-ouvre-toi de l'inspiration, sans le « drame des années profondes », le meurtre fantasmatique à réparer ? Il faudra en tenir compte pour expliquer le passage à la poésie, que fonde la valeur immortalisante du vers.

J'en reviens à présent à serrer de plus près ce qui était l'objet de cette communication. Il me reste à montrer, avec des textes, que la chaîne signifiante héritée de, ou partagée avec quelques poètes de la tradition fonctionne effectivement chez Jouve, et dans quels mots. Dans l'ensemble de l'œuvre de poésie, les mots en /ver/, quand ils apparaissent, s'attirent les uns les autres, au milieu d'anagrammes qui soulignent encore ces phonèmes. La chaîne signifiante propre à Jouve comprendrait : la couleur *verte,* située comme on l'a vu entre vie et mort, le *vers* du poète, le mot *pervers* et quelques mots sémantiquement moins marqués comme la préposition *vers.* Tout ces termes ne se tiennent ensemble que d'un autre, qui apparaît presque toujours manquant : le *ver* qui se nourrit des chairs mortes. Le poète nécrophile s'y identifie ou y identifie son sexe. Ce *ver,* Jouve le censure, il n'ose l'inscrire directement. Son texte toutefois l'inscrit malgré lui, dans certaines insistances. Un rapport sonore fait apparaître une motivation profonde du choix de la poésie comme genre : seul le *vers* poétique, conçu comme immortalisant, peut réparer le tort que son homonyme a fait à la morte.

Pour les textes à l'appui, j'ai choisi à dessein des exemples dans des recueils éloignés les uns des autres : une chaîne qui s'établit sur l'ensemble d'une œuvre a des chances d'être fondamentale. Aux deux poèmes de *Matière Céleste* cités au début de ce travail, on adjoindra « Beauté » de *Ténèbre* (14) :

Que Dieu m'accorde encore le secret de beaux *vers*

Qui soient le pain le *v*in contre le diable t*r*iste
O belle, sou*v*iens-toi, la mo*r*te, *rev*iens *vers*
Ton pau*vr*e messager gué*r*i de sa misè*re*

Avec les reprises anagrammatiques habituelles, on soulignera surtout l'étrange coupe, qui met en valeur la préposition *vers,* apparemment innocente : dans un contexte qui fait du vers poétique, s'il fait revenir la morte, le rachat de toute misère, et du péché (« le diable triste »). La même coupe après la préposition *vers,* au milieu des anagrammes (ex. : « le *v*ent *erre* »), se trouve aussi dans un poème de *Génie,* « Chemin des Artistes », où il est question du corps d'Hélène. Bien des mots de la chaîne y apparaissent, le *vert,* l'*univers, traverse,* et l' /er/ dans l'*herbe* ou *perdue.*

Un poème de *Moires* est encore plus intéressant, qui lie la composition du poème versifié à la plus intime culpabilité :

O compte su*r* tes doigts les syllables des *vers*
Const*r*uis l'o*r*chest*r*e, entends les plus te*rr*ibles cui*vr*es
De l'accusation
Il te conduit à la libe*r*té d'un mieux *vivr*e

Le mot *pervers* importe, qui en dit long d'un degré de conscience : *pervers* ici rime avec *vers.* Un autre poème, dans *Diadème,* crée un couple *vert/pervers* dans le contexte de la mort. Mais la suite du poème est encore plus intéressante. Jouve enchaîne en citant quelques mots d'un des poèmes ronsardiens de Baudelaire, celui où il promet l'immortalité à la femme aimée (*Fleurs du Mal* XXXIX : « Je te donne ces vers afin que si mon nom ») :

Et je donne ces *vers* comme dit le poète
Aux pau*vr*es bien-aimées qui t*r*a*ver*sent la me*r*
(15)

Par le jeu de cette référence, qui est double — par-delà Baudelaire, c'est bien la topique ronsardienne qui est visée — le vers poétique, garant d'immortalité, peut réparer le tort, on sait lequel, fait à la « pauvre bien-aimée ». Un poème de *Mélodrame* dit encore, non sans insistance, « le noble vers dit le poète éternisera », « le noble vers vivra » (16). Mais pourquoi « noble vers », sinon pour opposer au ver ignoble, l'œuvre de vie renversant l'œuvre de mort ?

A présent, si on relit les deux poèmes de *Matière Céleste* que j'ai cité au début de cette communication pour la valeur de la couleur verte, et qui d'ailleurs se suivent dans le recueil, on verra qu'il s'opposent comme vert-vers-mort et vert-vers-vie : comme *ver* et *vers*.

« Le ciel est formé d'amours » : une tentative de sublimation échoue, le fantasme nécrophile, trop proche, réveille les angoisses les plus archaïques, écrire n'est plus possible. Un sexe d'homme-dieu vers le ciel, sexe-vers, redevient sexe-ver. « Vie de la tombe d'Hélène » : une possibilité s'ouvre de jouir encore d'elle tout en la faisant revivre. Dans le vers, qui fait de la vie avec sa mort, germination du nom de la Morte. La réparer, c'est la restaurer comme objet symbolique, symbolisant-symbolisé.

Chez Jouve, c'est donc peut-être la couleur verte, dans sa valeur contradictoire, qui opère ce passage du *ver* au *vers*. Couleur de la corruption, à la différence de ce qu'elle connote chez Ronsard. Le corrompu comme vie-dans-la-mort, mais pour être clair, ceci nécessiterait d'autres développements.

Quelques mots pour conclure. Je relie, assez longtemps, après ma première découverte de tout ceci, les admirables, les folles traductions des *sonnets* shakespeariens. On retrouve le thème de la beauté fugace soumise au temps dévorant, puisque ce thème est un topos de la poésie amoureuse de l'époque, ce qui ne l'empêche pas d'être vécu comme thème par des poètes singuliers. En anglais, il n'y a aucun rapport sonore entre le « worm » et ce que Shakespeare nomme « verse » ou « black line ». Jouve traduisant fait comme s'il (s')écrivait : il inscrit ses signifiants. La même chaîne en/ver/, avec ses mots, ne cesse d'insister, parfois même dans des textes où le thème-topos défini plus haut n'apparaît pas. Qu'on aille y voir, si on ne me croit pas. Entre autres exemples frappants, voir les versions françaises des sonnets 54, 60, 74, 81. On pourrait terminer en lisant deux de ces sonnets :

« Combien plus belle doit-elle paraître la beauté, par le doux ornement que donne la vérité ! La rose semble belle, plus belle nous la faisons, par cette suave odeur qui vit en elle.

L'Eglantine sauvage a teinte aussi profonde que la teinture de rose parfumée, pend à la même épine et joue aussi lascive, quand le souffle d'été ouvre son cœur masqué :

Mais en tant que vertu elle n'a que sa vue, et vit non désirée, et flétrit sans honneur ; à soi-même elle meurt. Roses ne font ainsi, les doux parfums sont faits avec leurs douces morts.

Ainsi de vous, jeunesse admirable à aimer ! Elle partie, mes vers diront vos vérités » (S. 54).

« Ou je vivrai pour faire votre épitaphe, ou vous survivrez, moi en terre et pourri. Et, ici-bas, la mort n'aura votre mémoire, quand en moi toute part tombera à l'oubli.

D'ici-bas votre nom aura gloire immortelle, moi une fois parti, mourrai au monde entier : la terre ne me donnera que tombe ordinaire, quand vous serez pour les yeux des hommes enseveli.

Et votre monument sera mon noble vers, que des yeux non encore créés reliront : les langues du futur répèteront votre être, quand seront morts tous les respirants de ce temps.

Et vous vivrez, — telle est la vertu de ma plume, — où le souffle est le plus souffle, — à la bouche des hommes » (S. 81).

Martine BRODA.

NOTES

(1) En particulier dans « Trajet du roman Jouvien », à paraître dans le n° 1 des *Cahiers Jouve* chez Minard.

(2) J'emploie ce mot au sens que lui donne Henri Meschonnic dans *Pour la poétique,* Gallimard, 1970.

(3) *Poésie I-IV,* p. 221.

(4) *Poésie I-IV,* p. 222.

(5) Pièce retranchée du second livre des *Amours.*

(6) Pierre Jean Jouve, Un poète et son nom, Action Poétique n° 72, 1977.

(7) *Amours* I, 107.

(8) *Sonnets pour Hélène,* II, 2.

(9) *Amours* I, 72.

(10) *Sonnets pour Hélène,* II, 26.

(11) *Délie,* CCCLXXVII.

(12) Une telle définition est utile à ceux qui, voulant en finir avec une certaine idée de la poésie, font porter tout l'impact de la critique sur le lyrisme, au nom de la crise ouverte dans la question du sujet.

(13) *Poésie IX-X,* p. 60.

(14) *Poésie IX-X,* p. 204.

(15) *Poésie I-IX,* p. 185.

(16) *Poésie I-IX,* p. 40.

Pierre REVERDY

MICHEL DECAUDIN

REVERDY ET LE POEME EN PROSE

Pourquoi le poème en prose ? Que signifie, pour un poète, le choix de ce mode d'expression, exclusivement de tout autre, ou parallèlement aux formes multiples du vers, et, dans ce second cas, quelle relation s'établit entre ces deux types d'écriture ? On voit assez bien, par exemple, ce qu'a voulu faire Baudelaire, le créateur du petit poème en prose moderne, lorsque, selon les termes de sa préface-envoi à Arsène Houssaye, il a cherché pour décrire « la vie moderne », la formule — « le miracle » — « d'une prose poétique, musicale, sans rythme et sans rime, assez souple et assez heurtée pour s'adapter aux mouvements lyriques de l'âme, aux ondulations de la rêverie, aux soubresauts de la conscience ». Autant dire l'établissement d'une voie nouvelle entre la prose du réalisme romanesque et son exigence de précision dans la peinture du réel, d'une part, et de l'autre la prosodie parnassienne au service de l'évasion (historique, géographique ou esthétique). S'il y a une poésie du monde contemporain, si la modernité telle que l'a représentée Baudelaire à propos de la peinture de Constantin Guys a un sens, cette réconciliation de la rue et du rêve, du quotidien et de l'idéal peut-elle se dire ailleurs que sur les confins où prose et poésie se rejoignent ? On est tenté de reprendre un mot de Proust et de suggérer que pour Baudelaire le petit poème en prose est une qualité du regard, de ce regard qu'il a porté sur la Ville. Différent est l'itinéraire qui mène Rimbaud des à la manière de Hugo et de Leconte de Lisle que sont ses premiers vers à la prose des *Illuminations*. C'est à une libération de l'énergie poétique qu'on assiste, jusqu'à l'explosion où disparaît entièrement la forme traditionnelle, après que l'originalité s'est affirmée dans le code prosodique en vigueur (« Le Bateau ivre »), puis dans la liberté des « Vers nouveaux », enfin dans les mutations qui, au cœur même des *Illuminations*, conduisent du vers libre, ou du moins de la discontinuité de « Marine » et de « Mouvement » à des structures en versets d'où jaillira la pure prose. Autre exemple, celui d'Eluard dans *Capitale de la douleur*. Tout se passe comme si le poète s'y trouvait partagé entre une destructuration du vers, qui perd tous ses caractères référentiels pour n'être plus qu'un support de l'image ou de l'énonciation, et une structuration, — plutôt des amorces de structuration — prosodique du poème en prose selon des cadences d'alexandrin, de déca ou d'octosyllabe, avec, parfois, la présence de rimes ou d'assonances. Je me garderai d'aborder ici une explication de cette procédure. Je me contente de constater que dans ce cas, comme dans celui de Rimbaud ou de Baudelaire, sans prétendre mettre en pleine lumière toutes les raisons qui les ont menés au poème en prose, nous décelons en tout cas des fils conducteurs — par ailleurs très divers — de l'un à l'autre.

Rien de tel chez Reverdy. Ses écrits ne nous aident pas. Il n'a pratiquement pas parlé du poème en prose. Il y a, certes, les lignes souvent citées de la « Chronique mensuelle » dans *Nord-Sud* du 15 mai 1917 où, plus qu'à Baudelaire, il attribue à « ce génie bizarre et incomplet » que fut Rimbaud l'honneur « d'avoir créé et encore plus *pressenti* un métier nouveau, une structure littéraire neuve qu'il n'a pas poussée plus loin que l'œuvre *inachevée* que tout le monde connaît ». Et il ajoute :

Tout le monde aussi voudrait être aujourd'hui l'inventeur du poème en prose et de l'esthétique qui en constitue la plus grande valeur. Il est un peu tard. Rimbaud est mort depuis longtemps mais son œuvre reste. Il n'est défendu à personne d'y puiser un enseignement. Cela n'autorise, cependant pas à se parer de plumes qui ont poussé sur le dos d'un autre.

Le propos est évidemment polémique. Reverdy, sans le nommer, dit son fait à Max Jacob qui, dans sa préface au *Cornet à dés*, venait de définir le poème en prose comme un joyau, alors que « Rimbaud ne conduit qu'au désordre et à l'exaspération » :

Le poème est un objet construit et non la devanture d'un bijoutier. Rimbaud, c'est la devanture du bijoutier, ce n'est pas le bijou : le poème en prose est un bijou.

Laissons cet aspect anecdotique pour remarquer que, contrairement à l'idée commune qui fait remonter le genre à Baudelaire, Reverdy attribue à Rimbaud la véritable invention du poème en prose et de ses possibilités. Mais, cela dit, que nous apprend-il ? Cette structure nouvelle, ce métier nouveau, que sont-ils ? Reverdy est silencieux sur ces points, comme il l'est presque constamment lorsqu'apparaissent des questions de technique et d'écriture. Qu'est-ce que la poésie pour lui ? Il écrit par exemple à la fin de « Cette émotion appelée poésie » :

Ce passage de l'émotion brute, confusément sensible ou morale, au plan esthétique où, sans rien perdre de sa valeur humaine, s'élevant à l'échelle, elle s'allège de son poids de terre et de chair, s'épure et se libère de telle sorte qu'elle devient, de souffrance pe-

sante du cœur, jouissance ineffable de l'esprit, c'est ça la poésie.

Sans doute, « c'est ça » ; mais si nous voulons savoir « comment c'est » ou « comment ça marche », la réponse de Reverdy est simple : la forme va de soi, elle procède naturellement de la matière, de la façon dont elle est pétrie. *Le Gant de crin :*

> *Le poète doit chercher partout et en lui-même la vraie substance poétique et c'est cette substance qui lui impose la seule forme qui lui soit nécessaire.*

Circonstances de la poésie :

> *En art, pas plus d'ailleurs que dans la nature, la forme ne saurait être un but. On ne part pas à la recherche d'une forme préconçue, on la trouve, on y aboutit par surprise. C'est une conséquence, un résultat certainement nécessaire d'une activité uniquement déployée pour aboutir à l'être. Telle matière pétrie de certaine façon se concrète en telle forme ; pétrie de telle autre façon, elle s'érige en une autre. Ce qui compte donc, c'est la matière pétrie et la façon dont elle l'est. La forme va de soi. Elle est l'état de la matière dans lequel celle-ci devient intelligible et sensible à l'esprit.*

Et, s'il lui arrive de se référer à une forme précise, la « forme sonnet », par exemple, chez Baudelaire, son langage est le même, plus net encore parce qu'appliqué à un cas déterminé :

> *Ce n'est pas la forme sonnet, par exemple, qui rend certains des poèmes de Baudelaire beaux et particulièrement pathétiques, ni admirable le tour de force sonnet, qu'il tire par-*

fois par les cheveux, mais la sève de pensée se concrète en telle forme ; pétrie de telle autre façon de pensée et de sentiment dont chacun de ses vers est gonflé à craquer comme une veine, et l'on peut imaginer ce que cette sève aurait pu gagner à circuler plus librement, à n'être point corsetée dans cette forme ridicule et mutilante du sonnet. Mais j'ajoute tout de suite qu'il n'y a là rien à dire. Il y avait en Baudelaire quelque chose qui devait aboutir au sonnet, et toute autre hypothèse est vaine. C'était un aspect de sa forme. Mais il n'en vient pas en soi chose de première importance, car, quand on pense à lui, à présent, ce n'est plus d'elle qu'il est question, mais de pensée ferme et puissante, d'images d'une admirable ampleur, de lucidité. Le vrai, l'unique tour de force est dans cette communion de la pensée et du sentiment qu'il a su réaliser en préservant sans défaillance l'expression poétique.

Inutile de multiplier les citations. Reverdy n'a jamais dit autre chose. Si la poésie « n'est pas affaire de sensation, mais d'expression », l'expression, elle « va de soi », elle est la forme nécessaire donnée à la pensée ou au sentiment.

Donc, point de système du poème en prose, pas plus d'ailleurs que de tout autre mode poétique, vers libre, verset, etc. Mais l'usage qu'en fait Reverdy nous permettra-t-il au moins de dégager une structure et une fonction du poème en prose qui lui soient propres ?

Ce qui frappe, dès les *Poèmes en prose* de 1915, c'est l'extrême concision du texte, une densité que souligne la typographie. Un exemple privilégié est donné par « Plus loin que là » :

A la petite fenêtre, sous les tuiles, regarde.
Et les lignes de mes yeux et les lignes des siens

se croisent. J'aurai l'avantage de la hauteur, se dit-elle. Mais en face on pousse les volets et l'attention gênante se fixe. J'ai l'avantage des boutiques à regarder. Mais enfin il faudrait monter ou il vaut mieux descendre et, bras dessus bras dessous, allons ailleurs où plus personne ne regarde.

Pas d'alinéas, un espace clos sur lui-même, dans le blanc de la page, qui enferme des regards échangés, des mouvements alternés, jusqu'à l'évocation du « plus loin que là » qu'est cet « ailleurs où plus personne ne regarde », l'en-dehors du texte écrit : nous ne sommes pas loin de la « forme-sens » telle que la définit Meschonnic. Une telle procédure peut être suivie dans toute l'œuvre, si elle n'atteint pas toujours à la plénitude d'*Etoiles peintes* (1921).

Dans *La Lucarne ovale*, en 1916, alternant avec des vers libres et des proses le plus souvent aérées du point de vue typographique (composant des pièces relativement longues et titrées), apparaissent des textes en prose dont la brièveté tend à l'inscription dans la page d'une phrase unique :

Quand la lampe n'est pas encore éteinte, quand le feu commence à pâlir et que le soleil se cache, il y a quand même dans la rue des gens qui passent.

Ce qui, à la limite, donnera :

L'hiver m'a chassé
dans les rues

ou :

Un rayon de soleil
perce le toit.

On s'éloigne sans doute ici du poème en prose proprement dit. Mais on ne s'en écarte pas. Concrétion de matière typographique dans le vide de la page, accession de l'imaginaire à la réalité verbale, ce premier type de poème en prose, auquel Reverdy restera fidèle, notamment dans *Etoiles peintes* (1921), a une valeur emblématique qui n'est pas sans le rapprocher, *mutatis mutandis,* de la notion de « poème-affiche » développée à la même époque par Pierre Albert-Birot.

Je rattache à cette tendance les « Carrés » de *Quelques poèmes,* organisés comme les figures de la marelle dans une discontinuité qui invite l'œil à sauter de case en case, à prendre pas à pas possession de l'espace — non d'ailleurs sans une pointe d'humour qui constamment suggère un ailleurs irréel.

Mais, simultanément, dans certains poèmes ce tissu compact se distend, le texte, sans rien perdre de sa densité, s'étend, par le recours à l'alinéa ou aux blancs. Ainsi, dans le premier recueil, « Toujours seul », qui, dans une lecture à haute voix apparaîtra d'une seule coulée, comme « Plus loin que là » (auquel il succède), et qui se divise en trois paragraphes :

> *La fumée vient-elle de leurs cheminées ou de vos pipes ? J'ai préféré le coin le plus aigu de cette chambre pour être seul ; et la fenêtre d'en face s'est ouverte. Viendra-t-elle ?*
>
> *Dans la rue où nos bras jettent un pont, personne n'a levé les yeux, et les maisons s'inclinent.*
>
> *Quand les toits se touchent on n'ose plus parler. On a peur de tous les cris, les cheminées s'éteignent. Il fait si noir.*

Les deux poèmes ne sont pas sans analogie : de part et d'autre, c'est la solitude et l'au-delà de la fenêtre avec la communication possible — une même écriture aussi, mais qui prend différemment sa mesure.

Allons plus loin dans la segmentation du poème en prose. « Encore marcher », de *La Lucarne ovale,* se présente en cinq paragraphes (strophes ?) composés chacun de plusieurs phrases. Tout se passe comme si nous glissions insensiblement à une forme analogue au long verset de Milosz ou Saint-John Perse (plutôt qu'à celui de Claudel). Le poème en prose qui nous a saisis par sa densité semble s'approprier des procédés nouveaux, qui relèvent d'une autre structure. Il s'éclaire typographiquement et s'allonge, cela surtout à partir de 1919. On en vient à un statut ambigu tel que celui de *Flaques de verre,* un recueil qui pourtant, nous dit M. Saillet dans son édition, ne rassemble que des poèmes en prose, parallèlement aux poèmes en vers de *Sources du vent.* Il arrive en effet que les pièces de ce volume aient l'allure de vers libres (« La Voie dans la ville »), de versets (« L'Ame ardente ») ou incorporent des cadences de vers canoniques. « Recueil de temps » est soutenu par la mesure de l'alexandrin, sauf dans sa partie centrale qui, curieusement, affecte la disposition des vers libres. Autant dire que la forme du poème en prose, dans ce cas, il est vrai, limite, n'est plus qu'un lieu de rencontre, voire un trompe-l'œil. Ailleurs, dans « Chute », c'est un amalgame qui s'établit entre, au début et à la fin, une structure de poème en prose (s'achevant par un alexandrin) et, dans la partie centrale, une séquence de vers libres, sans ponctuation ni capitale à l'initiale, sauf à un évident changement de phrase ; de plus, la dernière partie, de prose, s'enchaîne syntaxiquement sur la fin des vers libres.

Un dernier élément doit encore intervenir. C'est ce que, faute d'une définition plus précise, j'appellerai l'écriture poétique de 1915-1919. Elle est caractérisée par l'utilisation systématique des blancs typographiques, non seulement entre les vers ou les groupes de vers, mais entre les mots et à l'initiale des vers, selon la disposition dite en créneau, ainsi que par le recours à des corps différents dans la composition d'un même texte. Nous sommes à mi-chemin entre une prose éclatée, comme vaporisée, et un vers manipulé, déroulé en quelque sorte. Reverdy ne s'intéresse pas aux variations de corps ; en revanche, il se sert abondamment des blancs et des créneaux, qui brisent le discours. « La syntaxe, écrit-il dans *Nord-Sud* d'avril 1918, est un moyen de création littéraire. C'est une disposition de mots — et une disposition typographique adéquate est légitime. » Le numéro suivant de la revue, en mai, donne une application de ce point de vue avec « Espace ». Un espace qui est à la fois celui qu'isolent les phrases du poème, inscrites en cercle, ou, si l'on veut, en étoile, autour d'un blanc, et celui qui les entoure : poème en prose distendu, à la manière d'un tissu élastique, ou vers disposés selon une figure géométrique ? Question sans signification, si on se rapporte aux déclarations de Reverdy sur la forme poétique ; question qui se pose cependant à nous si nous voulons nous interroger sur les choix du poète et sur le fonctionnement des solutions intermédiaires que nous avons rencontrées.

Je n'ai pas de réponse, et je me demande s'il y en a une. On peut toutefois risquer quelques hypothèses. Au moins à l'origine, le poème en prose ne correspond-il pas à une concentration de la pensée et du langage poétiques, le poème en vers à une déconcentration ? L'un ramenant plutôt à un univers clos, l'autre à un regard d'une nature différente sur le réel, à la discontinuité ? L'opposition n'est naturellement pas aussi radicale et représente des extrêmes entre lesquels s'établissent toutes sortes de circulations plus que des solutions exclusives l'une de l'autre. « Le poète juxtapose et rive, écrit Reverdy dans *Le Livre de mon bord,* dans les meilleurs cas les différentes parties de l'œuvre dont le principal mérite est précisément de ne pas présenter de raison trop évidente d'être ainsi rapprochées ». Le rivet invisible, n'est-ce pas le poème en prose, les juxtapositions apparentes, la disposition des vers ?

Nous débouchons sur un principe d'incertitude formel et rejoignons les considérations de Reverdy sur la forme par lesquelles nous avons commencé. Une telle attitude pourrait le rapprocher de Michaux, qui passe de façon analogue de la prose au vers ; elle l'opposerait, en revanche, à ceux qui, comme Valéry ou Saint-John Perse, par des itinéraires très différents, ont choisi des structures poétiques déterminées ; elle l'opposerait également à l'écriture surréaliste et à ses embrayages automatiques. On la définirait volontiers en retournant une formule de Robbe-Grillet pour dire que, chez lui, le sens précède la structure.

Michel DECAUDIN.

ETIENNE-ALAIN HUBERT

AUTOUR DE LA THEORIE DE L'IMAGE DE PIERRE REVERDY

Pierre Reverdy représente dans l'histoire de la poésie française de la première moitié du vingtième siècle le cas assez exceptionnel d'un écrivain dont les premières publications poétiques sont presque aussitôt suivies de la publication des éléments d'une réflexion sur l'art et sur la poésie : articles et notes parus pour la plupart en 1917 et 1918 dans la revue *Nord-Sud* (1), recueil de « paragraphes » édité en 1919 sous le titre *Self defence* suivi du sous-titre *Critique-Esthétique* (2). Reverdy n'aimait pas le mot « théorie », auquel il associait l'idée d'une activité parasitaire par rapport à l'art, et lui préférait celui d' « esthétique » (3) : peut-on cependant ne pas voir en lui un théoricien précoce, original et profond ? Pour choisir un point de comparaison proche, on relèvera que les formulations théoriques d'un Apollinaire ont été relativement tardives dans la carrière de leur auteur ; on sera sensible à ce qui fait à la fois leur faiblesse et leur charme, à leur nature intuitive et imaginative plus que réflexive. Les idées d'Apollinaire sur la création artistique s'offrent à nous comme la mise en forme d'images obsédantes. Ainsi cette figure d'un Dieu le Père auquel le poète cherche à s'égaler : la théorie de la création chez lui est sans débordée par l'histoire du Moi profond, renvoyant à des instances très individuelles sur lesquelles l'historien des idées ou le poéticien ne sont assurément pas les seuls à avoir leur mot à dire. Chez Reverdy, rien de tel. L'activité théoricienne est mise à distance de l'individu. Révélatrice est l'écriture de ses essais : cet homme par ailleurs si richement pourvu en imagination et en sensibilité exprime ses idées dans une forme volontairement schématique, à l'austère beauté. « Le style, c'est l'expression juste de la pensée, c'est son image », dira-t-il dans *Le Gant de crin* (4). Il va de soi que Reverdy se refuse les facilités de l'érudition et de l'éloquence : le contraste est grand, dans la revue *Nord-Sud,* entre ses propres essais théoriques et ceux de son disciple Paul Dermée, si souvent entachés d'emphase et de facilités. Mais il y a plus frappant encore : dans cette époque de première maturité, Reverdy ne recourt à peu près jamais à l'élargissement suggestif que pourrait dispenser une métaphore ou une comparaison : pas d'images dans son texte sur l'image. On le voit au contraire se priver le plus possible des ressources des effets de rythme et de mots, s'efforcer de parvenir à une sorte de degré zéro de l'expression, dans une volonté tendue d'offrir au lecteur les idées dans un dépouillement qui ne les pare d'aucune séduction extérieure. On pourrait étudier longuement cette attitude de refus de tout prestige qui risquerait d'enrichir le texte d'un élément qui lui serait étranger : on y retrouverait le souci de ne pas confondre les genres, étant entendu que ceux-ci ne sont pas ceux que codifie la tradition rhétorique, mais ceux que distingue l'esthétique que Reverdy porte en lui (5). On identifierait ici l'un des nombreux champs dans lesquels il a inscrit son exigence de « pureté ».

Dans cette pratique du discours théorique, Reverdy manifeste bien l'idéal de rigueur qui a été une constante de sa personnalité intellectuelle et morale : l'esthétique et l'éthique ne se disjoignaient pas en lui. Mais la fréquentation des peintres a assurément accentué l'orientation. Est-il besoin de rappeler que la rencontre des principaux artistes cubistes, dès les années 1910-1911, en procurant à Reverdy la découverte émouvante d'un mouvement alors dans toute la vigueur d'une recherche de lui-même, l'a introduit intimement dans une communauté où des relations quotidiennes d'amitié — parfois tendue — se doublaient d'une activité de discussion esthétique, sur fond d'émulation ou de rivalité déclarée ? On le redira plus précisément à propos de « L'Image » : au contact des peintres, des sculpteurs, de critiques comme Maurice Raynal, de personnalités inclassables comme Maurice Princet, Reverdy s'est vu confirmer dans sa propension à repenser radicalement les problèmes et à les poser dans des termes neufs. Il est réticent devant les notions fuyantes. Dans « L'Emotion », paru dans *Nord-Sud* d'octobre 1917, l'expression « mystère de la création » n'est avancée qu'avec la caution d' « un autre que moi », cet autre étant à mon avis De Chirico. Quant aux concepts de « moyens » et d' « éléments », si fréquemment présents sous sa plume, ils semblent bien s'être dégagés d'une réflexion portant autant sur l'art que la littérature. Les « éléments » sont les apports de la vie. Le mot couvre un champ qui s'étend de l'objet perçu jusqu'aux émergences des zones obscures du Moi ; ce sont des « éléments » que le peintre et le poète assemblent dans la « structure », autre mot-clé. Quant au terme de « moyens », courant dans le discours sur les arts plastiques, il se voit étendu systématiquement au domaine littéraire et englobera, par exemple, aussi bien l'image qu'une disposition typographique. Et comment ne pas rappeler aussi que, bien que Reverdy fût loin de placer l'œuvre de Gris au rang de celles de Braque et de Picasso — les deux initiateurs majeurs à ses yeux — et encore qu'il formulât des réserves sur les idées et sur les recherches du peintre, il fit du plus spéculatif des cubistes son plus proche compagnon durant des années essentielles de sa création ?

Enfin, pour compléter cette esquisse, tracée à trop grands traits, du théoricien des années 1917-1918, on ne saurait omettre de souligner que l'esthétique, telle que la définit Reverdy, n'est nullement un ensemble de recettes destinées à guider *a priori* la création, mais qu'elle est toute *a posteriori*. Si l'esthétique d'un auteur est « l'ensemble des moyens » dont cet auteur « dispose pour créer » (6), ces moyens n'apparaissent qu'après coup :

> *Ainsi toute œuvre créée doit, une fois faite, avoir quelque surprise pour son auteur lui-même et lui découvrir des moyens nouveaux. L'ensemble de ces moyens acquis constitue son esthétique sans quoi il n'y a pas d'unité possible dans l'œuvre totale d'un auteur* (7).

Bien que des parallélismes lointains puissent apparaître entre la réflexion de Reverdy et celles que poursuivent alors les formalistes russes (ainsi un intérêt commun pour le fonctionnement concret du poème et pour sa « structure », mot-clé dans *Self defence)*, rien n'est plus étranger au poète que l'idée d'une association étroite de la théorie et de la pratique, comme à Moscou en 1919.

« L'Image » a donc paru au seuil du numéro 13 de *Nord-Sud*, portant la date de mars 1918 et probablement sorti en avril (8). Faisant se succéder des paragraphes imprimés en grande typographie, l'essai inaugure donc la deuxième année de la revue. Deux nouveautés notables : un plus grand format et une illustration, constituée ici par deux dessins de Braque. On peut sans doute discerner un certain ordre dans les propositions : étude de la fabrication de l'image, étude de ses effets (l'émotion), définition de son rôle dans la poésie de création. Mais le tissu de l'essai est en réalité plus complexe. Ainsi, « L'Image » se boucle sur une proposition, aussi brève que la première, d'où le mot « pureté » émerge comme l'adjectif « pure » émergeait à la première ligne. Le texte n'a suscité que très peu d'échos dans la presse. S'il est devenu, en quelque sorte, canonique, c'est surtout grâce à la fortune que lui ont faite les surréalistes, Breton en premier. Plusieurs études lui sont consacrées en totalité ou en partie (9). On ne répétera pas ici les analyses ou les observations que ces devanciers ont proposées, souvent avec pénétration ; on n'évoquera pas non plus les reprises et les développements dont Reverdy lui-même enrichira cette réflexion de départ tout au long de son existence : les beaux textes vibrants du *Livre de mon bord, En vrac,* et du recueil *Cette émotion appelée poésie* parlent assez haut pour rendre le commentaire presque superfétatoire. En s'en tenant au texte de 1918 et à ses environs proches, on s'attachera principalement à en cerner la « situation », si on peut se permettre ce mot galvaudé, par rapport à son auteur et par rapport aux prédécesseurs et aux contemporains. On s'interrogera aussi sur certains mots, tels « esprit » et « réalité », sans prétendre en épuiser l'explication. On tentera enfin une très brève confrontation entre cette théorie et les idées que Reverdy ou d'autres ont eues du cubisme.

⁂

Un fait singulier, pour commencer : le problème de l'image n'est pas à l'actualité poétique en cette année 1918. Du reste, à quelques exceptions près, a-t-il jamais été d'actualité dans le dix-neuvième siècle finissant et dans le début du vingtième ? Les idées les plus communément admises alors sur la question en France seraient assez bien représentées par les pauvres recettes d'Albalat *(L'Art d'écrire enseigné en vingt leçons,* etc.). Remy de Gourmont, dont on sait l'attirance intellectuelle qu'il a exercée sur Apollinaire et, dans une moindre mesure, sur Reverdy, s'est penché sur la question de la métaphore — mot qu'il emploie concurremment avec celui d'image — et de la comparaison. Avec son acuité d'esprit coutumière, il s'intéresse aux « images hétéroclites » que l' « aisance dans l'association » permet de réunir instantanément. Mais cette incursion prometteuse est réservée au chapitre III de *La Culture des idées.* Le plus souvent, poussé par sa passion de la sémantique, il étudie les processus selon lesquels les métaphores usées sont à l'origine des mots d'une langue ou se demande comment des métaphores dégénèrent en clichés. Plus étonnant encore : dans *Nord-Sud* même, la question de l'image n'est pas effleurée avant le numéro 13. Alors que les précédents essais de Reverdy trouvent aisément leur place dans la continuité d'une réflexion, alors qu'ils se font écho ou s'annoncent les uns les autres, aucune amorce ne prépare explicitement « L'Image ». Deux causes cependant semblent s'être conjuguées pour faire éclore le texte. L'une, occasionnelle, est connue par le précieux témoignage consigné par Maurice Saillet (10) : André Breton soumet à Reverdy des articles anciens de Georges Duhamel. On reviendra sur ce point dans le cadre d'une confrontation plus générale entre la poétique de Reverdy et celle de l'Unanimisme. L'autre cause, c'est que Reverdy, profondément conscient du fossé qui sépare les conservateurs des quelques novateurs que sont Apollinaire, Jacob, Cendrars et lui-même, veut saisir toujours plus précisément la spécificité de la poésie la plus moderne, comme il a saisi celle du cubisme en art. Des textes majeurs comme l' « Essai d'esthétique littéraire » *(Nord-Sud* n° 4-5, juin-juillet 1917) ou « L'Emotion » (n° 8, octobre 1917) ont disposé les orientations essentielles, mais restent discrets sur les nouveaux « moyens » employés en poésie. La parution récente des *Ardoises du toit* a suscité des appréciations imprimées — et sans doute également orales — décevantes pour l'auteur dont la poésie se voyait renvoyée à la littérature de notations. Autre déception dont on peut conjecturer qu'elle a activé la réflexion : celle que provoqua la conférence d'Apollinaire, « L'Esprit nouveau et les poètes », lue le 26 novembre par Pierre Bertin au Vieux-Colombier. La poétique de la « surprise » exposée par Apollinaire invite le poète à une quête du surprenant au sein de tous les domaines du réel : n'est-ce pas, aux yeux de Reverdy, restaurer d'une certaine manière le sujet et introduire un élément « impur » dans la poésie ? Reverdy a suffisamment insisté lui-même sur le dépassement nécessaire de la notion de sujet et sur le caractère délibérément non-représentatif du poème. Puisqu'il n'y a pas pour lui de sujet « poétique » et puisque la poésie moderne échappe à la plupart des codifications traditionnelles (mètre, prosodie, etc.) qui étaient des marques de « poéticité », on comprend que la découverte de l'image comme moyen poétique privilégié constitue une étape décisive dans la recherche d'une spécificité de la poésie nouvelle. La place dominante — non exclusive, certes — que prend l'image par rapport aux autres moyens d'expression est une pièce essentielle de l' « esthétique » se dégageant des œuvres qui représentent aux yeux de Reverdy l'authentique modernité.

Mais « L'Image » n'est pas seulement à situer par rapport à la recherche antérieure de Reverdy. Ce texte-carrefour entretient des dialogues implicites avec des héritages récents ou anciens. Aujourd'hui comme en 1918, l'essai appelle la confrontation avec la tradition qui s'était nourrie, au fil des générations, des propositions de la *Poétique* et de la *Rhétorique* d'Aristote sur la comparaison et sur la métaphore. Les manuels employés encore il y a un siècle dans l'enseignement continuaient à codifier et à schématiser l'héritage (il y a loin de ces manuels, fort sommaires sur le chapitre des tropes, aux subtils traités de Dumarsais et de Fontanier, dont la place semble être restée marginale). Dans nos notes à *Nord-Sud, Self defence et autres écrits,* nous avons cité à titre de spécimen quelques préceptes empruntés à la *Nouvelle rhétorique* de Joseph-Victor Le Clerc (11). La confrontation de ces formules, vaguement reprises d'Aristote, avec « L'Image » fait apparaître avec quelle force la conception de Reverdy s'écarte des anciennes règles ou en subvertit l'esprit. Là où, fidèle au chapitre 2 du livre III de la *Rhétorique* d'Aristote, la *Nouvelle rhétorique* déconseille en quelques mots les métaphores « prises de loin », l'essai « L'Image » utilise presque à saturation le vocabulaire spatialisant (« lointain », « rapprochement », « se rapprocher », « éloigné », « distant ») pour dégager une conception où les notions d'éloignement et de proximité sont maintenues et portées à leur maximum de tension. Autre différence : alors que la plupart des traducteurs ou des auteurs de traités utilisent le mot « métaphore » (signalons toutefois que si la traduction, très répandue, de Ruelle emploie « image », c'est pour rendre le grec *eikôn,* traduit généralement par « comparaison »), Reverdy pour sa part substitue « image » à « métaphore ». Outre des réticences probables devant l'allure savante de « métaphore », on peut penser que ce mot dans son usage classique impliquait trop une opération intellectuelle de « transfert » pour correspondre à cette mise en rapport immédiate par laquelle la poésie moderne fait naître l'émotion. Désigné par le mot « image », le moyen d'expression littéraire ne se voit-il pas reconnaître la forme d'impact que possède la chose — œuvre plastique par exemple — réellement perçue par le regard ?

On remarque enfin l'insistance avec laquelle Reverdy écarte l'idée, classique depuis la rhétorique latine, selon laquelle la métaphore serait une comparaison abrégée, *similitudo brevior*. Devançant, nous semble-t-il, la réflexion des stylisticiens et des linguistes, Reverdy déclare que l'image dit autre chose que la comparaison. Cette dernière, opération intellectuelle, maintient la distance entre le comparé et le comparant ; l'image impose le rapprochement entre deux éléments qui ne se trouvent plus ordonnés selon un rapport de comparé à comparant. Un poème de Reverdy, entre bien d'autres, pourrait illustrer ce changement. Prenons dans *Sources du vent* les premiers vers du célèbre « *Espace* », publié d'abord dans *Nord-Sud* de mai 1918 (12) :

L'astre est dans la lampe L'étoile échappée

La main
tient la nuit
par un fil

Il s'établit ici un jeu entre deux espaces, un espace nocturne ou cosmique et l'espace humain d'une pièce close. Pour reprendre les termes d'une analyse d'Andras Vajda (13), les images fonctionnent aussi bien dans le sens d'une « cosmification de l'homme » que dans celui d'une « anthropomorphisation du cosmos ». La signification obtenue est dans le rapprochement de l'étoile et de la lampe, et non pas dans une comparaison qui placerait l'un des deux termes en position privilégiée de comparé. Tous ces correctifs sont donc très logiquement appelés par le changement de statut de la poésie. Malgré le célèbre passage de l'*Ethique à Nicomaque* sur la *poiêsis* (création), la tradition avait privilégié dans la pensée d'Aristote l'idée que la poésie, comme les autres genres littéraires, consiste dans la *mimêsis* (imitation). Or la poésie nouvelle, comme l'affirme Reverdy ici et en bien d'autres lieux, est une poésie de création. Pas question de substituer à l'impossible représentation fidèle du réel une représentation stylisée : ce n'est pas Reverdy qui reprendrait à son compte le propos de Gourmont sur la fécondité de la « déformation » (14) et on sait avec quelle netteté il condamne dans « Sur le cubisme » un art qui se propose la « déformation » du réel. La poésie de création appelle donc une poétique nouvelle, dont « L'Image » est une pièce maîtresse. Cette conception n'est aristotélicienne que dans la mesure où toute l'histoire de la poétique, pour reprendre les mots d'Oswald Ducrot et Tzvetan Todorov, est une « réinterprétation du texte aristotélicien » (15).

Autre dialogue entretenu par « L'Image » : dialogue complexe, à trois voix si l'on peut dire, avec André Breton et Georges Duhamel, dont les noms, par le témoignage déjà évoqué de Maurice Saillet, se trouvent liés à l'histoire du texte. On sait sans doute que Reverdy a joué dans la formation de Breton un rôle de première importance. Comme l'écrit Marguerite Bonnet, « Reverdy est celui des aînés avec qui en 1918-1919 les discussions et les échanges ont été les plus fréquents et les plus fructueux sur tous les problèmes de la création » (16). Or c'est Breton qui a alimenté le débat rhétorique d'où est sorti « L'Image » en soumettant à Reverdy des textes de Duhamel sur le « rapport des idées » dans la poésie nouvelle. Nous avons cité dans nos notes à *Nord-Sud, Self defence et autres écrits* d'assez longs passages empruntés au compte rendu d'*Alcools (Mercure de France*, 16 juin 1913) et à l'article « La Connaissance poétique (2e note) » *(Mercure de France*, 16 août 1913). On en jugera par cette proposition :

> *(...) plus une image s'adresse à des objets naturellement distants dans le temps et l'espace, plus elle est surprenante et suggestive.*

ou par cette autre :

> *Plus les idées ainsi combinées se seront trouvées primitivement lointaines, plus l'effet de leur réunion sera satisfaisant. Mais le poète ne doit pas présumer de ses forces et tenter la réunion de concepts si distants que le résultat définitif soit discordant, pénible ou provisoire.*

Ces vues pénétrantes, malgré leur vocabulaire un peu incertain (images, idées, concepts ?) sont déjà lancées en 1912 dans l'étude de Duhamel sur Claudel, en 1911 dans son article sur Arcos (*Vers et prose*, avril-mai-juin), en 1910 même dans l'article « Jules Romains et les dieux » (*Vers et prose*, juillet-septembre) que Pierre-Jean Jouve a cité dans sa conférence de Poitiers en 1912 (17). Avant Duhamel, c'est Jules Romains lui-même qui, dans sa conférence « La Poésie immédiate » (*Vers et prose*, octobre-novembre-décembre 1909), présentant la lecture du fragment « *Brumaire* » d'Apollinaire, invite ses auditeurs à admirer « l'apparition, l'explosion d'analogies imprévues, et qui juxtaposent si soudainement des parcelles de l'univers si distantes ». Ces citations permettent de mesurer les affinités et les écarts avec la conception de Reverdy. Assurément, en privilégiant l'image comme moyen de la modernité, ce dernier a affiné une idée qui était dans l'air : Romains et surtout Duhamel ont su montrer les ressources d'énergie, de tension, que contient l'image. Mais les différences sont notables : nulle trace chez Reverdy de ce discret arrière-plan idéologique de l'unanimisme qui, découvrant la valeur unifiante de l'image, veut dégager simultanément la continuité souterraine qui relie les existences individuelles ; Reverdy est étranger à cette visée, comme il est étranger à l'orientation des écrits théoriques du symbolisme faisant voir dans le Symbole une démarche en direction de l'unité métaphysique (18). Seconde différence, également prévisible : la poésie unanimiste ne renonçant pas aux marques visibles de « poéticité » (métriques, rythmiques), l'image n'est pas aussi privilégiée que chez Reverdy : dans l'article du *Mercure* du 16 août 1913, Duhamel insiste longuement sur le rythme, moyen poétique qui « peut encore guider l'âme dans la pénétration de l'inconnu ». Troisième différence : à côté de l'image, Duhamel maintient soigneusement le rôle de la « notation », définie en termes de saisie directe du réel. Reverdy, qui s'est irrité qu'on associe le mot à sa propre poésie (19), écarte le recours aux « moyens d'observation directe » qui ne sauraient qu'apporter un élément « impur » dans le poème.

Mais les distances prises avec les théories unanimistes se doublent de l'affirmation d'une divergence avec celui qui s'en était fait le porteur, si l'on peut dire, c'est-à-dire Breton. On ne répètera pas ici les lignes du *Manifeste du surréalisme,* par lesquelles Breton, reprenant à son compte avec ferveur la définition de l'image par Reverdy, exprime néanmoins ses réserves sur quelques lignes qui lui paraissent privilégier le rôle de la conscience et méconnaître la spontanéité de l'image (« Il est faux, selon moi, de prétendre que « l'espace a saisi les rapports » des deux réalités en présence », etc.). La divergence est donc formulée en 1924 comme une alternative entre spontanéité et préméditation. Or les positions de Breton sur ce point n'ont pas attendu 1924 pour être imprimées. Dans des écrits publiés en 1920, quelques phrases permettent de saisir une orientation encore floue, mais déjà sensiblement différente de celle de Reverdy. Dans une note consacrée dans *La Nouvelle revue française* à la réimpression des *Chants de Maldoror,* Breton recourt à la métaphore de l'expérience de chimie qui fait assister à la combinaison de deux corps ; ce n'est pas le processus de combinaison qui le fascine, mais la formation soudaine d'un précipité et le brusque dégagement de chaleur. Ce qu'il désire, c'est entendre le coup de revolver assourdissant (20). Dans l'article « Pour Dada », il insiste sur le caractère de « création spontanée » lié pour lui à l'image réussie (21). Mais c'est dans le texte du catalogue *Max Ernst, Exposition Dada* qu'il s'exprime avec le plus d'insistance. Au compte de Dada il porte

> *la faculté merveilleuse, sans sortir du champ de notre expérience, d'atteindre deux réalités distantes et de leur rapprochement de tirer une étincelle ; de mettre à la portée de nos sens des figures abstraites appelées à la même intensité, au même relief que les autres ; et, en nous privant de système de référence, de nous dépayser en notre propre souvenir* (22).

A travers le motif de l'étincelle qui surgit précocement ici, quatre ans avant le *Manifeste*, on saisit ce qui retient Breton : la violence, le choc dépaysant du rapprochement plutôt que la « justesse » de l'opération. Sans qu'une preuve formelle puisse en être apportée, le débat de 1918 avec Breton nous semble devoir s'être posé déjà en ces termes. Quand Reverdy inscrit en caractère gras les mots « brutale »et « fantastique » pour refuser d'élever au rang de critères les notions qu'ils recouvrent, ne serait-ce pas à Breton qu'il adresse cette mise au point ? Breton et Reverdy ne paraissent pas avoir attendu 1924 pour mesurer leur divergence : d'un côté l'image arbitraire, désorientante ; de l'autre, celle qui possède les pouvoirs de la surprise tout en demeurant motivée.

Et le futurisme, dira-t-on ? Il semble être tenu pour acquis que la définition de l'image procède du *Manifeste technique de la littérature futuriste,* daté en fin de texte « Milan, le 11 mai 1912 » (23). Assurément, le manifeste atteste — avec autant de force, mais moins de précision que les textes unanimistes — une orientation caractéristique de l'époque :

> *L'analogie n'est que l'amour immense qui rattache les choses distantes, apparemment différentes et hostiles (...) Plus les images contiennent de rapports vastes, plus elles gardent longtemps leur force ahurissante.*

Mais outre la présence ici d'un vocabulaire affectif étranger à Reverdy, également outre le fait que l'affirmation de Marinetti sur l'analogie n'est qu'un élément partiel d'un programme qui assigne à la littérature la fonction de représenter le réel brut par des moyens directs comme l'onomatopée, on pourrait déchiffrer dans l'article « L'Image » une rectification des incertitudes du langage de Marinetti, selon lequel « analogies » et « rapports » sont des notions interchangeables. Rappelant que l'analogie est une « *ressemblance* de rapports », Reverdy rend au terme le sens qu'il possède dans le livre III de la *Poétique* d'Aristote : nouvel exemple de cette conscience linguistique si affirmée dans ses textes théoriques.

***

L'étude de « L'Image » en tant que texte demanderait une longue étude. Texte réticent devant le vocabulaire sentimental ou trop littéraire auquel recourent la critique et la théorie au début du XXe siècle français. En revanche, on pourrait remarquer que le vocabulaire se distribue en quelques champs majeurs : distance et proximité, création, pureté, force... Mais les mots « esprit » et « réalité », inlassablement repris à des places stratégiques de l'essai, méritent un examen particulièrement attentif.

Fut-ce pour prévenir les faux sens possibles des

lecteurs à venir ou pour répondre à des objections déjà formulées dans des discussions ? Toujours est-il que Reverdy apporte en 1919 dans *Self defence* un premier éclairage sur le contenu qu'il prête à l' « esprit ». Entre plusieurs autres, extrayons cette réflexion :

> *Le rêve est donc une forme spéciale de la pensée. La pensée c'est l'esprit qui pénètre, le rêve l'esprit qui se laisse pénétrer* (24).

L'esprit ne saurait donc se réduire à être le lieu de l'activité réfléchie puisqu'il est tantôt pensée, tantôt rêve. Instance ignorant les démarcations habituelles, il inclut toutes les activités intérieures de l'homme. On s'étonnera donc moins que, Breton ayant reproché à « L'Image », dans le *Manifeste* de 1924, de faire la part trop belle à l'esprit, Reverdy lui répond :

> *Au premier coup d'œil jeté sur votre émouvante préface je vois — je m'y attendais — que rien ne nous sépare radicalement. Je n'ai même jamais prétendu que les rapports perçus par l'*esprit *(quelle part de l'*esprit ? *ni la raison ni la pensée) l'étaient consciemment* (25).

Un second éclairage est à chercher dans l'opposition traditionnelle — et reprise souvent dans leurs écrits théoriques ou critiques par Juan Gris, Maurice Raynal, Reverdy — entre l'esprit et les sens. Quand Reverdy écrit que « *l'esprit seul* a saisi les rapports », non seulement il refuse que l'image ait pour rôle d'expliciter des liens qui auraient une existence indépendamment du poète, mais surtout il creuse l'écart entre le monde perçu par les sens et le monde créé par la poésie, entre les choses vues et les choses dites. Beaucoup plus tard, dans « La Fonction poétique », il donnera à cette idée un développement vibrant :

Il n'y a pas d'images dans la nature. L'image est le propre de l'homme, car elle n'est image que par la conscience qu'il en a (26).

Plus révélateur encore est l'usage abondant que Reverdy fait ici du mot « réalité », soit au pluriel (« deux réalités »), soit au singulier (« réalité poétique »). Si chacun de ces emplois mérite d'être soigneusement distingué de l'autre, il n'en reste pas moins que cette prolifération du mot dans le texte est lourde de sens : à l'écart de toute idée d'un asservissement au réel dont le réalisme, considéré par Reverdy comme une attitude périmée, a donné le modèle, il se manifeste ici une singulière préoccupation de la matière, non sans parenté avec celle dont témoigne le cubisme par d'autres moyens.

Si Reverdy affirme que l'image doit rapprocher deux « réalités » — et non pas simplement deux termes ou deux éléments —, c'est, pensons-nous, qu'il éprouve que la poésie nouvelle sait dépouiller la nature du halo affectif qui l'entourait et manipuler des éléments qui, sans être cueillis directement dans le réel, produisent sur l'esprit du lecteur le même effet que le réel. Parallèlement, comme il le dira notamment dans le beau texte consacré en 1935 à Abraham Rattner, la nouvelle peinture faisait entrer la matière dans l'art, sous son vrai nom, après l'avoir dépouillée des voiles et des brouillards de l'impressionnisme. Sur « réalité », un philosophe ou un linguiste d'aujourd'hui auraient sans doute à dire et proposeraient d'autres formulations : ces « réalités » que le poème rapproche, ne sont-elles pas des signes de réalités ? Cette question et bien d'autres pourraient être posées à propos du vocabulaire employé. Mais le lecteur des recueils que Reverdy compose à l'époque — *Les Ardoises du toit, La Meule de soleil* — sent d'instinct combien l'essai « L'Image » correspond à cette poésie qui impose sa présence en structurant des éléments du réel sans que pour autant ceux-ci soient mis au service de la référentialité.

Quant à la notion de « réalité poétique », dont des équivalents sous sa plume peuvent être « grande réalité », « réalité artistique » ou encore « réalité supérieure », elle s'insère assurément dans une recherche partagée avec quelques autres. Sans doute Reverdy portait-il personnellement un intérêt fort ancien au roman réaliste et naturaliste, comme l'attestent des articles de *Nord-Sud,* et, par voie de conséquence, aux problèmes théoriques du réalisme. Sur la question du réalisme en art, il est probable qu'il connaissait les pages publiées par son ami Léger dans *Montjoie !* Mais la réflexion sur le dépassement du réalisme commence vraiment quand, dans *Les Soirées de Paris* du 15 mai 1914, Apollinaire lance le mot « surnaturalisme » pour désigner « un naturalisme supérieur, plus sensible, plus vivant et plus varié que l'ancien ». Le jalon suivant est planté par un peintre, Severini, alors partagé entre futurisme et cubisme et porté, comme tant de ses compagnons, sur la spéculation esthétique. Dans une conférence qu'il prononce le 15 février 1916 à la galerie Boutet de Monvel, il s'efforce de préciser la notion de « nouveau réalisme ». Dans l'article « Symbolisme plastique et symbolisme littéraire » qu'il tire de sa causerie, il propose l'appellation de « réalisme idéiste, en adoptant cet adjectif si exact de Remy de Gourmont » (27). Le 11 février 1917, il revient sur ce sujet dans une autre conférence, « La Peinture d'avant-garde », qui sera publiée quelques mois plus tard (28). Et dans le premier numéro de *Nord-Sud,* daté du 15 mars 1917, c'est Reverdy à son tour qui, à la fin de son célèbre texte « Sur le cubisme », définit l'art d'aujourd'hui comme un « art de grande réalité » (29). Sur la recherche esthétique se greffent les faits anecdotiques. Apollinaire semble avoir eu alors le dessein de baptiser « surréalisme » le mouvement poétique qui dessine ses contours autour de la revue de Reverdy. Comme s'il revenait sur une discussion récente, il écrit à Paul Dermée, collaborateur de *Nord-Sud*, à la sortie du numéro 1 :

> *Tout bien examiné, je crois qu'en effet il vaut mieux adopter surréalisme que surnaturalisme que j'avais d'abord employé* (30).

Mais d'une part Reverdy répugne à toute étiquette, d'autre part « surréalisme » ne semble pas lui avoir agréé (31) : il est permis de supposer qu'à ses yeux « surréalisme » et « surréaliste » ne suggéraient que trop le dépassement de ce réel, de cette matière à laquelle l'art et la poésie lui semblaient faire un retour si profitable. Entre temps, Cocteau a rencontré Severini, l'a questionné sur ses thèses et a avancé l'idée brillante et ambiguë d'un réalisme « trompe-l'œil » : *Parade* est sous-titré « ballet réaliste ». Réplique d'Apollinaire : il sous-titre « drame surréaliste » *Les Mamelles de Tirésias*. L'adjectif, par la consécration du texte imprimé, est désormais lancé. On sait ce qu'il en adviendra en 1924...

Cette recherche d'une appellation, ces questions d'influence ou de rivalité peuvent paraître aujourd'hui ressortir à la petite histoire littéraire et artistique. Toutefois, ces faits ne sont pas négligeables, révélant combien le problème du rapport au réel est au centre des préoccupations du temps. Aussi faut-il lire les formules de « L'Image » comme des mises au point mûrement pesées dans un débat où les confusions ne manquent pas.

⁂

Esprit, création, réalité, tels sont donc quelques pivots de la pensée de Reverdy : il nous importait de tenter d'en délimiter le sens. Mais un essai comme « L'Image » signifie aussi à travers ce qu'il ne dit pas, à travers des silences qui sont des refus implicites. Sans adopter aucunement l'attitude facile et entachée d'anachronisme qui consisterait à reprocher à l'auteur d'ignorer l'horizon du langage et de méconnaître que la poésie est une production de texte, on doit constater une fois de plus que Reverdy, rompant même avec les poétiques traditionnelles et contemporaines, privilégie exclusivement l'image et, à l'écart du courant de pensée qui passe par le symbolisme, n'accorde aucun rôle d'aucune sorte au pouvoir suggestif du mot ou à cette « chair du mot » dont parle Mallarmé. Dans le processus d'association défini comme présidant à la création de l'image, pas de place pour un éventuel pouvoir du mot sur l'écriture. A ce privilège donné à l'association des « réalités » correspondra, à un autre niveau de la réflexion, le privilège donné à la « syntaxe », qu'une note du numéro 14 de *Nord-Sud* déclare être « l'art de disposer les mots, selon leur valeur et leur rôle, pour en faire des phrases ». Mais quelle place reste au mot puisque « l'esprit seul » saisit les rapports ? Ce n'est assurément pas Reverdy qui ferait sienne la déclaration de Breton : « Après toi, mon beau langage ! » Cette attitude ne paraît pas être d'indifférence au problème. Chez le théoricien de *Nord-Sud,* il y a sans doute la conscience aiguë qu'une suprématie du mot s'est achevée. Le symbolisme finissant, distingué soigneusement du symbolisme dans sa force, se voit reprocher le culte du mot recherché pour lui-même et trop précieusement enchâssé. Témoin les propositions de Paul Dermée dans l'article « Quand le Symbolisme fut mort... » qui, ouvrant le premier numéro de *Nord-Sud,* fait figure de manifeste de la revue.

De la part de Reverdy, les attitudes de méfiance à l'égard du mot ne manquent pas. De son côté, il n'y a pas plus d'indulgence pour ceux qui cultivent amoureusement le verbe que pour ceux qui s'abandonnent furieusement ou joyeusement à une ébriété verbale que vient parfois alimenter le dictionnaire. On pourrait citer ici un très curieux passage du poème « *La Tête rouge* » (32) dans lequel une thématique solaire rejoint une rêverie sur une destinée que j'identifie comme celle de Blaise Cendrars. Dans ce poème qu'on peut dater de 1919, défilent des portraits fragmentaires d'un être au visage rougeoyant (songer au Cendrars d'après la blessure) ; mais dans la même coulée, d'une part Reverdy désigne certains thèmes de Cendrars ; d'autre part, spectateur distant mais fasciné, il fait revivre une boulimie de mots et une pratique d'écriture qu'il ne saurait partager :

La mémoire du poète en avant qui dicte
Et les livres dont les noms et les mots reviennent constamment
Nuages Tour Eiffel les noms du Dictionnaire
Et les mots étrangers et ceux de son pays
Où seront-ils passés

Il est probable aussi que les réticences de Reverdy devant l'attrait du mot entrent pour une bonne part dans le reproche d' « impureté » que, malgré une admiration fondamentale, il maintient à l'encontre de la poésie d'Apollinaire. Mais une des réactions les plus révélatrices s'exprime dans un fragment de lettre à André Breton que cite le précieux ouvrage de Marguerite Bonnet, *André Breton, Naissance de l'aventure surréaliste ;* Breton ayant proposé comme exemple d'association s'établissant spontanément entre des termes le rapport *mer / mère,* Reverdy exprime son désaccord :

Avec votre principe de la mer-mère, l'élément n'est pas pur, dégagé, net. Avec ce jeu de mots vous tenez à l'idée de derrière les mots — ou plutôt d'entre les lignes. C'est affreux (33).

L'usage poétique de l'homonymie révolte ici le poète. Livré d'avance par le langage, ce type-limite d'association phonique est inacceptable pour celui qui n'admet alors que les rapports « saisis par l'esprit ». On peut imaginer en revanche que Breton est prêt à chercher dans ces similitudes troublantes une voie d'accès vers un mystère des mots qu'il interroge fiévreusement à l'époque. Ainsi, dans le poème « *André Derain* », œuvre de mars 1917 confiée à *Nord-Sud* (février 1918), une évocation très aiguë des motifs des toiles exposées chez Paul Guillaume s'accompagne d'un jeu complexe d'homonymies et d'échos (« langes », « l'ange », etc.) ; le contraste est saisissant avec la poésie de Reverdy.

Constatation banale et nécessaire : chez ce dernier, c'est de l'assemblage des mots les plus simples et les plus banals que naissent les plus émouvantes vibrations. Et si on prend précisément en compte cette période dont *Les Ardoises du toit* et les poèmes contemporains illustrent l'art très cohérent, on doit reconnaître que la « production » du texte s'opère rarement à travers des mutations ou des métamorphoses situées à l'intérieur des mots : l'œuvre antérieure et l'œuvre postérieure sont moins avares de jeux de mots conscients et d'associations phoniques. S'il arrive à l'auteur de jouer alors sur les mots, c'est plutôt dans des chroniques, ludiques et ironiques, dont il prend soin de nier explicitement toute attache avec le poème : ainsi, dans le dernier numéro de *Nord-Sud,* le portrait satirique de Diego Rivera, « l'urne, l'outre, la poutre » (34). Toutefois, quelques exemples pourraient être trouvés, qui montreraient par exemple des signifiants, homonymes ou apparentés pour l'oreille, dans une alternative non résolue. Le premier titre du poème qui deviendra « *Les Heures fixes de la mort* » est « *L'Animal ou l'astre mal* » (35) : clin d'œil proposant deux titres correspondant à deux éléments du poème (l'araignée, le soleil), incertitude qui ressortit à une thématique globale du monde problématique et non à une « dérive » du langage. On en dirait autant de ce vers de « *Ronde nocturne* » : « C'est une parabole ou une passerelle » (36).

Que des processus d'association phonique existent à cette époque chez Reverdy, des exemples pourraient l'attester (37). Et comment seraient-ils absents chez un poète ? Mais leur nombre paraît relativement faible et leur importance minime par rapport aux calembours poétiques d'Apollinaire et de Max Jacob, ou aux jeux verbaux, calculés ou non, du surréalisme. Loin que le mot exhibe chez Reverdy sa présence, il y a comme un manque, comme le contraire d'un trop-plein dans son langage : déficit du signifiant par rapport au signifié.

⁂

Une dernière question se pose, qu'on ne peut éluder dans la mesure où Reverdy et d'autres lui ont apporté des réponses : l'image poétique a-t-elle son équivalent dans les arts plastiques et notamment dans la peinture ? Essayons de faire brièvement le point, d'abord en restituant le problème dans le cadre plus vaste des rapports entre la poésie et l'art du temps. Face aux simplifications de nombreux contemporains qui accréditent l'idée que la poésie nouvelle dérive du cubisme pictural (d'où les expressions de « poésie cubiste » ou de « cubisme littéraire » contre lesquelles Reverdy proteste ; elles ont la vie dure), le poète tient à rappeler qu'en vérité la poésie a comuniqué à l'art et entretenu en lui l'impulsion qui doit l'engager dans la voie du renouvellement. Pour lui, les découvertes des grands devanciers, Mallarmé et Rimbaud, et les efforts de leurs successeurs ont été assimilés et transposés par les artistes (38). A l'appui de cette vue, on pourrait citer des faits — les cubistes passionnés de lectures poétiques, les poètes souhaités dans les ateliers — qui sont confirmés par des témoins comme Maurice Raynal ou André Salmon. Les artistes ont pu apprendre dans les poèmes d'une part la possibilité d'un art non-représentatif, d'autre part la possibilité d'un maniement des éléments réels dans une liberté aussi radicale que celle dont bénéficie l' « esprit » du poète.

C'est principalement dans deux textes de 1919 et de 1920, « Le Cubisme, poésie plastique » (39) et « Critique générale sans exposition » (40) que Reverdy a suggéré que les peintres ont ainsi trouvé des procédés qui sont les équivalents des images des poètes. Dans le premier de ces textes, il écrit :

> *Dégager, pour créer, les rapports que les choses ont entre elles, pour les rapprocher, a été de tous temps le propre de la poésie. Les peintres ont appliqué ce moyen aux objets et, au lieu de les représenter, se sont servis de rapports qu'ils découvraient entre eux.*

Dans le second article, texte fiévreux s'ouvrant sur de brusques éclaircies, le vocabulaire de l'essai « L'Image » surgit pour décrire la démarche du peintre : « rapports », « justesse », « esprit », « justesse des rapports » etc. Dans un passage difficile dont le détail appellerait un long examen, une équivalence est esquissée entre l'image poétique et « l'objet *imaginé* » en peinture. A ces propositions de Reverdy font écho les observations des critiques ou même les théories émanant des artistes eux-mêmes. Ainsi Maurice Raynal, irremplaçable accompagnateur du cubisme, confie en 1923 au catalogue d'une exposition Juan Gris une importante préface dont la parenté avec les vues de Reverdy est évidente : Gris perçoit des « rapports plastiques », établit dans le tableau des « rapports poétiques » (41). Quelques années plus tard, dans son *Anthologie de la peinture en France de 1906 à nos jours,* non seulement Raynal utilise à propos de l'œuvre de Gris l'expression « métaphore plastique », mais il prend soin d'opposer ce concept à celui de comparaison (42). On trouvera dans l'ouvrage de Daniel-Henry Kahnweiler, *Juan Gris, sa vie, son œuvre, ses écrits,* des observations du même ordre : Kahnweiler attribue expressément à Gris une théorie des « métaphores plastiques », celles-ci étant appelées également « rimes » (43). La théorie est illustrée par l'analyse de quelques toiles : le *Buste de femme* de 1922 et surtout *La Religieuse* de 1923, composition où les mains jointes du personnage dessinent une figure analogue à son visage. On ajouterait volontiers à ces exemples *Le Cahier de musique* de 1922 où les cordes de la guitare et la portée tracée sur le cahier s'associent dans une « métaphore plastique ». Faut-il enfin citer André Lhote ? Si le théoricien de *La Nouvelle revue française* utilise dès 1920 l'expression de « métaphore plastique », comme l'atteste l'article « L'Enseignement de Cézanne » (44) on doit reconnaître qu'elle reçoit chez lui un contenu différent. Dans un climat idéaliste, elle est le rapport souligné par le peintre entre l'objet et les formes idéales de la géométrie. Les apparences sont ainsi l'objet d'une « transfiguration » qui les élève jusqu'au monde transcendant des figures parfaites. Ce type de définition peut s'apliquer à Cézanne et à des artistes contemporains qui, comme Lhote lui-même, soumettent à une stylisation géométrique des objets qu'ils abordent dans une optique foncièrement représentative ; on devine qu'il est inopérant sur les œuvres ressortissant à un cubisme plus exigeant dans ses ambitions.

***

Est-il possible, après des commentaires sans doute parasitaires, d'ajouter quelques mots de conclusion sur ces paragraphes denses, d'allure à la fois tendue et tranquille ? Au lecteur d'aujourd'hui qui se penche sur ce texte de 1918 avec le facile recul que procurent les années écoulées, trois constatations s'imposent. C'est d'abord que Reverdy ne renie pas à proprement parler la tradition, mais qu'il l'élague, la reformule, la réactive. C'est ensuite la remarquable correspondance qui s'établit entre cette « esthétique a posteriori » et la poésie la plus authentique de son temps. On reproche souvent aux poètes théoriciens de ne livrer que la poétique de leur poésie : l'horizon de Reverdy dépasse sa propre production et s'avère prophétique ; ce n'est pas un hasard si ces mots ont agi sur André Breton — et d'autres — comme « de très forts révélateurs ». On éprouvera enfin que, dès l'époque *Nord-Sud,* les idées de Reverdy constituent un solide point de départ pour les approfondissements futurs, vers cette vision globale et tragique selon laquelle l'activité poétique constitue, pour reprendre sa formule souvent citée, un « bouche-abîme du réel désiré qui manque ».

Etienne-Alain HUBERT.

NOTES

(1) Nous avons rassemblé et annoté ces textes dans le volume *Nord-Sud, Self defence et autres écrits sur l'art et la poésie (1917-1926)*, Paris, Flammarion, 1975 (désigné ici par le sigle *N.S.S.D.*). Les éditions Jean-Michel Place viennent de publier une reproduction de la revue *Nord-Sud* (Paris, 1980) à laquelle nous avons donné une préface et des notes.

(2) Voir *N.S.S.D.*, p. 101-124. Le mot « paragraphes » est employé par Reverdy dans une annonce du livre.

(3) On lit dans l'essai « L'Esthétique et l'esprit » :

> *La théorie, à côté de l'art n'est rien, précisément parce qu'elle est à côté.*
>
> *L'esthétique est au contraire partie de l'art. Elle est dans l'esprit et l'esprit c'est l'artiste lui-même.* (*N.S.S.D.*, p. 174).

(4) *Le Gant de crin*, Paris, Flammarion, 1968 (réédition), p. 56.

(5) Une exception notable à cette distinction des genres : le numéro 12 de *Nord-Sud* (février 1918) s'ouvre de façon inhabituelle sur un poème, « *Note* » qui est aussi un prolongement de l'essai « L'Emotion ».

(6) *N.S.S.D.*, p. 89.

(7) *N.S.S.D.*, p. 59.

(8) *N.S.S.D.*, p. 73-75.

(9) Maurice Saillet a donné de précieux commentaires aux idées sur l'image dans « La Nature de Reverdy », *Mercure de France*, n° 1043, 1er juillet 1950, p. 418-436. Robert W. Greene a consacré à « L'Image » plusieurs pages de son étude utile, *The Poetic Theory of Pierre Reverdy*, Berkeley and Los Angeles, University of California Press, 1967. Dans *Image et métaphore* (s.l., Bordas, 1970), Pierre Caminade a rassemblé autour du texte un important ensemble de citations de Reverdy. Sous le titre « Pierre Reverdy et l'image : discours théorique ou discours idéologique », C.J. Van Rees a publié dans *Het Franse boek* (april 1970) une « explication de texte » stimulante et neuve, mais peu nuancée dans ses conclusions. Dans *Forum for Modern Language Studies* (January 1976), Michael Bishop a publié « Pierre Reverdy's conception of the image ». Pour une confrontation des vues de Breton et de Reverdy, l'ouvrage de Marguerite Bonnet, *André Breton, Naissance de l'aventure surréaliste* (Paris, Corti, 1975), est irremplaçable. Enfin, des rapprochements pénétrants avec l'esthétique de Reverdy figurent dans le livre de Gérard Bertrand,

L'Illustration de la poésie à l'époque du cubisme, 1909-1914, Paris, Klincksieck, 1971 (Collection Le Signe de l'art).

(11) *N.S.S.D.*, p. 283.

(12) Nous donnons le texte tel qu'il figure dans *Sources du vent* (repris dans *Main d'œuvre*, Paris, Mercure de France, 1949, p. 224).

(13) « Quelques traits particuliers de la poéticité chez Pierre Reverdy », *Annales Universitatis scientiarum Budapestinensis de Rolando Eotvos nominatae, sectio philologica moderna*, tomus 5, Budapest, 1974, p. 53-72.

(14) *Esthétique de la langue française*, Paris, Mercure de France, 1899, p. 115-116.

(15) Oswald Ducrot et Tzvetan Todorov, *Dictionnaire encyclopédique des sciences du langage*, Paris, Seuil, 1972, p. 108.

(16) *André Breton, Naissance de l'aventure surréaliste*, p. 229.

(17) *Les Directions de la littérature moderne*, Poitiers, Société française d'imprimerie et de librairie, 1912, p. 18.

(18) Nous ne saurions faire nôtres les vues exprimées dans *Langages*, n° 54, juin 1979 *(La Métaphore)*, p. 17. Les auteurs assimilent brièvement Reverdy au surréalisme et rattachent la conception de l'image à l'héritage symboliste.

(19) Voir la lettre à André Breton en date du 4 juillet 1968 dans la publication de Léon Somville, « Trente-deux lettres inédites à André Breton, 1917-1924 », *Etudes littéraires*, vol. 3, n° 1, avril 1970.

(20) *La Nouvelle revue française*, 1er juin 1920. Voir *Les Pas perdus*, Paris, N.R.F., 1924, p. 82.

(21) *La Nouvelle revue française*, 1er août 1920. Voir *Les Pas perdus*, p. 77.

(22) *Max Ernst, Exposition Dada*, Paris, Au Sans Pareil, 3 mai - 3 juin 1920. Voir *Les Pas perdus*, p. 87.

(23) Ce rapprochement a été fait notamment par Francis J. Carmody, Robert W. Greene, Giovanni Lista. On le trouve — tardivement — sous la plume de Severini (voir *Si e no*, 7, 1978, « Notes pour l'article hommage à Marinetti », p. 11).

(24) *N.S.S.D.*, p. 106.

(25) Lettre citée par Marguerite Bonnet dans *André Breton, Naissance de l'aventure surréaliste*, p. 361.

(26) *Cette émotion appelée poésie*, Paris, Flammarion, 1974, p. 65.

(27) *Mercure de France*, 1er février 1916, p. 466-476. Le passage cité figure p. 470. Sur cette conférence, voir notre article « Pierre Reverdy et le cubisme en mars 1917 », *Revue de l'art*, n° 43, 1979.

(29) *N.S.S.D.*, p. 20.

(30) Lettre publiée pour la première fois par Marcel Adéma dans *Guillaume Apollinaire le mal-aimé*, Plon, 1952, p. 229.

(31) Voir la chronique du numéro 2 de *Nord-Sud*, 15 avril 1917, où Reverdy maintient que « l'école littéraire et artistique qui s'affirme en nous n'a pas une appellation particulière » *(N.S.S.D.*, p. 23-24). Voir aussi l'interview par Benjamin Péret où Reverdy déclare : « Au temps où je faisais *Nord-Sud*, Apollinaire me pressait de créer une école surréaliste, mais des divergences d'opinion, quant à la nature même du surréalisme, empêchèrent le projet d'aboutir ». *(N.S.S.D.*, p. 232). Il faut dé-

chiffrer ici le refus de l'étiquette proposée par Apollinaire et du contenu que ce dernier y plaçait.

(32) Dans *Cravates de chanvre,* 1922. Repris dans *Plupart du temps,* Paris, Flammarion, 1967, p. 373-375.

(33) Lettre postée le 5 janvier 1919. Voir Marguerite Bonnet, *André Breton, Naissance de l'aventure surréaliste,* p. 132.

(34) *N.S.S.D.,* p. 98.

(35) *Au soleil du plafond et autres poèmes,* Paris, Flammarion, 1980, p. 96.

(36) *Plupart du temps,* p. 189.

(37) Dans son compte rendu des *Ardoises du toit (Sic.,* n° 29, mai 1918), Aragon détache ce vers du poème « *Lumière* » marqué d'une forte allitération : « Les rides que le vent fait aux rideaux du lit ».

(38) Voir *N.S.S.D.,* p. 142-144 et 313-314.

(39) *N.S.S.D.,* p. 142-148.

(40) Repris plus tard en guise de préface dans *Au soleil du plafond (Note éternelle du présent,* Paris, Flammarion, 1973, p. 115-128).

(41) *Exposition Juan Gris,* 20 mars au 5 avril 1923, Galerie Simon, Paris.

(42) Paris, Editions Montaigne, 1927, p. 174.

(43) Paris, Gallimard, 1946, p. 201-202.

(44) *La Nouvelle revue française,* 1er novembre 1920, p. 649-672 ; voir notamment p. 664. Lhote est revenu sur le sujet dans sa conférence « Nature-peinture, peinture-poésie » que reproduit *La Revue hebdomadaire,* 30 juin 1923, p. 575-597 (texte également accessible dans les recueils *Parlons peinture,* Paris, Denoël et Steele, 1936, et *Ecrits sur la peinture,* Bruxelles, éditions Lumière, 1946).

RENEE RIESE HUBERT

LES FICTIONS DEFORMANTES : UNE LECTURE *DU* VOLEUR DE TALAN

A l'exception d'une seule étude par Léon Somville intitulée « Les Romans autobiographiques de Pierre Reverdy » (1), la critique ne mentionne *Le Voleur de Talan* qu'en passant, sans vraiment le distinguer de la poésie. Maurice Saillet dans la réédition de 1967 rappelle le manque de succès de ce roman lors de sa parution (2). Même un lecteur aguerri par la lecture des textes romanesques de Raymond Roussel et de Guillaume Apollinaire peut trouver *Le Voleur de Talan* déconcertant en tant que fiction, car son affabulation ne laisse rien anticiper.

Le livre se divise en de brefs chapitres, précédés d'un carré de texte servant à la fois de titre et de poème lapidaire réduit à une ou deux phrases. Ces « proses en carré », selon l'expression de Maurice Saillet, offrant quelques modestes éléments descriptifs, narratifs ou hortatifs, programment parfois le chapitre à venir tout en en proposant le contrepoint. Ecrits tantôt à la troisième personne, tantôt à la première, formulant soit un fait immédiat, soit une vérité générale, ces textes concis établissent une variété de relations entre l'individu et autrui, entre l'homme et le monde. Chacun de ces carrés, loin d'arriver à une vérité claire et distincte, propose un paradoxe, une incertitude, une restriction ; il s'agit de vision, de familiarité, de liberté, mais aussi de leurs contraires :

l'aveuglement, l'inconnaissable, l'emprisonnement. Si le lecteur prend ces bribes, chacune imprimée en caractères gras sur une page séparée, pour des titres, il constatera qu'elles ne lui permettent guère de prévoir ce qui va suivre ou d'en comprendre la démarche, et il se verra acculé à formuler des hypothèses sans nécessairement pouvoir les intégrer dans un schème satisfaisant. Reverdy a rendu le rôle de ces pages si ambigu que tout effort d'imposer un ordre ou d'en abstraire un système engagerait le lecteur à faire fausse route.

Néanmoins, nous pouvons déceler par une analyse même sommaire de ces titres certaines constantes du *Voleur de Talan,* à commencer par la discontinuité spatiale, exception faite de quelques pages. Maurice Saillet nous apprend qu'au départ Reverdy n'avait pas écrit de la prose sans ponctuation, des bouts de phrases rarement raccordés, des fragments, des mots séparés les uns des autres sur la page :

> *Et c'est en achevant de mettre au net le deuxième (état) qu'il rencontre enfin sa nouvelle syntaxe — la disposition typographique dite « en créneaux » — qui transforme de fond en comble son livre, écrit d'abord comme tous les romans* (p. 178).

La lecture — le simple acte de lire, sans même songer à un sens — est doublement difficile. Le commentaire d'Eliane Formentelli se rapportant aux premières versions de certains poèmes des *Ardoises du toit* est tout à fait applicable ici :

> *(...) en un mot l'organisation et la scansion plastique de la page produisent un rythme figural qui rompt l'habitude de lecture. Roués selon cette variation spatiale, épinglés chaque fois dans l'absolu de la page, le*

vers et ses éléments gagnent en signifiance ce qu'ils perdent en signification cumulative (3).

Ici, d'abord, le mot isolé, entouré d'espace blanc, arrête le mouvement de l'œil ; ensuite le lecteur, affrontant l'état fragmentaire de la syntaxe, cherche à combler les vides. Entraîné dans un double jeu d'ordre spatial et d'ordre sémantique, il finit par constater son impuissance avant de se soumettre et de subir les lois particulières du texte romanesque de Reverdy.

L'expérimentation typographique ne se réduit pas aux carrés noirs en caractères gras contrastant avec les pages arrangées, pour ne pas dire triturées en créneaux. Le jeu des lignes va d'une fragmentation complète isolant un seul mot jusqu'à une continuité de toute une page. Bien des mots, bien des fragments ne commencent pas au début de la ligne, ce qui renforce la rupture avec la poésie conventionnelle dans son rythme et même son sens au profit d'un arrangement visuel. Certains groupements, surtout s'il s'agit de pages entières, respectent l'ordre de la prose sur le plan spatial sans renoncer tout à fait aux qualités rythmiques de la versification. La complexité, les audaces de l'expérimentation ne s'arrêtent pas là. Reverdy inclut une page entière en italique, page dont la première ligne figure dans la table des matières, ce qui la sépare encore plus nettement des sections qui précèdent et qui suivent. Elle se distingue en effet des autres par une élocution plus vibrante, une première personne qui parle d'une façon soutenue, traduisant une prise de conscience poétique, tantôt confessionnelle, tantôt programmatique. Une autre page est rédigée dans une prose fort analytique, l'auteur y prend des écarts à l'égard du narrateur, comme l'a expliqué Léon Somville (4). Ces variations typographiques de carrés noirs formant des dessins intérieurs sur la surface blanche, ces lignes qui se groupent ou se repoussent sur d'autres pages, ces sections en italique ou en prose traditionnelle, modifications qui semblent faire entorse au système si soigneusement établi, augmentent et diminuent à tour de rôle l'intensité du texte. Le lecteur se situe à des distances variables par suite de l'alternance du mot et du silence, du vide et de la présence. Ce que les romanciers traduisent d'habitude par des gammes narratives, Reverdy le rend, du moins partiellement, par la typographie.

Les ruptures spatiales correspondent à un souffle poétique arrêté, enrayé. Le poème en tant qu'ensemble de mots écrits, est incapable de combler l'espace d'une page et en tant que formulation, succombe aux réitérations du silence :

Baisse la tête
Là-haut
Tout espoir est perdu

A l'épuisement des possibilité d'agir s'ajoute la faiblesse du souffle poétique.

La comparaison d'un fragment tiré d'un des manuscrits avec une section du texte définitif permet de faire ressortir quelques caractéristiques de ce dernier. Bernard Loliée a établi des parallèles avec certains passages du livre, rapprochant notamment le fragment 9 des pages 99-100 du *Voleur de Talan*. Reverdy a apporté des remaniements considérables, non seulement dans la typographie, mais aussi dans la narration. A vrai dire, il ne subsiste que quelques phrases, celles qui contiennent les images les plus saisissantes :

Le soleil tombait dans le port
et les poissons sautaient pour dévorer sa
flamme (p. 99)

Une lame tenait entre deux cimes d'arbres
et on aurait dit qu'elle allait tomber
Mais on ne devait couper aucune tête (p. 113)

Images violentes, sinon agressives, tempérées dans le manuscrit par des expressions plus calmes et reposantes, mais au contraire renforcées par d'autres expressions intenses dans le livre. Dans le manuscrit ces images constituent des moments ou même des ornements poétiques s'ajoutant à un récit où il est question d'un départ et d'un retour, déplacement extérieur qui se double d'une prise de conscience cherchant à créer une vision où les souvenirs et l'expérience du présent finiront par s'harmoniser. Après plusieurs efforts chaque fois enrayés le narrateur finit par constater l'impossibilité de tout faire rentrer dans un cadre. Il aboutit à une accumulation de détails de valeur incertaine, mais il ne laisse guère au lecteur de lacunes à combler. L'image en question, évoquant un coucher de soleil, renforce parmi le va-et-vient et les renversements répétés un engloutissement, une menace qui s'oppose à une réalité extérieure préétablie.

Comme Maurice Saillet le souligne dans ses commentaires, la version définitive est considérablement abrégée par rapport aux fragments de manuscrits. Cette fois, on n'évoque plus le trajet délimité ou reconnaissable d'un seul personnage, la présence continue d'un narrateur. Cette comparaison entre le texte primitif et le texte définitif montre, semble-t-il, la découverte d'une nouvelle espèce de démarche romanesque à moins qu'il ne soit question d'une nouvelle démarche poétique. Dans le texte définitif, à la présence du narrateur se substituent l'alternance et les juxtapositions de plusieurs perspectives :

Le soleil tombait dans le port
et les poissons sautaient pour dévorer sa flamme

Le secret était découvert
Le phare tournait entre les voiles
du navire amarré et ses feux
donnaient
une autre couleur au papillon
qui s'était laissé prendre (p. 99)

Dans ce court passage les ruptures spatiales et temporelles se multiplient, les mouvements aux effets transformateurs et surtout annihilants se passent de coordination et n'émanent pas d'une seule source. Dans l'ensemble, les traces d'une narration centrale subsistent à peine. Reverdy, par ces lignes fragmentées et plus ou moins écartées les unes des autres, fait naître une série de tensions (par exemple, entre la disparition du soleil et la révélation du secret), mais on ne peut situer ces tensions par rapport à une donnée stable. Les segments isolés et par là, dans une certaine mesure, autonomes, s'affrontent sans établir un cours ou, pour mieux dire, une coulée. Les changements s'annoncent sans préavis, sans causalité, excluant lors d'une première lecture toute participation fructueuse du lecteur. L'image du soleil, que Reverdy a retenue de la première version, ne constitue plus une phase d'un coucher de soleil, mais un ébranlement quasi inattendu, une transformation qui brise les contacts tout en recréant, peut-être même à rebours, de nouvelles possibilités (libération possible par l'éclairage après la suppression de la lumière solaire).

Reverdy groupe les données de ce texte : expressions, images, mots isolés, placés comme des buttes témoins de la trame hermétique du texte et qui passent sous silence ou laissent subsister dans l'invisible détails, particularités, atmosphère. Contrairement au texte primitif, aucun cadre n'est pour ainsi dire respecté. Dans le texte définitif plus purement poétique Reverdy glisse hors d'un cadre pour y revenir :

Le jour en sortant brusquement de
derrière le mur avait tout effacé (p. 100)

Etant donné la quasi abolition de la linéarité et de la narrativité dans la version définitive du *Voleur*, la question des affinités avec les textes poétiques de Reverdy se pose, notamment avec certains poèmes des *Ardoises* du toit datant plus ou moins de la même période et soumis à une typographie analogue. Dans le cas des révisions des poèmes en prose, Reverdy est allé du discontinu, d'un texte fort espacé, à un texte d'une typographie plus dense et plus conventionnelle, comme l'a très bien montré Eliane Formentelli (5) ; donc les révisions des *Ardoises du toit* vont en sens contraire par rapport à celles du *Voleur de Talan*. On peut se demander si la différence entre des poèmes tels que « *Feu* » dans la version initiale, réimprimée dans l'article d'Eliane Formentelli, et *Le Voleur* ressortit à une question de simple longueur ou au contraire de nature :

FEU

Le vent passe
La pointe fléchit
une trace
Sur le champ une vague s'efface
Plus loin
Le plan monte
Le ciel s'incline lentement
Un lambeau plus sombre flotte
Par dessus le mur
L'espace s'agrandit

Et là-devant
Quelqu'un qui n'a rien dit
Deux yeux
Une lumière

Qui vient de franchir la barrière
En s'abattant

Ce poème se compose essentiellement de phrases calquées sur le même modèle : article défini, nom, verbe actif, modèle auquel s'ajoutent parfois des expressions adverbiales. Par ces modèles syntactiques, le poète fait ressortir certaines analogies dans une série de gestes. L'unité de « *Feu* » émane aussi de la surdétermination verbale, par exemple de l'alternance de termes concrets se rapportant au paysage (champ, vent, ciel, mur, lumière, yeux) avec des termes abstraits où il s'agit de lieu, pointe, trace, plan, espace ; ce qui évoque une série de mouvements, de disparitions, de divisions où la chute l'emporte finalement. La dramatisation se déclenche dès le titre, le poème, tournant autour d'un événement jamais tout à fait visible se manifeste seulement par des analogies. Dans les chapitres du *Voleur de Talan,* par contre, l'analogie sur le plan syntactique est absente, la terminologie défie tout effort de classification.

Le train va vers Paris

C'est un point flottant qu'on ne
voit pas

C'est à l'autre bout

Les paupières s'abaissent sur les yeux
Ou sur le cœur (p. 51-52)

Dans ces quelques lignes le plan de l'espace et le plan humain ne se rencontrent guère, mais alternent sans s'appuyer l'un sur l'autre. Il ne faut pas s'attendent à une réconciliation entre voir et exister, car l'un aussi bien que l'autre dressent des obstacles.

C'était dans une maison sans feu où tout le
monde se trouvait bien

On avait mis de la paille
pour faire fondre la neige

C'est qu'aucun d'eux ne se rappelle

Leur figure ne ressemble à rien

Derrière devant
à la même heure (p. 106-107)

Ici aussi, on vire du plan spatial au plan humain sans pouvoir préciser de lieux, sans que l'un ne puisse offrir un appui à l'autre. Chaque bout de phrase met en question le précédent dès que le lecteur essaie d'établir une suite, ce qui renforce le discontinu purement syntactique manifesté, de prime abord. Au lieu de créer un relief, un nivellement efface toute possibilité de contours.

Nulle entrée en matière, nulle exposition ne permet au lecteur de s'orienter au début du roman. L'auteur ne le prévient par aucun signe familier, il n'en fait nullement un complice, il ne capte son attention ni par des surprises ni par des superlatifs :

Une bête venait de remuer
On entendit un sabot gratter le pavé sous la paille

Puis un cri

Attendez-vous à ce qui va se passer

Quelqu'un mit un œil à la lucarne
et regarda (p. 7)

Ce début est assez typique de ce texte d'une centaine de pages basé sur des variations, des répétitions toujours quelque peu déformantes. Des signaux se déclenchent dont la causalité reste insuffisante et l'identité imprécise. A quoi se rapportent-ils ? Ils ébranlent le calme, s'apparentent aux signes avant-coureurs d'un événement prématuré ou reculé jamais nettement circonscrit. Ils produisent un certain malaise poussant au-delà cette ligne de démarcation, ligne glissante à peine traçable entre le familier et l'étrange. Le poète suscite des états d'anticipation, il s'en remet à des médiateurs sans formuler des réponses partielles. Entre une réponse remise à plus tard et un espace blanc, mot temporairement invisible, des analogies existent. Le lecteur, une fois alerté, confrontera des lacunes entre les données du problème et sa solution, entre la curiosité et sa satisfaction. Le poète incite le lecteur à faire lui-même du roman, à « spéculer » sur les vides.

Néanmoins, il reste des traces d'un ordre ou d'une démarche romanesque dans la version définitive du *Voleur*. Des allusions au temps y abondent. Des expressions adverbiales isolées sur la page promettent parfois une orientation au lecteur par leur précision même. « Maintenant », « enfin », « ce jour-là », « quand », « comme » situent le récit dans un cadre narratif. Mais cette précision temporelle reste illusoire, un éclaircissement sans lendemain. Reverdy tend à « compenser » ces termes en apparence tout à fait clairs par des constatations de perte, de déclin, de glissement vers le flou, le mystérieux, qui suppriment la possibilité même d'un point de repère.

> *Maintenant il n'y a plus que des silhouettes*
> *sans épaisseur qui s'agitent sur un*
> *fond noir où l'on voit parfois briller*
> *des trous* (p. 74)

Dans cette citation, « maintenant » prend un sens quelque peu restrictif. Au cours de la phrase l'indéfini et la négation s'intensifient. La perception menant à une constatation solide ou à un concept est enrayée ; ici et ailleurs dans le texte s'imposent des divisions, des séparations où l'unité ne peut plus se rétablir.

Les comparaisons avec le texte primitif nous ont permis de faire quelques allusions à des expressions spatiales. Précisons par l'étude d'un autre exemple le rôle du dérèglement spatial :

La porte s'ouvre
Et tu es triste

Il y en avait un en robe grise
Un autre jouait avec son regard

Des visages
La seule forme d'un nuage

Et tout se tient au bout des doigts

Ceux qui reviennent ne sont plus trois

Et puis
plus rien
La nuit

La porte s'est refermée sans bruit (p. 85)

Ce passage commençant par la porte qui s'ouvre et finissant par la porte qui se ferme trouve sa cohérence grâce à la présence d'une ouverture où se constitue une vision, où se révèle un secret. Mais le repère spatial ne réalise pas sa possibilité, sa promesse ; le « contenu » perçu ne correspond point au contenant étant donné le manque d'enchaînement. La forme se ferme sur une absence, une obscurité, clôture tout à fait inutile, car la réalité s'est désagrégée d'avance. Bien que de telles remarques sur le fonctionnement temporel et spatial soient trop précaires pour caractériser la nature romanesque d'un texte, la technique générale du *Voleur de Talan* se dessine à partir de ces observations préliminaires : le poète donne par moment l'illusion d'un déroulement tangible pour ne faire affronter à son lecteur que le dérèglement, la décentralisation des points de repères ainsi que l'effritement de toute succession.

Même si le temps se dissout chaque fois qu'on s'efforce de le préciser, même si l'espace ne forme guère de cadre, il s'agit néanmoins, selon Reverdy lui-même, d'une sorte d'autobiographie, genre narratif qui normalement exige des points de repère d'ordre géographique et chronologique capables d'assurer un développement cohérent. Léon Somville a étudié à fond le côté autobiographique du *Voleur de Talan,* nous renvoyons à cete étude. Au départ on pourrait dire que certains « épisodes », certains « moments » se situent dans ou par raport à des quartiers parisiens, notamment Montmartre et Montparnasse, hauts lieux de la litttérature et de la peinture :

> *Le mage Abel était venu voir son ami qu'il avait installé depuis trois mois dans une petite chambre à Montmartre* (p. 22)

Le poète nomme la rue Ravignan qu'il habitait et où Max Jacob était domicilié. C'est d'ailleurs le titre d'un poème du *Cornet à dés.* A partir de la relation intense et orageuse avec son ami, Reverdy a agencé certaines « scènes » : Jacob sous le nom de Mage Abel, Reverdy sous le nom de Voleur de Talan paraissent sans que soient racontés des épisodes reconnaissables de leur aventure. Les deux poètes, selon les données du roman, ne peuvent se passer l'un de l'autre, même si l'angoisse et la méfiance faussent leurs rencontres :

> *Qui entre*
>
> *Je suis le Voleur de Talan*
>
> *Le Mage Abel rangea la lettre et les papiers qu'il venait de poser sur la table* (p. 37)

Ces situations en apparence si faciles à saisir restent sans lendemain. Le poète néglige de s'expliquer ou de nous renseigner sur le sens de l'événement ou ses conséquences. Par la suite la scène se dépersonnalise ; au lieu d'échanges de paroles et d'actions, des états d'âme se propagent, abolissant les barrières entre le monde extérieur et la vie intérieure. Le lieu de la chambre se dissout dans un espace englobant le ciel, qui lui aussi participe à la dissolution générale :

Un homme est entré par le
fond sans qu'on le voie
Et les feuilles tremblent
Les mains du vieux mendiant
tremblent
contre le ciel qu'elles
voudraient soutenir (p. 37)

Max Jacob, collaborateur de Reverdy dans *Nord-Sud* et son aîné de treize ans, exerça sur lui une influence tantôt positive, tantôt négative, mais toujours troublante. Les rencontres, telles qu'elles s'effectuent dans le cours du roman, ne résultent nullement en illuminations, mais en tâtonnements, en surprises, en déceptions, vite éclipsées pour resurgir plus tard. Mettant en vedette certaines polarisations, les rapprochements permettent aussi de constater un potentiel de ressemblances, d'affinités aboutissant à l'intertextualité plutôt qu'à des caractérisations individuelles et subjectives :

Autour de ta tête tout ce qui n'existait
pas se balance

J'oublie ton nom

Et ton passé qui me ressemble (p. 100)

C'était un esprit

Il vous ressemblait mais il était plus malin que
le vôtre (p. 79)

Reverdy, en se proposant de transposer quelques souvenirs, a réduit, comme dans toute son œuvre, le côté anecdotique pour ne laisser subsister que des réverbérations littéraires. La présence de l'autre se limite aux livres, aux feuilles de papier. Il semble que Reverdy ait pris soin d'exclure toute communion spirituelle, toute intimité, tout partage entre les collaborateurs suggérant plutôt des chassés-croisés d'ombre et de lumière. L'ironie et même la moquerie émanent du texte, tendance bien plus fréquente chez Max Jacob que chez Pierre Reverdy lui-même. Sans vraiment insister sur une dette précise, Reverdy met en cause les obsessions de Jacob et, au fond, de tout créateur car on a également peur que quelqu'un vous souffle vos paroles et qu'on soit même plagiaire à son insu. Citons « La Parole Soufflée » de Jacques Derrida dans ce contexte :

> *Artaud savait que toute parole tombée du corps, s'offrant à être entendue ou reçue, s'offrant en spectacle, devient aussitôt parole volée. Signification dont je suis dépossédé parce qu'elle est signification. Le vol est toujours le vol d'une parole ou d'un texte, d'une trace* (7).

Aussi, l'écrivain, pareil à d'autres artistes, garde-t-il jalousement ses œuvres, comme s'il s'agissait de trésor et même d'un capital, comme si le public ne pratiquait que des abus et les confrères des plagiats. Loin d'entamer des dialogues dangereux avec autrui, le Mage Abel aurait préféré s'éclipser. La conversion au Christianisme du Mage et son éloignement du groupe parisien constituent un changement de plus, une rupture de plus dans ce « portrait » aux facettes multiples. Dès que le Mage Abel et le Voleur de Talan se trouvent, ils esquissent un mouvement de fuite. Ces voltes-faces, ces séparations qui se répètent avec des variations correspondent à des qualités communes structurales et thématiques des poèmes de Reverdy et de Jacob de l'époque de la Première Guerre : les perspectives multiples, les ruptures et les simultanéités.

Pierre Reverdy a transformé un épisode vécu en retenant presque exclusivement les données se rapportant à l'écriture, surdéterminée tout au long du texte. Nous avons parlé de Paris, lieu tantôt flou, tantôt précis, tantôt proche, tantôt lointain. Les transpositions se déclenchent d'une façon beaucoup plus nette à partir de deux personnages rebaptisés. Reverdy cache son nom et celui de Jacob. Il substitue un nom biblique à un autre. Mais ce dernier nom n'est absent qu'en apparence. La suppression et le déguisement permettent de faciliter les rapprochements et de multiplier les évocations. On ne peut nommer Abel sans évoquer Caïn comme on ne peut songer au Jacob biblique sans évoquer Esaü. On remplace une histoire de frère par une autre. Dans chacune de ces deux légendes il est question de proie et de victime, de jalousie. Si le comparse, le Voleur de Talan a l'air de porter un nom imaginaire, sa résonance est nettement hébraïque. Jacob est né à Canaan et épousa la fille de Laban. Par ces échos bibliques, Reverdy souligne des parentés dans toute leur complexité, mais en même temps il s'élève au-dessus de l'histoire strictement personnelle, car par ces noms il va introduire aussi les paraboles sur le voleur nocturne et sur les talents, incitant le lecteur à prolonger le texte. Entre Jacob et Esaü surgit le problème d'aînesse ; le Jacob biblique est lui-même un voleur. Il force son frère, à peine plus âgé que lui, à lui vendre ses droits pour un plat de lentilles. Abel-Jacob, « mage », se croyant nettement l'aîné de Talan-Reverdy, qu'il soupçonne de vol, a lui-même volé par la force des choses. Le vol ne particularise pas plus un talent qu'un autre. En outre Reverdy, par allusion indirecte à Jacob et Esaü, oppose la possession à la naissance, ce qui est acquis à ce qui est inné. D'ailleurs Somville, après une allusion au « voleur de talent », renvoie à une citation du *Livre de mon bord* (« Le talent se sert de tout ce qu'il se rappelle, le génie de tout ce qu'il a su oublier ») aussi bien qu'à une phrase de l'appendice du *Voleur* (« Le génie est un vide qui se comble par lui-même. Le talent est un vide qui se comble par l'extérieur : tout lui est extérieur », p. 171) (8). Reverdy répond implicitement à sa propre question : le talent est-il vendable, le talent appartient-il pleinement et authentiquement à un écrivain ? Et le Voleur de Talan, anagramme de « natal », prolonge la parabole ; donc le Mage Abel redoute d'être volé par un être possédant, comme un second Prométhée, des dons innés.

Le recueil *Poèmes en prose* de Reverdy paraît deux années avant *Le Cornet à dés*. Reverdy pratique le même genre que Max Jacob. Etienne-Alain Hubert, dans une note à *Nord-Sud, Self defence et autres écrits*, a parlé de la querelle, à la fois personnelle et littéraire, de Max Jacob et Reverdy, déclenchée par la publication de *Poèmes en prose* (9). Maurice Saillet, dans sa chronique, rapporte :

> *Les premiers livres de Pierre Reverdy sont des répliques à Max Jacob qui n'arrête pas de l'embêter. Quand il apprend qu'il écrit des vers, Max Jacob dit : « Les vers, c'est très bien, mais il y a le poème en prose. » Et Pierre Reverdy publie* Poèmes en prose. *Alors Max Jacob : « Tes petites histoires, c'est très bien, mais il y a le roman* » (p. 174-175).

Evoquant ses premiers contacts avec le livre, il écrit :

> *Mais j'arrivais mal à faire le départ entre le fait vrai et l'affabulation romanesque, entre la querelle et la confession. Les rapports de vo-*

leur à volé et l'objet même du vol annoncé par le titre m'échappaient à peu près complètement. Pour tout dire, je n'y voyais goutte. Seule me touchait la constante vertu poétique du livre (p. 159).

Dans l'affabulation romanesque, nous avons justement cherché une série de transformations souvent parodiques d'expressions et de paraboles pour en arriver à affirmer, comme Maurice Saillet, la qualité essentiellement poétique du livre.

D'autres traits du texte contribuent aussi à surdéterminer la fonction poétique du vol, voleur, volé en faisant pencher la balance davantage du côté d'une crise de conscience du créateur. A plusieurs reprises Reverdy fait allusion au narrateur ou à un personnage ailé :

J'irais bien à pied car j'ai des
ailes et en me déchaussant je
ne me fatiguerais pas (p. 21)

Je suis le seul homme qui ait des
ailes aux pieds (p. 40)

La vitesse des déplacements, les méprises suscitées par sa présence évoquent Mercure, non seulement messager des dieux, mais aussi Dieu des voleurs, ayant des ailes au talon. Les allusions aux ailes n'établissent point de lien permanent et exclusif avec un personnage, un mythe, un geste. Cette présence, comme tant d'autres, ne fait qu'ouvrir une nouvelle voie d'analogies sans pour autant fermer les autres. Les ailes qui hantent mystérieusement certaines pages du *Voleur*, appartiennent à des saints et même au Christ :

Il était plus grand que
les autres
En naissant
un éclair avait nimbé

sa tête
Et la lumière
avait continué à luire (p. 11)

Reverdy ne se contente pas de reprendre des miracles de l'Ancien et du Nouveau Testament. Cette image, sans doute ironique, mais à coup sûr paradoxale, pousse dans l'alternance toujours reprise de lumière et d'ombre vers le rêve. Et avec une allure de récit, le poète rappelle l'idée de gloire, de dépassement, fiction parmi des fictions : nimbes, auréoles, ronces, épines, surgissant, détachées non seulement de leur contexte habituel, mais même de tout spectacle, reliques s'assimilant par-ci, par-là au quotidien. Ces reliques, comme des souvenirs enfouis, peuvent porter de nouveaux fruits au lieu de sombrer dans le néant.

Nous avons fait allusion à l'attente, thème aux résonances déjà beckettiennes et à l'anticipation d'une rencontre et d'un retour toujours remis, legs du Christianisme qui vibre en sourdine et par intermittence dans tant de textes du poète. La menace de la mort, suscitant le désir de se sauver surgit également, mais seulement par à-coups, sans créer de débordement, sans être irréversible : une tête se lève, un cadavre reposant sur un cercueil échappera à son sort. La menace de la mort, la résurrection, comme d'ailleurs les traces si intermittentes du voleur, correspondent à la nature même de l'écriture reverdyenne, toujours aux prises avec l'impuissance et le doute. Les anges, les saints, ne pouvant jamais prendre corps, se rangent en tant qu'ombres ou silhouettes parmi tant d'autres ; le poète ne peut s'appuyer sur ces visions insuffisantes et transitoires, fabrications dont il est, mais si peu, l'auteur.

« Je viendrai comme un voleur la nuit » — cette parabole ne figure pas littéralement dans le texte, mais on dirait qu'elle y a produit néanmoins des remous. A travers cette expression, les contacts entre le voleur de Talan, le Christ, le poète peuvent se diversifier encore davantage. Dans le roman, le voleur ne semble point réaliser son crime, je dirai même que son potentiel de devenir voleur est nié par endroit, le voleur n'étant qu'une ombre, une illusion, une dérivation, une série d'emprunts eux aussi escamotés. Il devient en même temps le seul personnage possible dans une œuvre intitulée roman, mais qui déroge de tant de façons au genre romanesque. Comme l'acte du vol, son objet nous échappe toujours ; le mot se charge de sens sans s'attacher à une chose précise. Une peur toujours ranimée, toujours différente est suscitée : la peur du vol, la peur de perdre une possession essentielle, la peur d'une diminution de l'être, la peur de la culpabilité, de l'emprisonnement, de l'égarement, de l'aliénation. La peur risque toujours d'entrer en contact avec le moi, le maintenant à l'état de silhouette. Peur et espoir se contraignent mutuellement. « Je viendrai comme un voleur la nuit », à la fois promesse et avertissement réverbéré dans la trame si peu serrée du texte. Nous citerons ce qui paraît être une variation sur cette parabole :

Pourquoi n'entrez-vous pas par la fenêtre

J'ai connu un effronté qui
prenait les cheminées des
chambres à coucher pour
des portes (p. 79)

« Pourquoi n'entrez-vous pas par la fenêtre » : ce passage se rapporte au voleur dont le plan est inconnu ou secret et dont le vol ne s'est pas réalisé et ne se réalisera peut-être jamais. Le vol, le trajet du voleur en restent au stage de l'anticipation. Le voleur, comme le poète, court des risques en s'adonnant aux aventures. Sans suivre des pistes tracées ils transformeront l'un et l'autre le quotidien ainsi que la culture reçue selon leurs besoins.

Le personnage reverdyen, autoportrait au second degré, reflet de fictions antérieures, ne cherche au fond que lui-même.

« S'il s'était rencontré lui-même à quelque carrefour » (p. 8). Il reste à l'affût d'un souhait jamais réalisé. Ainsi tronquée, chaque partie semble une ombre cherchant la lumière. Le moi n'existe qu'en tant qu'hypothèse. Il doit aussi se faire voleur. Le Mage Abel et le Voleur de Talan se rejoignent. Pourquoi trouverait-il son identité au carrefour plutôt que dans la chambre, pourquoi une rencontre plutôt qu'une méditation ? Comme le carrefour consacré à Mercure est le lieu de tout le monde, Reverdy ajoute un paradoxe aux autres, la poursuite de l'identité se fait sur un terrain qui risque d'être celui de l'anonymat et du hasard. Dans les lieux ayant des caractéristiques de coulisses, de décor, où entrées et sorties provoquent égarements et surprises, le voleur se sent-il parfaitement chez lui ? Reverdy fait paraître le personnage du Saltimbanque, maigre, mobile, disproportionné. Son corps en tant que contenu n'appartient pas aux vêtements le contenant :

Le saltimbanque qui faisait des
tours comiques à la terrasse des cafés apparut

Un pauvre corps trop maigre
qui flotte dans un maillot rose
trop grand (p. 75)

Moi irréel, moi en creux, visage en train de se défaire, figurant qui fait écho à une autre fiction, texte intitulé « *Saltimbanque* » dans les *Poèmes en prose.*

La recherche interminable d'une identité, l'occasion de donner du relief à des silhouettes forcément plates et creuses se manifestent aussi par les allusions à des portraits et des visages, isolés, regardant sans être vus. De l'apparition on passe à l'éclipse :

En passant plus près de ce trou
j'ai regardé au fond
mon image (p. 71)

A plusieurs reprises le poète rehausse cette irréalité, ce visage qui refuse de se figer dans les glaces. Les forces mensongères l'emportent sur l'authenticité. La crainte de ne pas pouvoir s'emparer d'un réel quelconque appartient dans *Le Voleur* au domaine de l'expérience aussi bien que de l'art : « Et ces limites qui lui rendent le monde le plus vaste étouffant, il les retrouve encore dans son œuvre dont l'exigence de sa nature et de son caractère lui interdit de se trouver jamais satisfait » (10). Le langage finit pour le poète par créer les mêmes déceptions, les mêmes hantises que l'identité : « *Pauvres esclaves* », dit Reverdy dans sa méditation poétique imprimée en italique, « *une table reste une table si nous savons ne pas en faire autre chose. Mais les moyens nous manquent pour rester aussi simples que les choses inertes* » (p. 67).

La question de vol se rapporte également au domaine du langage. Le voleur, comme nous l'avons dit, n'existe guère dans l'acte de voler, ni le personnage, ni l'objet ne peuvent s'abstraire du reste. Voleur, vol, volé ne se saisissent point au niveau de l'identité en tant qu'entités séparées. Mais ces notions suscitent le glissement de l'un à l'autre, formant de mystérieux entrefilets. La *persona* incapable de se maîtriser n'a pas de langage qui lui appartienne, mais devra s'approprier celui des autres, tantôt celui d'autres poètes, tantôt celui de tout le monde. La peur du vol hante le poète, peur de ne jamais se trouver, car il accapare un langage étranger à lui, sur la nature duquel il se méprend. Cette peur pèse en fin de compte plus lourdement que l'autre peur, crainte du poète, d'être volé.

Le poète qui ne peut se fier à sa mémoire ne sait pas toujours éviter d'écrire une poésie qu'on pourrait appeler mensonge :

Derrière la glace son portrait tremble
Dans le brouillard
Il ment
Et personne n'entend
personne ne comprend (p. 119)

Dans le domaine du langage, le poète vit, comme par ailleurs, parmi les reflets sans pouvoir reconstruire l'original : « ton esprit tordu de faim, tremblant de froid cherche à tâtons la Vérité — ma vérité — qu'il a perdue dans les méandres du langage » (10). Aussi le langage que brigue Reverdy ne sera pas le langage de tout le monde. Les allusions aux livres, aux textes ne font pas défaut dans *Le Voleur de Talan*, mais eux aussi refusent de lui fournir la clé qu'il recherche, qui lui permettrait d'enfermer les choses dans les mots : « il faudra chercher la signification des mots dans les livres et on n'y trouvera jamais les objets demandés » (p. 68). Dans son essai intitulé « Cette émotion appelée poésie », il formule d'autres idées, plus complexes, sur le langage poétique, insistant sur son pouvoir transformateur. C'est qu'il y élabore une théorie, alors que dans les poèmes il n'évoque que l'irrémédiable décalage entre le rêve et la réalité, le poète et l'homme ; d'où, d'un autre point de vue, l'importance de la lacune et du vide dans les textes poétiques et notamment dans *Le Voleur de Talon*. Reverdy multiplie les données qui ne s'emboîtent pas, les formes qui se défont et par là augmentent le vide.

La recherche se poursuit jusqu'à la fin car l'impossibilité ne prend jamais des allures d'absolu. Pourtant l'échec et le désespoir jalonnent toujours la voie d'un dépassement possible. Les bribes de phrases, les lignes fragmentées empêcheraient d'ailleurs toute clôture définitive. Grâce aux substitutions, aux déviations, les mouvements peuvent se relancer en évoquant un aboutissement possible. Nos observations sur le roman n'ont fait que réaffirmer les qualités poétiques dont Maurice Saillet a déjà fait la louange. Sans doute Reverdy s'est-il laissé entraîner par Jacob à écrire des contes et des romans. Comme nous l'avons signalé au début, ses révisions du manuscrit ont abouti à un renforcement des qualités poétiques et à un effritement de la structure romanesque. Comme Reverdy dans ses œuvres créatrices a soigneusement évité tout lieu circonscrit, tout lieu capable de faire un obstacle où tout risquerait de se fixer en un état d'âme, on peut s'attendre à ce que son héros qui n'arrive pas à prendre conscience de lui-même, ne vienne jamais aux prises avec un cadre réel. Quoique le héros du *Voleur de Talan* se défasse continuellement et que la scène ne se concrétise jamais, on ne peut pourtant pas affirmer que l'auteur s'attaque au genre romanesque comme le feront quelques années plus tard les Surréalistes. Loin de lui l'idée de s'en prendre à la fausseté du réalisme romanesque, caractérisée par la célèbre phrase « la marquise sortit à cinq heures. » Dans ses essais, à l'exception de quelques phrases dans *Nord-Sud* en date d'octobre 1917, il ne parle que de poésie, vaste domaine qui englobe tout ce qui n'est pas « littéraire ».

Aux nombreux paradoxes que nous avons déjà énumérés s'ajoute encore un autre plus central. Si Max Jacob a entraîné pour de bonnes ou mauvaises raisons son ami et rival vers le récit, le conte, il a lui-même déconstruit ce genre dans *Le Cornet à dés*, il en a montré les rouages, les conventions, les abus, la fausseté. Cette problématique apparaît avec netteté particulièrement quand Jacob écrit des poèmes en prose intitulés « roman feuilleton », « roman populaire », ou « conte ». Comment conte et poème peuvent-ils faire bon ménage dans un texte si bref ?

CONTE

> *Dans la vallée si claire, oh ! je voudrais bien dire la devise longue de ses rochers en cônes successifs, la vallée aux arbres si clairs, le profil de l'ogresse dont les boucles d'oreilles étaient de ton château, Chinon, l'escalier extérieur ! elle eût mangé le petit cavalier noir, n'était la chaîne du prisonnier attaché à la queue noire du cheval ; elle craignit que la chaîne lui fît mal aux dents et se contenta du premier rat venu : il lui fit faire la grimace.*

Jacob raconte-t-il une histoire tout en suscitant par le langage une prise de conscience poétique, une série d'ambiguïtés ? Dans « *Conte* » certaines données rappellent des contes de fées : le château, les rochers, l'ogresse et le cavalier. Mais dans leurs rapports toutes les conventions sont violées, et ces données ne s'enchaînent pas en un récit cohérent. Sur le plan de la technique romanesque, le texte a l'air de tout pratiquer, la description, le récit historique, la psychologie, les contrastes dramatiques. Mais ces techniques sont mises en œuvre d'une façon si sommaire et si mal à propos qu'elles deviennent méconnaissables ou absurdes. Le « conte » de Max Jacob résulte d'un perpétuel renversement de tout : l'ogresse a peur de mordre ; les rats, pour ronger, ne sont plus disponibles ; le conte finit par nier des actions que semblaient rendre nécessaires nos habitudes littéraires aussi bien que les allusions initiales de l'auteur lui-même. « *Conte* » est une série de coqs-à-l'âne et d'anticipations déjouées. Après une exclamation liminaire le narrateur interrompt son récit à peine commencé pour substituer une hypothèse à une réalité fictive. Par la technique aussi bien que le contenu, Jacob arrive à une dévaluation du conte. Du même coup il dévoile les conventions d'un certain genre de conte à son lecteur, tout en le laissant sur sa faim, faute de lui servir le plat qu'on lui avait promis. S'il a trouvé inutile d'ajouter un échantillon de plus à tous les contes qui existent, Jacob n'en a pas moins écrit un poème en prose qui ne ressemble en rien à ceux des autres. Il a supprimé toute trace de rhétorique, de sentimentalité, il a sans cesse escamoté le signifié au profit du signifiant. Reverdy, en modifiant *Le Voleur de Talan,* en passant de la voie prosaïque à la voie poétique a lui aussi pratiqué une méthode réductive, sans attirer pour autant, comme Jacob, l'attention du lecteur vers les démarches conventionnelles du récit. Il n'a guère tenté de miner un genre littérature reçu (11). Pourtant, il a réussi, comme Jacob, à ramener la littérature à des données essentielles, à un échafaudage où les genres pourraient se rejoindre ou mutuellement s'abolir.

Reverdy ne présente pas un roman agencé pour faire un tout, mais un texte littéraire de nature essentiellement poétique en train de s'élaborer, démarche qui s'enraie, se détourne autant qu'elle avance. Dans sa dédicace-préface il révèle que simultanément ou parallèlement avec l'intrigue, si discontinue soit-elle, se génère la trame de la création :

L'Arme qui lui perça le flanc
Sa plume
Et le sang qui coulait
noir
de l'encre (p. 5)

Avec les éléments décousus et non synthétisés d'un récit ou de velléités de récit *Le Voleur de Talan* à chaque étape dévoile le tâtonnement de l'écrivain aux prises avec son projet, qu'il s'agisse de vivre ou d'écrire. Dès le départ le poète révèle qu'il est conscient de son effort et cette lucidité, menacée à tant de reprises, s'exprime dans son texte. La poésie, où est-elle ? Le poète peut-il se passer de la réalité extérieure, où après tout, la poésie n'a pas de place ?

Mais la poésie n'existe pas ailleurs (p. 21). Etant donné la fuite impossible, l'insuffisance autant que la nécessité du rêve dans l'activité créatrice, le poète se débat entre la liberté et l'emprisonnement. Cette problématique se manifeste par des expressions abstraites autant que concrètes. Elle est également présente dans d'autres contes, notamment « Les Amants réguliers » où une spirale évoquant l'escalier dénote l'effort de l'esprit pour avancer et, éventuellement, pour tourner en rond en générant sa propre prison (12). Par l'activité poétique, Reverdy cherche à se libérer d'un envoûtement possible du monde extérieur.

Le Voleur de Talan, selon Reverdy « le portrait le plus fidèle de ce que j'étais à cette époque », se termine par ces mots :

> *Le Voleur de Talan qui avait voulu*
> *vivre vient de mourir* (p. 127)

Sans doute s'agit-il d'un aveu de son impuissance à créer un personnage en chair et en os, et aussi d'un geste de se détourner du genre romanesque. Mais le poète finit également par se débarrasser de ses doutes ; ses emprunts seront tout à fait passagers : il cesse d'être un voleur, il n'a plus besoin de ce doute. Il serait même possible de donner à ce dénouement une interprétation tout à fait moderne : il s'agirait d'une dévaluation, même d'une suppression de l'écrivain pour ne laisser subsister que l'écriture.

Renée RIESE HUBERT,
University of California, Irvine.

NOTES

Les indications de pages figurant entre parenthèses à la suite des citations renvoient à la réédition du *Voleur de Talan* procurée par Maurice Saillet chez Flammarion en 1967.

(1) Léon Somville, « Les Romans autobiographiques de Pierre Reverdy », *Etudes littéraires*, Université Laval, avril 1970, p. 21-45.

(2) Pierre Reverdy, *Le Voleur de Talan*, Paris, Flammarion, 1967, avec un appendice par Maurice Saillet.

(3) Eliane Formentelli, « Reverdy : présences du blanc, figures du moins », dans *L'Espace et la lettre (Cahiers Jussieu*, 3), Paris, 10/18, 1977, p. 258.

(4) *Art. cit.*, p. 41.

(5) *Art. cit.*, p. 257-271.

(6) Voir le commentaire de Léon Somville : « Nommant ce qu'il veut détruire, il organise un monde romanesque, le dote d'une certaine vraisemblance, contre laquelle il proteste aussitôt », *art. cit.*, p. 35.

(7) *L'Ecriture et la différence*, Paris, Seuil, 1967, p. 269.

(8) *Art. cit.*, p. 31. Voir aussi *Le Livre de mon bord*, Paris, Mercure de France, 1948, p. 24.

(9) *Nord-Sud, Self defence et autres écrits sur l'art et la poésie*, Paris, Flammarion, 1975, p. 248-251.

(10) « La Poésie, reine du vide et l'art mordu » dans *Risques et périls*, Paris, Flammarion, 1972, p. 15-16.

(11) Pour un point de vue légèrement différent, voir l'article de Michael Bishop, « Tensions and understatement in Pierre Reverdy's *Poèmes en prose* », *A.J.F.S.*, p. 1977, n° 1/II, p. 108 : « But Reverdy never abandoned the prose-poem which, like the poem-novel, had also the fine advantage of creatively subverting and parodying traditional forms and distinctions... The subtitle « roman populaire » of *La Peau de l'homme* would in the absence of all other proof, be indication enough of Reverdy'ironic and subversive intention. »

(12) « Les Amants réguliers » dans *Risques et périls*.

MARY-ANN CAWS

PIERRE REVERDY :
LECTURE SPECULATIVE DU CADRAGE

Mais il faut toujours tenir compte du cadre.
(Main d'œuvre, p. 53).

Une figure qui se détache sur un arrière-fond se voit plus aisément : ce qui a des bords paraît plus complet. Il arrive que le discours poétique comporte, comme le discours critique et comme le poème, un cadrage variable : c'est notre sujet qui suggère et définit des limites à notre regard (1). Mais il est visible que ces limites sont, par nature, paradoxales et changeantes.

La poésie de Reverdy suggère des passages d'un cadrage à un autre ; elle se refuse à laisser s'installer une confiance qui figerait le regard et la pensée. Reverdy ne veut pas — si nous l'interprétons correctement — nous donner *prise*. L'emploi du vocabulaire photographique, le positif et le négatif, ce « prendre » et cette injonction de ne pas bouger trahissent cette obsession :

> *Mais les poissons et les jambes ne bougent plus, l'eau est prise, les lignes des rives sont prises, et rien ne bouge plus.* (Flaques de verre, p. 22).

Seule façon possible de se protéger contre la prise déshumanisante : bouger. C'est une pratique de *self defence.* L'univers de Reverdy, tout en échos, ne se laisse ni border ni encadrer ni même *prendre* sans ambiguïté :

> *Mais ce que je veux dire c'est qu'il ne faudrait pas avoir une confiance trop aveugle dans la dorure — par exemple confondre celle du cadre et l'or invisible qui dort entre la trame de la toile et la peinture.* (La Liberté des mers, p. 10-11).

Car cette « étoile » fait écho aux autres toiles, comme le mot « dort » fait écho à « dorure » et au mot « or » dont il fait démarrer le train luxueux. Le réseau de suggestions fait glisser le regard extérieur comme il permet le glissement linguistique à l'intérieur du poème.

La liberté que réclame Reverdy sera parfois intérieure aux limites d'un texte qui se manifeste souvent comme sévèrement clos sur lui-même ; les formes de clôture qu'il choisit pour ses poèmes en sont d'autant plus fascinantes pour le regard du lecteur.

I. *Clôture.*

Il est utile d'esquisser, pour « ouvrir » ce texte d'une façon paradoxale, quelques distinctions au sujet de l'arrêt et de la clôture. Les descriptions morbides que fait Reverdy d'un univers de cauchemar, figé, privé de changement et de mouvement psychologique, dominent surtout dans les poèmes en prose de la première période qui ont pour titre « Envie », « Toujours seul », « Hiver », « Marche forcée », « L'Air meurtri », « Une Apparence médiocre », « Honteux à voir » et qui appartiennent au recueil *Poèmes en prose* de 1915. Là, pas de clôture définitive. Plutôt, un poids immobile dont la masse fige le portrait d'une âme condamnée. Si l'on osait risquer cette métaphore, on pourrait dire que la gravitation permet au tableau de se passer d'un bord fortement dessiné : on est déjà suffisamment emprisonné.

Par contre, plusieurs autres pièces de *Poèmes en prose,* quelques poèmes de *La Lucarne ovale* de 1916 et d'*Etoiles peintes* de 1921, des poèmes de *Flaques de verre* publiés d'abord en 1919-1923 présentent un tableau hautement suggestif, aux limites intensément senties et marquées. Par la « lucarne ovale », par exemple, on voit l' « esprit pesant », « allongé », qui dort. C'est un tableau où rien n'éclate, ni bruit — car tout est muet —, ni lumière soudaine, ni couleur vive ; où « tous les livres entr'ouverts sont tombés un à un sur le tapis déteint », selon la ligne de descente visible dans le poème, comme le soleil et la nuit. Tout pèse lourdement, rien ne bouge, rien ne s'avance, rien ne fait saillie (« Esprit pesant », *Plupart du temps,* p. 127). La ligne tombante est identique à celle du poème « Descente » appartenant à *Sources du vent de* 1929 *(Main d'œuvre,* p. 131), poème de l'eau qui s'incline vers le bas, poème des gouttes qui tombent, d'une mort lente et liquide :

Eau
gaze
étoile
Halo
Tout ce qui est mort sur la toile
La grotte à l'horizon
Le ruisseau
Le monde qui se fond
Derrière ce tableau
(...)
Le chemin sous la pluie
Tes cheveux embrouillés
Les arbres qui se plaignent

La ligne en decrescendo des saules pleureurs correspond à celle des cheveux qui pendent et à la courbe du poème qui descend vers le bas de la page. Le fait que les saules ne paraissent pas fournit paradoxalement un centre d'attention en négatif, qui est cette suppression dans le texte. La construction en écho (*eau / halo / tableau,* ou *étoile / toile)* dessine une nature morte à la deuxième puissance : grave, en forme de plainte, comme les arbres « qui se plaignent ». Dans ce texte, remarquable exemple de litote, les échos verbaux s'accumulent dans l'esprit du lecteur et une plainte subtile se dégage.

« Belle étoile », une plainte encore plus pathétique, appartient au recueil *Poèmes en prose* et suggère par son titre à la fois la chance et le sommeil en plein air : nous lisons très simplement le poème comme la révélation d'une certaine impuissance, marquée par la succession d'images telles que la perte d'une clé, l'impossibilité d'entrer, la recherche inutile d'un refuge : tout cela attire les moqueries des autres, à peine plus blessantes que le sentiment que le personnage luimême a de son ridicule.

> *J'aurai peut-être perdu la clé, et tout le monde rit autour de moi et chacun me montre une clé énorme pendue à son cou.*
> *Je suis le seul à ne rien avoir pour entrer quelque part. Ils ont tous disparu et les portes closes laissent la rue plus triste. Personne. Je frapperai partout.* (Plupart du temps, p. 33).

Cette forme classique d'obsession est aggravée ici par le fait que la situation est décrite non pas comme actuelle, mais seulement comme possible : « peut-être ». Chez Reverdy, la lamentation sur la solitude est coutumière : les autres possèdent ce que je n'ai pas, on me trouve difficile et gauche, je suis affligé par ma timidité et ma différence ; les autres comme il se doit, rient de moi ouvertement ; ensuite ils disparaissent, de sorte que le ridicule est suivi de solitude.

Jusque-là, la ligne, bien droite, est celle du désespoir. Mais soudain, à la grande surprise du lecteur, un changement survient dans le temps des verbes : le futur antérieur, « J'aurai perdu », est remplacé par le futur de continuité : « Je frapperai partout », toujours. Puis un autre changement brusque se fait sentir, comme s'il y avait référence à une circonstance particulière ; l'obsession, avouée et éprouvée jusqu'à l'extrême, semble avoir pu trouver sa résolution dans le sommeil, protection et refus de tout l'extérieur :

> *Alors un peu plus loin que la ville, au bord d'une rivière et d'un bois, j'ai trouvé une porte. (...) je me suis mis derrière et, sous la nuit qui n'a pas de fenêtres mais de larges rideaux, entre la forêt et la rivière qui me protègent, j'ai pu dormir.*

La situation liminale de l'étranger se trouve donc d'abord accentuée : le narrateur erre au bord d'un fleuve, à la lisière d'une forêt et, plus tard, entre forêt et rivière jusqu'à ce que sa conscience intense soit annihilée par des rideaux d'obscurité dont l'essence théâtrale est signalée par l'absence de toute fenêtre. La scène se clôt ainsi sur une notation négative. L'issue que découvre finalement la narration — aussi bien que le narrateur — n'est en aucune manière une porte de coulisse, ni un lit quelconque. Elle représente plutôt l'extinction finale de la vision en faveur d'un sommeil protégé par un rideau noir : l'espace du texte se trouve ainsi bloqué, à l'écart de toute lumière et de toute continuité. Le cauchemar étant transféré dans le monde journalier, on peut fermer les rideaux sur la scène douloureuse, pour cadrer définitivement.

Chez Reverdy, nombreux sont les poèmes qui se terminent par un trou noir, un mur borgne, la lumière éteinte en même temps que la vie. « Dernière heure », de *Sources du vent (Main d'œuvre,* p. 228), représente l'immobilisation, la prise des mots piégés, le sentiment des choses dernières : dernier souffle de l'animal, dernier rayon, dernière heure, et comme une dernière lecture.

Le cavalier en rouge s'immobilise
L'animal est un cadavre grotesque
Un abreuvoir en encrier où les mots sont pris
(...)
Et le dernier rayon qui passe
ferme la nuit
La porte
Le livre
Minuit

La fermeture des livres et de la conscience clôt parfaitement le poème au niveau conceptuel. Rien n'y reste ouvert, et le livre se ferme sur le poème même où il est inscrit, comme sur un anneau de Mœbius. Le dedans devient le dehors, le contenu contient, les vases communiquent.

Dans *La Lucarne ovale,* « Les Corps ridicules des esprits » *(Plupart du temps,* p. 136-137) jette encore le ridicule sur ce narrateur incompétent et un regard fort peu flatteur sur le corps littéraire. Tout un cortège de saints ès-lettres passe par les chemins, les uns offrant un sourire serein et portant une auréole. A leur propos, le poète laisse parler son amertume cuisante : ce sont, dit-il, ceux « qui ont su prendre la place ». Elle s'en va donc, cette procession, comme quelque cortège flamand du Saint-Sacrement ; le soleil se lève et les ombres des passants s'effacent au cours du passage de l'obscurité à la lumière. Mais ce développement positif est de courte durée : la dernière phrase englobe le passage pittoresque et le cortège éphémère en une phrase définitive qui enclôt le texte dans une bordure noire, comme si les yeux se fermaient : « Les rideaux sont tirés. » Un tel texte impose sa fin par l'extinction de toute lumière, fournissant une clôture singulièrement appropriée au poète de la « chambre noire ». De cette chambre à développer, le texte exclut le lecteur, mais celui-ci n'en remarque que mieux la cloison qui sépare : c'est l'effet nécessaire de l'écriture claustrogène.

Quant au regard du narrateur, oblique, incertain et dirigé vers le profil des gens et des choses, il erre çà et là sur un monde indifférent ou, au contraire, se fixe sur un paysage obsédant. Dans les deux cas le poème — aussi bien que le poète — se sépare du monde extérieur pour s'enfermer en lui-même et pour intensifier encore sa propre substance dans son propre cadrage protecteur. « Les Mouvements à l'horizon », dans *Etoiles peintes (Plupart du temps,* p. 321), illustre dès le commencement le regard de profil jeté par le poète sur un monde qui ne sera jamais vu clairement dans ses dimensions et ses couleurs, mais seulement suggéré dans son passage jusqu'à la clôture définitive :

> *Les cavaliers se tiennent sur la route et de profil. On ne sait plus quel est leur nombre. Contre la nuit qui ferme le chemin, entre la rivière et le pont une source qui pleure — un arbre qui vous suit. On regarderait la foule qui passe, elle ne vous verrait pas.*

Cette scène typique se situe entre deux bornes comme des bords-limites : entre rivière et pont, dans un lieu soigneusement limité, sur un chemin fermé et bloqué par la nuit, près d'une source, comme si c'était la source du texte même. Dans son ignorance de la scène ainsi encadrée (« On ne sait plus »), le poète-spectateur est pris comme au piège dans la peur qu'inspire la narration : qui regarde ? Qui l'arbre suit-il ? L'individu est situé à l'écart de la foule, comme séparé pour toujours. De plus, on ne peut décider si la procession fait partie d'un rêve ou non : cette incertitude s'ajoute à la crainte comme si la narration participait du monde de l'enfant, malheureux ou endormi dans l'angoisse et le noir (« L'enfant pleure et dort »). Rien n'est certain. Souvent, chez Reverdy, l'état de non-savoir se trouve accentué par des verbes qui expriment l'ignorance et par le vague de l'arrière-plan, nuage par exemple. « Un fond de tableau sur un nuage », lit-on ici : le principal appui manque de substance solide, le support même s'évapore.

Dans de tels moments, l'essence picturale du texte même est menacée par une allusion métatextuelle, cette aquarelle verbale dont l'être liquide et insubstantiel déconstruit la forme. Le glissement déjà senti vers la thématisation et vers le spectacle est doublé par un glissement plus fondamental. L'élément créé à partir de rien, qui ne repose sur rien mais qui voulait être un tout, se trouve n'être rien. Le texte s'efface, à l'instar de ses objets apparents :

> *Les chevaux glissent le long de l'eau. Et le cortège glisse aussi dans cette eau qui efface toutes ces couleurs, toutes ces larmes.*

La scène tout entière s'en va donc simplement, se dissout dans la source qui pleure ou dans la rivière qui coule ; le terme « couler » est suggéré, avalé, aboli par les couleurs. Le « glissement » du terme se représenterait ainsi :

Action : glisser
Agent : eau.
Résultat : effacement.
Suggestion phonétique : couleurs.
Suggestion thématique : (les larmes) coulent.

Couleurs et larmes se fondent dans une réalité qui appartient à la fois à la nature — l'eau et la source, comme les aquarelles même, font partie de la nature — et au monde humain, comme si l'enfant avait pleuré. Pendant que l'anxiété du narrateur perdu pénètre jusque dans la scène verbale, la brume et les actions aperçues paraissent s'approcher davantage de ces spectateurs parmi lesquels nous nous situons. Tout s'écoule, sauf le texte. Après une telle évacuation, aucune bordure ne subsiste.

Il arrive aussi que la scène construite par le poème soit effacée par un seul départ. Quand les figures qui peuplent le décor tournent le dos, la scène n'existe plus ni pour celui qui parle ni pour celui qui lit. « Toujours gêné », dans *La Lucarne ovale (Plupart du temps*, p. 91), appartient à la série des poèmes pour ainsi dire hantés, dont la clôture définitive résulte d'une émotion négative provoquée chez le narrateur par les objets, les personnes ou le décor qui l'entourent et qui composent l'arrière-fond sur lequel son propre profil se découpe. Le poème est construit comme une pièce en trois actes : trois éléments, à l'intérieur de chacun des actes, mettent en abyme les parties dans les parties. Ainsi, une triple question précède la description de la scène. Préface à une préface, interrogation sur une révélation :

> *Qui m'a révélé l'endroit précis. Le ciel où les deux murs se joignent. L'angle où l'on est à l'abri ?*

La scène révèle non seulement cet endroit exact, mais un sentiment terrifiant et non moins précisé : le sentiment du ridicule de sa propre personne, familier à Reverdy, mais aggravé ici par sa position, placé juste au-dessous du signe de la mort. La *vanitas* est doublement mise en valeur par sa position privilégiée (elle est placée non pas sur la table de celui qui médite, mais plutôt vers le haut) et par son mouvement régulier de battement dans les airs :

Par-dessus, le vent emporte la terre qui se déplace. (...) L'affreuse tête qui se balance sur le toit en ricanant !

Ni le mur ni les arbres ne sont assez grands.

Rien dans le décor n'est assez grand pour s'adapter au spectacle ni assez imposant pour porter un défi au ricanement universel. Le paysage englobe le sentiment d'insuffisance du spectateur-narrateur, en sorte que l'intérieur et l'extérieur sont hantés de façon identique. L'émotion contamine le décor, encadrant le narrateur dans le cauchemar qu'il a lui-même créé et qui finit par lui faire peur.

Provoqué par tous ces sentiments de peur, le départ du narrateur, devenu ou redevenu le poète, entraîne à sa suite celui du lecteur. Ce dernier n'a d'autre possibilité que de s'enfuir du texte lui aussi. Comme le poète, comme le narrateur, il se sent depuis longtemps épié, attendu, soupçonné, et tout cela dans un lieu clôturé avec précision, entouré qu'il est de rideaux noirs ou de marges blanches :

C'est là qu'on attend. C'est de là qu'on regarde et qu'on nous surprend.

Contre la honte de cette situation exposée, aucun abri durable. Le texte conduit à l'exil :

Et déjà vous commencez à rougir plus que moi-même. Allons-nous-en.

Le maçon-poète a déjà encadré la construction par une injonction d'avoir peur : on peut nous exiler du poème en tant que spectateurs et on peut en chasser le narrateur au même titre. Bien plus : quand le spectateur anxieux abandonnera la page ou la scène après avoir été accusé, on l'aura accusé de rougir. Et quand il fuit l'horreur déclamatoire de la tête qui ricane, qui oserait assurer que cette tête n'est pas celle du poète ? Car la façon dont Reverdy nous englobe dans les limites du poème est pleinement efficace : ses suggestions agissent comme des injonctions, l'encadrement est total. Comme le spectateur, comme le lecteur, le poète s'enlise dans son texte, incapable lui-même d'échapper à la clôture, à l'incarcération verbale. Le contemplant, nous devenons nous-mêmes le sujet de contemplation :

> *Et seul, je suis perdu là devant vous, devant vous tous et je ne peux plus m'en aller.*
> (« *Voix mêlées* », Plupart du temps, p. 94).

Dans ce dernier texte, le narrateur suggère une forme extrême de clôture : une fin aux dimensions de sa terreur puisqu'elle est condamnée à rester perpétuellement incomplète.

La forme statique que Reverdy a choisi de donner à ses tableaux compose sa propre clôture ; elle est teintée des couleurs qui le trahissent, cette rougeur honteuse devenue la nôtre.

II. *Expérience encadrante.*

Dans la poésie de Reverdy, il existe plusieurs façons d'insister sur les bordures visibles et sensibles du poème, celui-ci étant considéré en tant qu'expérience encadrante et encadrée. Nous venons de voir comment la limite inférieure peut être accentuée ; nous aurions pu tout aussi bien examiner le début ou la limite supérieure (2) : dans les deux cas, il s'agit du déroulement spatial d'un texte verbal, le texte étant saisi comme ayant une étendue dans l'espace (3).

A. *Cadrage narratif.*

Un des procédés les plus fréquemment utilisés par Reverdy pour faire ressortir les limites intérieures de son texte se situe à la fois dans le domaine de la narration, et dans celui du visuel. Au centre de la description ou de la narration, un narrateur qui s'identifie souvent avec le lecteur énonce directement ce qui marque le pourtour matériel et mental du texte : un obstacle infranchissable, un mur « borgne », un arrêt inexpliqué devant un empêchement quelconque ; ou simplement une ligne imaginaire qu'il n'ose pas franchir ; un lieu où il ne peut entrer (perte de clé ou manque de courage) ou duquel il ne peut — ou ne veut pas — sortir. De là une obsession de la fermeture et de l'ouverture, et un découragement qui mine d'avance tous les efforts selon un pessimisme séducteur :

C'est fermé
Tout est fermé
Le monde a mon esprit

ouvrir
ouvrir
(...)
Le mur de pierres
Mais aucune clef
Aucune lumière
(Main d'œuvre, p. 130).

Pierre immobile en effet, comme il le suggère parfois à propos de lui-même, et annonçant une pierre « pour la fin », pierre tombale.

B. *Cadrage formel.*

Les textes qui s'arrêtent dans leur forme aussi bien que dans la ligne de leurs images pourraient recevoir le nom qu'emploie souvent la terminologie anglo-saxonne du vers : *end-stopped*. Le procédé est le contraire exact de l'enjambement. On ne va même pas à un vers suivant, on ne va nulle part. Bien des poèmes se terminent par des notations qui mettent une fin : par exemple « le massacre inévitable du couchant », ou une ligne tombante, un esprit pesant, une chambre vide, une lumière éteinte. On est dans le domaine des vers en impasse, des rideaux tirés, des trous noirs. La prolifération de ces éléments est cruellement sentie par le narrateur qui se serait peut-être voulu le poète du texte ouvert, et non pas du texte fermé, clôturé, condamné.

Ce « paysage stable », ce poème statique que souhaitait Reverdy, avec quelle vitesse il devient l'univers paralysé du carré obscur, de la « chambre noire » ! Bien souvent, c'est pour le spectateur que les limites sont les plus sensibles : l'angle d'un mur, le bord d'une fenêtre, les parois d'un entonnoir immense, le rideau qui sépare, ou encore le noir de l'abîme :

> *Le chemin qui montait s'arrête*
> *Et on ne voit plus rien passer*
> (« *Etoile* », Sources du vent. Main d'œuvre, p. 147).

Le temps met fin, dispose le rideau autour de la scène, coupe toute possibilité de développement. L'eau ne court pas, le froid est mortel, les souvenirs meurent et « la nuit court contre la barrière » (« Etoile »). Le pourtour du tableau est perçu négativement.

Pour pousser l'expérience à l'extrême du decrescendo, nous n'avons qu'à lire ce texte fait d' « Une seule vague » :

> *Et de tout ce qui vit ailleurs*
> *Immobile et trop réel dans la matière*
> *Rien*
> (Plein verre, Main d'œuvre, p. 388).

Dans *Sources du vent,* un poème consacré à la limite du jour et intitulé « La Fin du soir » *(Main d'œuvre*, p. 221-222) nous fournira l'exemple d'une reprise intérieure. C'est l'un de ces poèmes qui se dirigent vers la fin, en ligne tombant comme la tombée du jour :

> Un *carré* de rayon s'abat sur la lumière
> Ailleurs il fait *sombre*
> (...)
> La fenêtre fait une grimace
> Le rideau
> Se lève
> Et celle qui me regarde
> est belle
> Derrière il y a de l'eau
> Une glace
> Et l'*ombre* danse à travers les *carreaux*
> (...)

Signalons d'abord que le texte se prolonge sur l'évocation du soleil en « danseuse irréelle » reprenant la danse de l'ombre, jusqu'au moment où les grelots tintent « sur le bout des arbres du boulevard » en correspondance avec « nos souvenirs » qui « carillonnent » : ces détails indiquent la fin du jour signalée en outre par l'image finale du « soldat fatigué » qui « s'endort sur le rempart ». Dans le manuscrit figurait à l'origine encore un vers : « Dans la ville il n'y a plus personne ». Le vers s'est révélé superflu : c'était trop insister sur la tombée de la nuit suffisamment indiquée par l'heure tardive, les souvenirs, la lumière sur l'extrémité des arbres et surtout la fatigue du soldat qui s'endort.

Mais c'est d'une façon plus légère et plus subtile que le jeu de la lumière et de l'ombre se poursuit à l'intérieur du texte. Si on envisage le début et la fin de l'ensemble formé par les treize premiers vers du poème, on voit un chiasme. Ou plutôt : on l'entend avant de le voir. Le « carré de rayon » mène la lecture jusqu'aux « carreaux » d'une part en raison du son, d'autre part parce que le rayon lui-même détermine la lumière projetée à la fin du premier vers. On observe en outre que le verbe « abattre » détermine le « sombre » et que ces deux contraires ensemble guident le lecteur vers l'ombre et sa danse. Tout cela est vu dans la glace, avatar de l'eau et de la fenêtre, fond réfléchissant pour le texte. Et là, il se trouve encore un regard pour capter le regard du narrateur. A son tour, ce regard lui-même capte le regard du lecteur, le fige dans le texte comme une réflexion supplémentaire. Il y a ici reprise implicite d'une notion explicite dans le poème « Carrés », à savoir que le regard attiré par le texte rend déjà un hommage métatextuel à l'œil qui figure dans le texte ; nous avons tenté ailleurs d'analyser plus longuement cet hommage (4). Cet œil n'est autre que celui du Je créateur, dont le regard se trouve à la fois central et périphérique, proche de la source du poème et prêt à englober le reste. Car le Je qui écrit le poème, qui regarde les bords de la toile tissée et le contexte qui l'entoure, encadre à la fois la situation du narrateur, celle du lecteur et celle de l'observateur qui serait *l'autre* dans le texte.

A ces situations correspondent le cadre narratif, la forme-limite du regard pris ou suggéré dans le texte et porté sur le texte, enfin les bords verbo-visuels du texte et du regard. Il y a ici un exemple spectaculaire de la force encadrante engendrée dans le texte même.

III. *Contour et regard.*

Vu à une certaine distance, le tableau du texte peut s'offrir très simplement. L'ouverture lumineuse peut mener alors à la construction heureuse :

> *Avec des lumières à travers la prairie étincelante ; et des voix insignifiantes mais nom-*

breuses — quelques unités soutenant l'ensemble — on a fait le paysage clair, la nature libre, les ombres fraîches, le pittoresque qui attire la foule hors des murs. (« *Voix mêlées* », Plupart du temps, p. 93).

Voilà le tableau en liberté, la composition paisible : comme l'espace n'est pas limité, tous les objets du tableau sont à l'aise dans une clarté sûre. Le soir peut descendre pour fixer le texte sans que rien soit forcé ni trop éclatant :

> *Dans des limites si larges qu'ils ont l'air de vivre en liberté des chevaux courent. L'élégance de la race humaine les émeut. Les chiens aboieraient dans la nuit au vagabond de nos rêves ou à la lune et sous la tente du fusil repose à portée de la main. Dans la ferme tranquille une cloche sonne, un troupeau descend sur la colline et, dans les carrés verts et jaunes qui s'étagent vers le ciel, s'immobilise.*

A la place du masque mordant du poème « Carrés », les carrés que voici sont propres comme des modèles réduits, d'un vert et d'un jaune tranquilles, dans un tableau où tout a sa place. La peinture propose des teintes fraîches et une bordure nette de tous côtés. Elle nous autorise à prendre une certaine distance par rapport à un texte qui ne demande aucun effort, qui ne promet aucune absorption. C'est un objet à regarder, finement limité.

Pourtant, c'est exactement le genre de texte que mine ce que nous appelons la *circum-scription* de Reverdy : l'intérêt est porté beaucoup plus au regard lui-même qu'à l'objet que le regard pourrait parcourir (5). « Voir le voir » : ce qui le passionne, c'est la perception, ce sont les déchirures pratiquées dans l'horizon ordinaire par le regard qui perce, au-delà du cadre.

IV. *Frontières ouvertes.*

Notre cheminement le long des contours prendra fin sur quelques textes ouverts, non encadrés. « Espace au fond du couloir » dans *Sources du vent (Main d'œuvre,* p. 247) présente une ouverture active, gestuelle. Le geste sert de clé à ce texte qui tourne autour des actions de tourner, d'ouvrir, de fermer, de sortir et de partir :

J'ai ouvert l'horizon d'un geste
Sur la porte de la maison
La clef manque
Et la saison reste
On tourne à gauche
en attendant
Il vient un reste de raison
Autour les collines se ferment
On ne peut pas sortir
C'est long
(...)
On voudrait sortir de l'arène
Partir
Dehors
Où tourne l'horizon

Un échafaudage intérieur structure fortement le texte à partir de ce geste d'ouvrir l'horizon — sinon la maison —. L'idée de rester à l'intérieur mène à son contraire, celle de partir et de s'échapper vers l'horizon. Mais pour partir il faut passer par un terme intermédiaire : fermer et enfermer, comme les collines ou la maison enferment, dans un espace dont on voudrait sortir sans qu'on y parvienne. Plus décisif encore : le verbe final « tourne » a été amené par le verbe initial « j'ai ouvert » et par le terme intermédiaire « clef ». Si on voit l'horizon tourner, c'est précisément parce que la clef ne tourne pas ; elle est bloquée, pourrait-on dire, par le bégaiement des répétitions gauches, lourdes et suggérant l'immobilité : « Et le ciel que le vent entraîne », « Cette robe rouge qui traîne ». On aimerait échapper à la spirale d'un texte qui tourne lui-même.

De toute manière, le cadre s'use plus vite que la perception encadrante, et les bordures les plus ornées s'effritent. « Détresse du sort » dans *Grande nature* (*Main d'œuvre*, p. 17-18) s'ouvre sur une interrogation ; cette interrogation est illustrée par la porte pratiquée dans le mur blanc, semblable au texte découpé dans la blancheur de la page. Qui peut assurer qu'il y a un visage derrière le masque, qu'il y a un paysage — même scriptural — derrière les apparences du signe ?

J'interroge la porte ouverte
sur le mur blanc
(...)
L'Arc qui entoure ce paysage siniste et désolé
perd sa couleur
Je crois qu'il s'use
(...)
Et si tout ce que j'avais vu m'avait trompé
S'il n'y avait rien derrière cette toile
qu'un trou vide

Il fallait s'attendre à cette usure du texte. L'interrogation une fois commencée ne pouvait finir que là. Les bordures, les limites et les signes désignés s'auto-détruisent dans l'usure et la démission du sens. A ce moment-là, « Un autre signe ».

*
**

Et c'est enfin, en passant en tant que lecteurs à travers les « galeries » qu'on verra le centre de la vision se déplacer, les parois s'incliner violemment, l'ombre déborder de façon positive, l'étoile se déclouer comme un tableau qui pèserait trop lourd pour le mur où le ciel l'avait accroché (« Galeries », *Main d'œuvre,* p. 125-127). Puisque « le monde n'existe plus », puisqu'il faudrait passer « à côté du vide élégamment sans tomber », le lecteur invité dans ces « galeries » retrouve le centre exactement là, ou alors nulle part. Dans le texte du tableau et le tableau de ce texte, les cadrages ne circonscrivent plus un contenu, mais plutôt mettent en question l'acte même de contenir : les toiles ne se réfèrent qu'à d'autres toiles, situées toujours à côté ou derrière ou ailleurs, jusqu'à ce que même les murs se mettent à « sourire » et que l'horizon s'ouvre (4).

Pour échapper du texte toilé, le narrateur, devenu spectateur et lecteur, sortira de l'espace clos devenu transparent et s'en ira regarder la nuit étoilée :

Il n'y a plus que la nuit qui monte pour sortir
Un pas résonnant sur la dalle
Il fait froid
Ton regard levé vers les étoiles

Et le ciel accroché comme une toile fait voir là-haut les toiles pour d'autres lectures : le regard accoutumé à ses renversements poétiques pourra considérer ses cadrages comme des portes ouvrantes, comme des textes et tableaux-charnières qui opèrent la jonction entre deux espaces. Des articulations choisies par l'œil et par le verbe, comme des toiles de verre aussi lumineuses que des flaques de vers.

Après tout,

Il y a tellement de choses
que le tableau déborde le cadre

Toute une galerie se trouve dans l'encadrage du regard et dans chaque toile du texte, ce texte ouvert aux multiples possibilités de découpage et aux chemins variés d'une perception passionnée dans ses limites débordées.

Mary-Ann CAWS,
Hunter College et Graduate Center,
City University of New York.

NOTES

Ce texte est un approfondissement de la communication faite à la Décade de Cerisy.

Les indications de pages dans le texte renvoient :

— pour *Main d'œuvre,* au volume de ce titre publié en 1947 au Mercure de France ;

— pour les autres ouvrages, à l'édition des œuvres complètes publiées chez Flammarion.

(1) Sur la notion de cadre, voir : Jacques Derrida, *La Vérité dans la peinture,* Flammarion, 1979 ; Youri Lotman, *La Structure du texte artistique,* Gallimard, 1973, notamment p. 299-309 ; Meyer Schapiro, « Sur quelques problèmes de sémiotique de l'art visuel : champ et véhicule dans les signes iconiques », *Critique,* n° 315-316, 1973, p. 843-866.

(2) Pour quelques considérations sur l'incipit, voir : Aragon, *Je n'ai jamais appris à écrire ou les Incipit,* Skira, 1971 ; Victor Brombert, « Opening signals in narrative », *New Literary History,* vol. XI, n° 3, Spring 1980, p. 489-502.

(3) Voir notre travail sur la notion de passage, *A Metapoetics of Passage, Architextures in Surrealism and After,* Hanover, The University Press of New England, 1981.

(4) *The Eye in the text : Essays on Perception, Mannerist to Modern,* Princeton University Press, à paraître en 1981.

(5) Sur la description envisagée comme regard sur ce qui ne paraît pas, voir : Micheline Tison-Braun, *Poétique du paysage,* Nizet, 1980. Qu'il nous soit permis, à ce propos, d'exprimer notre reconnaissance à Micheline Tison-Braun pour l'aide qu'elle a apportée à la rédaction de ce texte.

ELIANE FORMENTELLI

DE LA TRAVERSEE DU MIROIR A LA MAIN TRAVERSIERE : PIERRE REVERDY ET LA PEINTURE

« Ivre de peinture comme on peut l'être d'alcool ou de vin, Dieu sait où l'on me trouverait. »

D'un autre bord

On comprendrait mal le jeu étrange de la distance et de l'intimité, cette affirmation d'une solidarité jointe à la déclinaison de tant de différences entre peinture et poésie, le choc de l'émotion à la rencontre du cubisme ou de la joie de Matisse, repris, réglés et contrôlés par la maîtrise du concept et la définition jalouse des territoires étrangers, si l'on n'entendait, sous ces discours contrariés et contradictoires, la souffrance de durer dans un corps poétique éclaté, qui fut celle de Reverdy :

« Je ne sais pas pourquoi je suis devenu un vieux poète — cela m'a toujours semblé la plus pénible des situations possibles. Jeune, j'ai toujours pensé que seule valait la destinée fulgurante des génies morts jeunes. Vieux, je continue à penser que durer en poésie est une injure à la poésie même. La poésie est une forme flamboyante de la vie. J'ai écrit ailleurs que la poésie est un art de divination, les arts plastiques des arts d'apprentissage. (...) Je dure, cependant, par lâcheté parce qu'il faut mener son destin jusqu'au bout » (1).

La révélation verticale, oraculaire et instantanée du poème barre la durée et inscrit le temps nu, face à la mort, dans la diaspora insensée des signes, et l'écartèlement des lieux symboliques du corps. Flamme ou éclair, la poésie n'atteint que le discontinu, et dans une perte continuelle. La proximité du monde et des objets, l'affrontement quotidien avec la matière — toiles, pigments, fragments du monde désorienté — réinsère le corps du peintre dans la durée positive de l'accomplissement, de la liaison des moments du temps. C'est le faire matériel, manuel, artisanal qui permet d'apprendre et, comme un défi à la mort, de proposer « un nouveau corps vivant » (2) dans ces poissons noirs que Braque ramène, visibles et irréels, d'une plongée aux abîmes du songe.

... « L'esprit du poète et du peintre, lui, est comme un immense chalut tendu sans relâche de la terre au ciel et de maille assez forte pour capter et pour retenir les plus justes, les plus grandes et les plus émouvantes images capables de venir illuminer le cœur de l'homme de leur surnaturel éclat. Un immense filet, à grandes mailles, tendu nuit et jour des profondeurs rugueuses de la terre jusqu'aux lames scintillantes à la surface la plus lumineuse du ciel » (3).

Il ne faut pas être dupe de cette parabole exemplaire, de la symétrie qui rapproche idéalement poésie et peinture, et de l'aura évangélique d'une pêche miraculeuse. C'est dans une perspective renversée de la durée et de la création que se croisent l'expérience poétique et la pratique picturale, pour ce compagnonnage idéal, sur un chalutier onirique. Ainsi le côte à côte, après le face à face défensif et réticent des langages — « Le but de la peinture après tout a toujours été, et n'a pas cessé d'être, de captiver notre œil plutôt que de délier notre langue » (4) — est-il illusoire.

Il y a, pour Reverdy, comme une horizontalité du désir plastique, qui garde ses objets à portée de la main, dans un corps à corps somme toute terrestre, quoique infini, avec la nature. Il y a une verticalité assomptionnelle du désir du poète, dans la chasse à l'étoile, ou la course au nuage...

« Les peintres ont pour eux cette inestimable chance de pouvoir saisir de la main l'objet de leur passion artistique — on possède une guitare, des dominos, les dés du jeu, la main s'attarde délicieusement au col d'une bouteille. On n'arrêtera jamais une étoile, comme un bijou, au bout des doigts et l'on ne pourra même pas embrasser son ombre fidèle ni donner des claques amicales sur la figure radieuse et sympathique du soleil.

De là une différence dans nos âmes à laquelle il ne faut pas toucher » (5).

Peut-être la peinture n'est-elle, ou le tableau, que ce lieu d'intercession qui permet, grâce à la médiation plastique de Juan Gris, ou Braque, ou Matisse, de toucher le monde du doigt. Toute une rêverie de Pierre Reverdy tourne autour de la main du peintre — ces œuvres « que j'ai vu naître de leurs mains » et qui récusent toute parole, il suffirait « de les aimer, de les comprendre dans le sens le plus simple et le plus direct du mot, comme avec la main » (6). Une main qui, hors de toute imitation, transmue le réel en langage, sans cesser de le toucher, de le saisir, de le flatter. Dans les métonymies folles du désir, c'est là le rêve d'un langage amoureux qui ne brûlerait pas ses objets d'amour. Qui les caserait, sans les casser (6), par la caresse, dans l'accord enfin accompli d'une langue et d'un lieu. De l'œil à la main se joue la peinture, et le regard du poète. Du poète au peintre, ou du peintre au poète, a lieu un échange incertain, pourtant sûr, comme de la main à la main. On tentera ici de le suivre dans ses détours, mais d'abord de le saisir au point de son retour, dans des textes critiques tardifs. Ecouter d'abord la répercussion pour tenter de remonter plus haut.

Le musée Grévin.

« Vous connaissez mieux que moi les *Joueurs de cartes* de Cézanne. Eh bien ces trois ou quatre paysans qui sont là immobiles — qui ne parlent pas, qui ne fument pas — qui ne rient ni ne crient — ces cartes qui ne tombent pas, si je fais un pas de plus je pense au musée Grévin » (7).

Ce pas de plus arrache à la fascination hypnotique devant la scène scellée dans le silence et l'immobilité, bouches closes déjà par la cire d'un masque mortuaire. Un pas de moins et le regard capturé courrait du récit à l'anecdote, et de la reconnaissance à l'histoire. Glisserait au licol des significations. Plutôt qu'identifier un monde et une image si semblables à lui, si proches de lui — paysans, bistrot, jeu de cartes —, Reverdy fuit ce murmure insistant de la ressemblance, sa séduction. S'il est injuste avec Cézanne, si l'image lui cache ici le tableau, c'est faute de consentir à s'y reconnaître. A la scène, immobile, imagée, imaginaire, Reverdy préfèrera toujours le jeu des mains et la substitution des signes. C'est moins à Cézanne qu'il en a peut-être, qu'à son propre corps, qu'à sa propre image, qu'il ne peut ni retrouver dans le reflet ni assumer dans la parole. Masse opaque qui repousse le geste, le regard, la parole : « Car il est bien évident que la masse du corps, sans l'âme, ce n'est rien. Rien de bien appétissant en somme et plutôt assez mou. Un portrait, même sous les mains, ce n'est plus qu'une tête et dans une tête ce qui reste, ôtés les yeux, un assez humiliant rappel de la tête du veau, ma foi, quoi qu'on en dise » (8). Sans céder toujours à ce masochisme charcutier, qui récuse ainsi, par la nausée, toute oralité du regard, comme tout plaisir ou toute complaisance à l'échange des corps et des regards, tout amour de la chair ou toute jouissance de l'incarnation, le corps fait mal, toujours. Masse, poids, boulet. C'est lui qui enchaîne, entraîne, enterre. Il pèse sans équilibrer — « Jeune homme, tu as perdu ton centre » (9), tu n'as plus que la gravité —. La « gravité » interdit, en étayant l'écrasement intime d'une justification métaphysique, de danser, de se reconnaître comme de se parler. « Et surtout ne te reconnais jamais toi-même » finit par transformer en devoir, et donc en mérite, l'égarement intérieur d'autrefois : « Où sont mes papiers et mon identité vieillie et la date de ma naissance imprécise ? Et d'ailleurs, suis-je encore celui de la dernière fois ? » (10)

Dans cette question aux résonances si modernes — on croirait entendre Lacan — il faut saisir la position de Pierre Reverdy face au cubisme, au problème de la représentation plastique, à la mort de la mimèsis dans la peinture. Et non dans le retour, le rappel, la variation de toutes les espèces du miroir, reflets, réflexions, vitres, flaques de verre ou portraits. Toutes fausses portes (11). Qui achoppent sur cette résistance à la position narcissique, où le sujet fuit toute forme de reconnaissance. Aussi n'est-il pas étonnant de voir ces joueurs de cartes, qui par l'amour du jeu, le bistrot méditerranéen et jusqu'au béret, lui ressemblent comme des frères, relégués par Reverdy au musée Grévin. Faux frères du faux semblant, qui ne peuvent être ni l'autre, ni mon semblable. Mais c'est pour voir, à côté de la lettre intime adressée à Braque, resurgir dans le texte officiel d' « Une aventure méthodique », l'image de la carte comme structure libre du corps humain :

« J'imaginerais volontiers, pour ma part, ces mêmes corps constitués chacun à la manière de ces jeux de cartes que manipulent avec une si prodigieuse dextérité les plus habiles prestidigitateurs entre les mains de qui nous les voyons prendre, dans une fascinante liberté, les formes les plus surprenantes — déployés jusqu'aux plus extrêmes limites, puis ramenés à rien — escamotés — de nouveaux ressortis en arcs prestigieux, impalpables jets de facettes, éventails, accordéons sans fin, étincellement de paillettes. Sans doute, l'esprit souffle où il veut — c'est entendu — mais le corps, lui, ne souffle qu'où il peut et de là résultent, la plupart du temps, les inconvénients les plus graves » (12).

Réduire ainsi le corps à un jeu libre, indéfini, jouir de l'enchaînement des séries, de la combinatoire des lignes, serait accéder à une écriture de la légèreté, aérienne, aisée, dansante. Heureuse. C'est échapper à la fascination mortifère du miroir gelé de la représentation massive, close sur les contours, aveuglant l'élan dans le choc du face à face : « Au fond de la salle une image connue se dresse. Sa main tendue va vers la sienne. Il ne voit plus rien que ça ; mais il se heurte, tout à coup, contre lui-même » (13). Mais c'est échapper aussi à la blessure des éclats et des éclairs, une fois le miroir brisé et la lumière éteinte. On sait que naturels — nuages, lacs, lunes, soleils et sources — ou artificiels — glaces, tableaux —, le principal pouvoir des miroirs est de détacher la forme de la matière, le modèle de la reproduction, du corps le reflet, l'ombre de l'homme et — si la mort est aussi un miroir — l'âme du corps. Le cubisme serait alors de l'autre côté du miroir. Au-delà du miroir. Et le peintre cubiste, Juan Gris, Pablo Picasso et même Matisse, tels Dionysos au miroir, ne s'arrêteraient un moment au seuil de l'image, du reflet, que pour les traverser, se diviser, se répandre dans l'univers et le féconder. Au démembrement du corps poétique — « Pas de corps » — correspondrait donc l'embrasement multiple et l'ensemencement du cosmos par le peintre (14). Si le mythe, celui d'Orphée comme celui de

Dionysos sont absents — anecdote, histoire, mémoire — de la pensée de Reverdy, l'ivresse devant la peinture est bien là : « Ivre de peinture comme on peut l'être d'alcool et de vin, Dieu sait où l'on me trouverait » (15). Et si Braque est avant tout un aventurier méthodique, l'épopée du travail de Picasso, « à l'œil de lumière et de nuit », est bien évoquée en termes dionysiaques.

Langages et structures.

Il existe une tension, dans les textes de Pierre Reverdy sur la peinture, de 1917 aux années 50, entre un geste de coupure du monde et la caresse d'un espace cosmique, naturel, proxémique, du tableau. D'un côté, c'est l'analyse structurale, en termes quasiment saussuriens, d'un « langage cubiste ; de l'autre, le vœu d'un espace du lien. Le geste de coupure isole la peinture cubiste du rapport immédiat au monde de la nature. Il n'est pas différent du tranchant de la pensée saussurienne constituant la langue comme un système de signes. « Le cubisme est un art éminemment plastique ; mais un art de création et non de reproduction ou d'interprétation » (16). Le cubisme, pour reformer l'objet, le reformule en « termes », en « éléments », en signes. Liés entre eux par des « rapports », des relations, des renvois, l'ensemble des signes que constitue le tableau est une « construction », une conception et fonde un langage homologue au langage poétique :

« Dégager, pour créer, les rapports que les choses ont entre elles, pour les rapprocher, a été de tous temps le propre de la poésie. Les peintres ont appliqué ce moyen aux objets et, au lieu de les représenter, se sont servis de rapports qu'ils découvraient entre eux... » (17). « Il s'agit seulement d'une figuration dans l'espace sans l'aide de la perspective ; de l'utilisation de la matière sans l'atmosphère qui l'enveloppe, et au total d'une création à l'aide d'objets reformés et conçus par l'esprit, d'une œuvre qui est le résultat d'une émotion au lieu d'en être la répétition... » (17). Toujours l'émotion, à la source. Mais aussi cette affirmation : « La logique d'une œuvre d'art c'est sa structure » (18). Même la couleur, trop liée au charme des apparences, de la matière, de « l'atmosphère » est traitée en termes de langage — après dédain : « Ici, on s'occupa d'abord de bien autre chose que de couleur et ce fut pourtant toujours de la peinture » (19). Découvrir le noir comme couleur, c'est trouver en peinture « l'équivalent de la phrase négative en poésie », puissance « d'expression sourde » (20), battement actif de la négativité dans l'épiphanie du tableau. Reconnue enfin, vers 1917, comme matière et corps, la couleur « signe de plus d'assurance et de santé, de force et de croissance, la couleur sans reflet, la couleur strictement scellée dans les fibres de la matière » (21) est toutefois soumise à la régence du dessin, ligne ou écriture : « Or, ce levain de l'esprit, en peinture, il semble bien que ce soit le dessin qui l'apporte et qui soulève la matière, constituée dans cette alliance par la couleur » (22). Et de citer Henri Matisse écrivain, et non peintre, aux prises avec « la page », « l'écriture », le trait (22).

Plus Reverdy approfondit sa réflexion sur le cubisme, plus il en fait un langage : « Les éléments du vocabulaire les plus essentiels se libèrent. 1911, 12, 13 (...) Les termes clairs sont isolés du grognement animal informe, les mots nouveaux sont détachés, la ligne des objets de la nouvelle langue se précise. » Paradoxalement, le rôle de « l'image » n'est plus de refléter le réel au miroir du tableau, mais de jouer le jeu des rapports entre les objets, les choses, les êtres. Elle n'imite, ni ne reproduit la nature. Hors de la ressemblance, et par le travail de « dénaturation » qu'opère le langage, c'est l'image qui, dans son battement contradictoire, opère une rupture, un arrachement au monde et instaure un espace de la liaison, de la rencontre. « La nature n'existe pas » (23). C'est l'image qui l'imagine, donc la crée. La retrouve peut-être aussi, mystérieusement. Les poissons noirs de Braque sont cette conjonction d'un objet modeste (que la mer, nourricière et affirmative, porterait « naturellement » jusqu'à la table du tableau) avec la sourde tranchée perturbatrice du noir, de la couleur, des songes et des ténèbres. Lien pourtant, au cœur même de la disjonction que tisse la couleur arbitraire, lancée à l'assaut du signifiant hors de portée.

De l'esprit, Reverdy a écrit qu'il était une arme défensive. Toute sa théorie du cubisme relève de cette stratégie défensive, où la rigueur ascétique du concept et le tranchant d'affirmations ou d'analyses que ne renierait pas la sémiologie moderne (24) le disputent à l'éclair cuisant du fantasme, ou, plus rarement, à l'abandon heureux du moment. Ici, la superposition de la volonté de maîtrise analytique croise, dans la métaphore, un scalpel inquiétant : « Mais tâchons d'amplifier les membres et de détacher clairement la partie avouable de l'animal » (25). Juste après l'accord constaté, chez Juan Gris : « Il aime par-dessous tout, sans doute, les objets. Cet amour plastique des yeux est tout près de celui de la main » (26).

La voix se tait.

Ainsi, derrière l'implacable, rigoureuse et ascétique construction théorique qui défend la peinture, c'est un désir d'unité des territoires du corps qui parle : accord de l'œil et de la main, du geste et du tableau. Mais dans le mutisme de la parole, la rature de la voix, le figement indiscret de l'encre. Car il s'agit là d'un regard sur la peinture. D'un grand silence et d'un recul.

Dans l'écriture poétique, l'œil et la main battent l'espace à la poursuite des objets disparus, et dans l'étranglement de la parole. Les mots poursuivent sans trêve cette articulation de l'œil et de la main qui instaurait, pour la peinture, et par un ordre des formes, un lien entre le lieu et le sujet.

Des premiers poèmes de Reverdy au dernier, *Sable mouvant,* se dit et se répète l'éclatement des pôles symboliques de l'expression :

Quand le sens des regards a manqué tout le jour
Si le cœur est trop loin des mots qui se comprennent
Comment pour revenir prendre un nouveau détour
Parler
dans le froid blanc où s'arrêtent les ailes (27)

« L'apprentissage » du métier et du temps, que Reverdy envie à la peinture, est enrayé par la nécessité de la profération orale, d'une prise de parole toujours due à l'instant : in-stans, qui ne *tient* pas, ne dure pas. Elle impose au poète, à chaque fois, comme une douloureuse, une difficile naissance :

Mais tout avait craqué

La terre était fendue
Comme une énorme bouche
Une immonde crevasse aux lèvres boursouflées

Et

Arrêté entre les amygdales
D'un monstrueux gosier

j'étais coincé

Le vent se tait

La voix se tait

Cette voix sans timbre
Sans couleur
Sans aucune vibration d'aucune sorte
Ces mots qui n'ont ni forme ni saveur
Comme les fruits les plus exquis sur une langue sans papilles
Et qui viennent pourtant
Inscrire en mon esprit
Les signes lumineux
Obsédants et précis
Comme les inscriptions sacrées
En langues mortes (28)

Organes douloureux de la phonation, la langue, les lèvres, la gorge, la bouche, anesthésient tous les plaisirs, goûter, chanter, bouger. Le fantasme évident d'un sexe-piège retourne et gèle le spasme intime de la glotte en géante, en monstrueuse prison. La langue sans papilles ne peut sentir la parole. Sans voix, ni son, ni musique, les mots sacrifient sensualité et sexualité pour s'inscrire, muets, dans une langue déjà morte.

Elle est *littéralement* impossible à avaler, cette naissance de la parole, étranglée au conduit étroit de monstrueuses glandes, amygdales animales, et qui gardent un temple forclos où tressaillent encore le jeu, la vibration, le timbre, — espace où s'ébattraient les cordes et les corps, jardin où prendre langue et même des racines, voûte où s'envoûterait la résonance, et ses retours. La naissance asphyxiée au gosier de la terre se répètera toujours dans le coincement, l'étouffement, l'interdit de la voix. La terre terrifiante y retourne comme un gant le fantasme : elle manque sous le pied, mais contraint le corps dans des gorges où s'étrangle la gorge, défaille comme territoire en ce défilé et, dans l'écroulement interne, ce « craquement qu'on n'entend pas » vient tympaniser les « oreilles perdues ». « Je crois qu'on n'a jamais vu, dans mes poèmes, que la terre n'a jamais été solide sous mes pieds — elle chavire, je la sens chavirer, sombrer, s'effondrer en moi-même » (29). Au peintre Matisse, le bien assis, — avec « l'orientation au bonheur » —, le don de l'installation, la multiplication, la possession terrestre. « On est d'autant plus solidement enraciné sur la terre qu'on peut y poser et reposer à la fois ses pieds en plusieurs endroits préférés » (30). Terre terrier. Se terrer. Terre et se taire. Où naître (n'être) et enterrer. « Terre. Terreur » (31). Où naufrage le poème dans l'apnée. Le signifiant solide de la terre s'y désagrège dans l'effritement de la lettre.

Si Pierre-sans-terre s'est tellement acharné à constituer le regard sur la peinture moderne (la seule dont il ait parlé) en langage, en structure, en logique, c'est qu'elle lui permet de concevoir, hors de toute profération orale, les moyens d'accès à un ordre symbolique du *lieu*. Louer Braque, donc, de « lier les objets — et les relier plus intimement à moi sur un même lieu » (32). Lieu où appuyer et apaiser un regard libéré de l'empoissement imagier comme de l'urgence de la diction et du lyrisme. Hors de l'hypnose spéculaire du tableau, qui arrête, loin du fleuve radiophonique des voix, qui passent (33). La peinture moderne, par l'accès au lieu et au langage symboliques soutient donc le départ du langage poétique vers les territoires de l'œil — « La poésie lyrique est morte dans une interminable agonie depuis l'invention de la typographie » —, puis elle accompagne, dans le silence vocal, la reconquête de la main comme outil. Pierre Reverdy y retrouvera, avec les lapsus, les écarts et les égards de la lettre autographe, dans l'humilité du copiste, quelque chose comme un écho. Une voix réfléchie :

« Ce qui compte dans une émotion esthétique, ce n'est pas seulement le choc ou l'effet de surprise, c'est la répercussion, l'épanouissement, le déploiement et peut-être même surtout le retour des ondes » (34).

Si la poésie est art de « divination », si le poète est contraint malgré lui à « durer », Pierre Reverdy, face aux trouvailles dionysiaques de la peinture, volera deux fois. Le jeune augure des *Ardoises du toit*, invente, malgré les mots, un « langage d'espace » (35), tandis qu'au poète vieilli, les ruses d'une main traversière révèleront, dans les livres autographes de la fin, un dernier accord de l'œil et de la main.

« *Un langage d'espace* ».

On sent bien jouer un désir du tableau, dans l'exigence optique des poèmes arrêtés, comme en suspens, des *Ardoises du toit* (36). Mais le désir est manque et ne se meut que dans la négativité active de l'objet, du réel, de la scène, du cadre de la page où il conduit et capture le regard. Il refuse le rêve idéogrammatique d'une langue naturelle, d'une motivation visuelle où se ressourceraient les signes abstraits de l'écriture, comme le dessein d'un dessin du poème qui mimerait l'objet plastique. Il est à l'opposé du projet d'Apollinaire, qui referme le langage sur un espace de la figuration, sur des objets qu'un croisement associe et hallucine, certes, dans le collage de la cravate et de la montre, du cœur couronné et du miroir, mais qui tendent — excepté peut-être la *Lettre-Océan*, où l'onde de la voix et la vibration des ondes font éclater toute forme d'espace et de langage spéculaires — à fermer la courbe, à établir un peu du fond et de la forme, à clore le contour sur la pâture d'un objet de reconnaissance, et donc à proposer à l'œil et à l'esprit des proies — fussent-elles déceptives — au lieu de l'ombre de l'espace. Il est tout autant le négatif du tableau cubiste puisqu'il fait jouer en sens exactement inverse le lexique et la syntaxe : le tableau cubiste organisait par la syntaxe des éléments, des signes, des couleurs, des matières. Le poème de Reverdy, ici, efface l'ordre de la syntaxe par la typographie, pour privilégier un lexique arbitraire. La syn-opsis prend, dans l'évidence déréalisante du blanc, du vide, du rien, la place de l'entrelacs de la syn-taxis (37). Une montre visuelle et simultanée d'un blanc éblouissant, et non « l'alambiquage » de Mallarmé, ou la compression temporelle des moments et des points de vue sur l'objet qu'opère la syntaxe cubiste. A la limite, pour produire un « poème cubiste », il faudrait superposer plusieurs « ardoises » : le sens s'y perdrait, comme le jeu incisif du trait et du blanc, de la ligne et de l'espace, du dire et du voir.

Un « langage d'espace », écrit François Chapon. La lecture du poème nous le fait parfois traverser sans le voir.

C'est d'abord l'espace d'un livre, qui joue avec celui de la page, le renouvelle, le varie, l'efface et le recrée indéfiniment dans le feuilletement d'une lecture-rupture. La dynamique du recueil est celle d'une lecture entraînée, mais non pas enchaînée. Infiniment variée et fragmentée par chaque page, elle s'abîme dans le vide, s'y ressource, y meurt pour en renaître. Non pas linéaire, mais brisée aux éclats de chaque page, réfléchit ici, renvoyée ailleurs, elle relève du multiple et du divers. Elle ignore la pagination, donc l'ordre et le sens de lecture, elle ne dénombre pas, ne regroupe pas, n'organise pas. Elle bat les cartes.

La page arrête ce jeu de la combinatoire et propose des stations, des parcours, des retours. Après l'échappée-belle de la lecture feuilletée et son intervention en ordre dispersé, la page impose son ordre, ses formes, son langage et son espace. Entre les masses visuelles des corps et des lignes s'instaurent un équilibre ou des tensions. Au-dessous du titre, le poème s'organise selon un axe vertical, dans le jeu d'une symétrie gauche/droite. Mais *Fausse porte ou Portrait* l'inverse dans la symétrie horizontale. Un jeu de reflet, autour du profil perdu — « Le profil perdu d'un autre — rabat le poème sur lui-même dans l'écho « place » / « glace » et la reprise du vers « Entre quatre lignes » (vers 2 et 13). *Manchette* superpose à cet axe une croisée diagonale, où l'œil bascule, perd le sens de lecture, se laisse divertir et séduire par ces ambiguïtés de l'exploration...

L'espace ainsi suscité joue du noir et du blanc, du trait et du vide, du dire et du rien. Il permet à une main joueuse toutes les données, toutes les tombées possibles. Toutes les « mains ». Mais il interdit au regard cette étreinte narcissique où, par la reconnaissance ou la réflexion, celui-ci réussit à se retourner sur lui-même, pour se lover en soi.

Ne pas ramener l'œil au retour de la main occidentale à gauche où se ressource l'écriture. Ne pas toujours suivre la chute des signes sous le titre, ou l'escalier des ardoises. Maintenir les silences du blanc où la page laisse, par places, ouvert le poème sur l'espace cosmique. Accepter l'appui ici d'un détachement minuscule, le choc ailleurs d'un isolement insulaire, le vide ici. Comme au jardin zen, ou dans telle toile de Sam Francis, le vide meut non seulement les signes, mais leur espace, de sa vivante activité.

Espace de la croisée et non signe du croisement ou signe de la croix. Il ne saurait correspondre à un symbole visuel, dont la muette présence renverrait à une diction invisible, qui ferait du livre et du poème la réécriture ou le déchiffrement du cosmos. Même le recours au texte lui-même lorsqu'il convoque le lecteur dans son espace, ne saurait orienter, indiquer, entraîner l'interprétation dans ce sens. Un arrêt de lecture au *Carrefour* des *Ardoises du toit* ne permet aucune saisie, aucun itinéraire :

Ma main déçue
N'attrape rien
Enfin tout seul on a vécu
Le dernier matin

Pas un nom indiquant quel était le chemin

Et la *Course,* du même recueil, ne trouve pas de terme, de support, de repère :

La terre pleine de trous
Le ciel limpide
Et l'horizon n'existe pas

Espace de la croisée et du creusement, il n'a pas de bords, ne définit pas un territoire, n'ouvre pas de chemins, ne s'accroche à la limite d'aucun horizon, ne circonscrit pas de formes. Il marque de grandes incisions, impose des traits ou des tracés — des lignes rectilignes, qui ne s'attendrissent jamais dans la courbe —. Il renverse le battement fond/forme et noir/blanc, il propose des épiphanies visuelles qui minent les flottements du regard et de la lecture, empêchés de saisir des « images ». Espage de la trace, de l'entaille, de la blessure. Incisée par la croisée verticale et horizontale, la page n'est pas bordée d'un cadre, mais suscite, dans les débordements du blanc, l'espace le plus ouvert. C'est du poète, de Reverdy lui-même aussi, que Jacques Dupin écrit : « Il maintient l'espace ouvert. » Espace d'ouverture mais non de dissolution, car le geste de la tenue — l'effort de maintenir — s'oppose à la fois à la clôture externe et à l'évidement intérieur. La croisée inscrit sur la page du poème, déjà figure de rassemblement et de protection, les grands sillons d'un tracé inégal, linéaire ici, alinéa ailleurs. Les aléas de l'ordre optique enrayent le passage du sens, le glissement vers le récit, la description ou même l'évocation, pour admettre une lecture hésitante, moins sûre de ses proies et de ses prises, mais plus libre de son ordre et de son orientation. Le tracé et la ligne réussissent ici à limiter sans emprisonner. Ils s'opposent à ceux qu'évoquait le poème en prose *Traits et figures :* « mais dans la ville où le dessin nous emprisonne, l'arc de cercle du porche, les carrés des fenêtres, les losanges des toits.

Des lignes, rien que des lignes, pour la commodité des bâtisses humaines.

Dans ma tête, des lignes, rien que des lignes ; si je pouvais y mettre un peu d'ordre seulement » (38).

Ici se propose un espace qui n'est pas celui de l'abri (rêve du bâtir humain) et récuse le simulacre, comme le périgraphe d'une forme-clôture. Celle dont Apollinaire se sert pour captiver, capturer, puis piéger le regard par l'association incongrue d'objets défiant toute proposition, comme toute raison iconique, ou par le double fond d'une apparence perverse, qui s'ouvre sur ce qui le nie : le nom du poète, par exemple, pris au cœur et au gel du miroir.

Proche de l'espace iconoclaste de Malevitch, il instaure, blanc et seulement marqué de croisées et de traits, l'espace pur de la poésie du retrait. Ainsi joue ce « langage d'espace » qui meut les mots sans les limiter, mais les enveloppe, les baigne, les fait basculer dans l'indécision et l'ambiguïté de la montre visuelle, les attise de chocs inattendus. Langage d'espace et non de l'espace. L'espace n'y parle pas, ne s'y écrit pas, mais s'y inscrit. Il ne se dépose pas sur la page comme le cerne ou la limite du territoire, il violente l'ordre de la limite, de la discrétion et de l'espacement régulier, celui de la langue. Il pèse sur les mots, en les ajourant, en les aérant.

C'est donc en inversant le courant de la lecture,

qui traverse sans les voir les mots de la page, c'est en dédaignant la course aux significations, à l'interprétation, que se met en place et devient visible ce langage d'espace, que Reverdy plus tard renie.

Il est pourtant profondément original dans son ouverture. Proche de la pensée orientale, par la place accordée au vide et par l'effacement de l'énonciation, toujours moins grave pour des langues sans « pronoms » et une société qui ne valorise pas, comme nous, l'individu. Que personne ne parle dans le poème, l'écriture poétique chinoise y voit, elle, le moyen de s'ouvrir au cosmos, en éliminant les marques, le tracé, l'index du sujet dans la langue (39). On a souvent fait glisser vers le vide, le blanc, le rien, cet espace déserté de la surcharge de signes où l'Occident plaide sa redondance. On y a vu le symbole ou le signal de l'absence, l'abandon du réel, la menace de l'aphasie, quand il permet peut-être un langage poétique en sourdine, comme en recel. Et un espace de dessaisissement.

De l'écriture poétique chinoise, François Cheng décrit certains aspects étrangement proches de la poésie de Reverdy, de cette énonciation blanche où s'abstrait le poète : « En s'effaçant, ou en faisant « sous-entendre » sa présence, le sujet intériorise les éléments extérieurs » (40). La carence de marques de l'énonciation irait donc dans le même sens que l'espace de la croisée. Vers l'ouverture. Ouverture non pas sur l'infini, mais au plus près, sur le cosmos. Quand un poète aujourd'hui, André du Bouchet ou Jacques Dupin, lit Reverdy, sa lecture en est aimantée :

« Le poète, c'est-à-dire personne, devant le mur qui nous arrête, et qu'il traverse, continue d'écrire sur le sable et la poussière... Moins il a à donner, plus il donne. Il maintient l'espace ouvert » (41).

***

La main, ici, propose donc, et dispose (42). A la recherche d'un nouvel être-ensemble du langage et de l'espace. La tendance à l'espacement domine, qu'avive le préfixe dis - que pousse et relance le vent du poème. En laissant à l'œil la mission de rassemblement du noir et du blanc, de la ligne et du bloc, de l'espace et de la lettre, la main articule ou ponctue tour à tour l'espace et le langage, mais espace le langage. Et c'est à l'œil de lire, de cueillir, de construire pour lui un lieu où résider.

Jeu qui s'inverse dans les grands livres autographes de la fin. La main alors recueille, file, devance l'œil. En copiant, elle trouve ou retrouve ses lettres. La main y traverse autrement le langage et l'espace. Elle tisse de nouveaux rapports avec une unité, qui n'est plus la page, débordée par l'enchevêtrement manuscrit, ni la ligne, ni le poème peut-être... Elle va de la lettre insulaire au livre, que manipulent ici deux mains, celle du peintre et celle du poète. De la main à la main, dans ce lieu si hautement marqué du livre, la création repart. Le livre « illustré » d'autrefois échange sa lumière contre l'activité vivante d'une main en proie à nouveau à la page, à l'espace, aux images (43). A soi-même aussi. Les livres « autographes » ouvrent à Reverdy, avec l'humilité du copiste, la possibilité de s'écrire comme dans le texte d'un autre. Fût-il encore de lui, une fois remanié, retranscrit, calligraphié, le texte d'autrefois propose au poète comme un miroir de l'autre.

La main traversière (44).

> *Une vie sans revers*
> *Un revers sans médaille*
> *Un cœur où tous les mots*
> *ont inscrit leur entaille*

Et la plume enrayée
circule comme un ver
sur la brique Pierre de taille (45)

Poème gravé au poinçon sur de la brique cuite.

Typographier, calligraphier, lithographier, Pierre Reverdy a fini par écrire son nom tout entier sur la terre. La main de l'artisan retrouve l'outil des pères, des sculpteurs. L'enfance aussi remonte dans la main pour copier. Main traversière, elle entraîne à nouveau le poète à retraverser le miroir vide de la page, envahi du gel de la mort, qui glace toute inspiration. Indirectement, la main retrouve le bord à bord avec les peintres pour de grands livres où, sous couvert de copie, cette main traversière renoue avec l'écriture et laisse l'initiative à la lettre autographe. *Le Chant des morts* et *Au Soleil du plafond, La Liberté des mers* ressuscitent la rencontre avec l'embrasement dionysiaque du monde, mais surtout révèlent l'écriture de Reverdy. La main y renoue les fils du langage, brouille les poèmes dans un fondu qui les enchaîne, les arrache à leur isolement insulaire, les rapproche, les mêle.

Au Soleil du plafond (46) : c'est peut-être l'absence de Juan Gris, la rupture du parallélisme prévu entre la gouache et le poème en prose, qui permettent l'initiative de la main. Les vingt poèmes devaient jouxter vingt gouaches, dont onze seulement jalonnent le livre enfin réalisé, après plus de trente ans de retard. Prévus d'abord pour soutenir le tableau, comme dans la *Nature morte au poème* (1915) (47), ils sont bientôt confrontés à un vis-à-vis impossible. Ce manque visuel libère le livre de l'illustration, comme de la transposition. Paradoxalement, le silence plastique laisse remonter la voix et ses musiques, dans les poèmes en prose *Papier à musique et chanson, Guitare, Musicien.* « Dans le cercle des voix » *(Le Moulin à café),* « la voix monte » *(La Pipe)...* Est-ce le musicien, le peintre ou le poète qui écrit : « J'entends courir les signes plus vite que les yeux » ou « Entre le fil qui coule et le trait lumineux les mots n'ont plus de sens » ?

Ainsi l'espace claustral de *Au Soleil du plafond* (48) (d'abord nommé *Entre les quatre murs et sur la table)* vacille-t-il lui aussi, hors cadre, hors face à face. Et malgré la correspondance des titres des poèmes *(Violon, La Lampe, Compotier)* et des objets des lithographies, les quatre murs s'écartent.

Mais alors, la main a l'initiative : en copiant le poème de jadis, elle le remanie, ou le manie. Elle trouve, aujourd'hui, le format de la lithographie, celui du livre, pour s'y déployer. L'écriture déborde le cadre, feuillette les pages, remplace, lorsqu'elle manque, l'image absente, devenue cet objet perdu dont la recherche meut la poésie. La défaillance plastique ici relance la poésie dans sa fonction de remplacement.

Le Chant des morts, loin de toute illustration, partage les grandes tâches de la mort entre peintre et poète : Picasso enlumine de signes et de sang l'écriture de la mort « entêtée » où s'obstine Reverdy. « En tous cas, je n'aurais jamais voulu puiser l'encre de ce que j'écris dans un encrier ; à défaut de sang — pas assez fort, mon cher — peut-être la sève d'un arbre... » (49) écrivit à Rousselot ce dernier. Ici :

La source de sang qui s'évente qui s'évente
Quand la blessure au ventre ventre
Ecoule son trésor aux franges du ruisseau

C'est donc Picasso qui la transmue en un gai et féroce vermillon. Jouant des variations de la ligne et du point, Picasso invente une variété infinie de signes, de soulignements, d'en-saignements. Il pointe, marque, rassemble la page sans jamais la clôturer, il laisse vierge celle-là, balafre cette autre, oppose ou réunit celles qui se font face. Plume noire contre pinceau rouge et ivre, un sang heureux rythme de ses battements et de ses ponctuations le ressassement sourd de « la mort vorace », ses ratures et ses bavures. Ce n'est pas la couleur qui bave ici, c'est la lettre. Le titre disparaît, les poèmes se fondent, se brouillent, se mêlent. Un « chant » naît.

Effacer étouffer l'image
le souvenir le bruit
Ne plus rien entendre
Ni voir

est un vœu que réalise :

La main tordue à l'ancre
Et l'encre de l'esprit
Résine sans couleur
Sur la pente du front
Que ride ton sourire
Au fond des yeux sans ciel
Préface de la mort

Pourquoi Reverdy — dont le manuscrit de *Sable mouvant* livrera la dernière écriture, toujours bousculée entre droite et gauche par un clinamen, avec des o, des a, des g incapables de se fermer — pourquoi change-t-il d'écriture pour *La Liberté des mers* ? Son écriture y devient ronde, énorme, grasse, enfantine. Certains titres semblent calligraphiés au pinceau (50). L'énormité de la lettre isole tel mot (« aveuglante » comble ainsi une ligne), coupe tel autre à mi-corps, arrêtant le sens. Régulière, elle poursuit une course penchée à droite. Pourquoi cette différence autographique ? Le format est géant, la page s'agrandit au format de la tombe, lourde pierre où le nom s'écrit dans la mort. Les textes ne sont pas inédits, et la main traversière régresse jusqu'à copier le modèle d'écriture à l'école. Le t s'impose à toute la variété des lettres où rate la copie, où l'enfance retrouvée fait vaciller l'autorité du trait et celle du modèle. Raide, hautain, calligraphié avee une régularité implacable, il raye du tranchant de sa croix la rondeur et la naïveté de la graphie. Forêt de croix sur la page de pierre, il s'isole ici, à l'arrêt, comme symbole où se dissémine le texte dans la lettre, plus parlant, et moins discret que Braque :

« Attaché au chevet de la mort, le temps retient son souffle sans rien dire ».

Le livre immense, lourd, pèse le poids d'une pierre tombale. Et la main, guidée par la peinture, retrouve, en les inscrivant, en les entaillant, en les enrayant, les signes et les sons, les rebonds, les échos que le jeune augure, aveuglé par l'évidence du templum de la page, ne pouvait pas entendre dans les ardoises qui « tombent », les pages qui tournent, les mots qui « tombent »... La lithographie, écriture de Pierre, inscrit ainsi le destin du copiste entre la navette de la main, la langue déjà morte et l'initiative de la lettre.

Eliane FORMENTELLI.

NOTES

(1) *Cette émotion appelée poésie*, lettre-préface à *L'Œuvre poétique de Pierre Reverdy* par Emma Stojkovic, Paris, Flammarion, 1974, p. 219-220. Cf. : « C'est que les poètes gagnent plutôt à mourir jeunes et les peintres à vivre très vieux — peut-être parce que la poésie est un art de divination, la peinture, et les arts plastiques en général, un art d'apprentissage »,*Note éternelle du présent*, Paris, Flammarion, 1973, p. 73.

(2) *Op. cit.*, p. 93.

(3) *Ibid.*, p. 93.

(4) *Ibid.*, p. 83.

(5) *Ibid.*, p. 117.

(6) *Ibid.*, p. 97. Le jeu caser/casser est de Reverdy, même texte.

(7) Lettre à Braque (1950), in *Ancres*, Editions Maeght, 1979, p. 73.

(8) *Note éternelle du présent, op. cit.*, p. 82.

(9) « La Poésie, reine du vide », *Risques et périls*, Paris, Flammarion, 1972, p. 12. Cf., aussi : « Il est peut-être profondément regrettable que le corps des hommes soit ainsi constitué d'une seule masse, somme toute assez homogène en ses parties qui se dressent d'un seul tenant, et qui, à moins d'accident grave, se maintiennent dans cette unité tout le temps qui les mène de la naissance jusqu'à la mort », *Note éternelle du présent, op. cit.*, p. 41.

(10) *Civil, Plupart du temps*, Paris, Flammarion, 1967, p. 35. Voir aussi *Note éternelle du présent, op. cit.*, p. 83.

(11) *Fausse porte ou Portrait* est le titre d'un poème des *Ardoises du toit*. Sur le débat autour du portrait, voir Etienne-Alain Hubert, *Pierre Reverdy et le cubisme en mars 1917, Revue de l'art*, Paris, 1979.

(12) *Une aventure méthodique, op. cit.*, p. 41-42.

(13) *Face à face, Plupart du temps*, p. 50.

(14) Sur cette opposition de Narcisse et de Bacchus, voir Hubert Damisch : ... « Narcisse s'opposant alors à Bacchus, comme celui qui s'enclôt dans l'unité imaginaire qu'il forme avec son double spéculaire au lieu que Bacchus profite de ce dédoublement pour « se répandre » et donner symboliquement naissance à la multiplicité... ». « D'un Narcisse l'autre », *Nouvelle revu ede psychanalyse, Narcisses*, n° 13, printemps 1976, p. 141.

(15) *Une aventure méthodique, op. cit.*, p. 43.

(16) *Nord-Sud, Sur le cubisme*, Flammarion, Paris, 1975, p. 17.

(17) *Le cubisme, poésie plastique, ibid.*, p. 144, 145, 146.

(18) *Ibid.*, p. 108.

(19) *Note éternelle, Juan Gris, op. cit.*, p. 117.

(20) *Ibid.*, p. 122.

(21) *Ibid.*, p. 79. La santé est aussi celle de Braque, qui revient après la blessure de la guerre. Le tableau, qui *tient* devant la nature, est reproduit dans *Ancres, op. cit.*, p. 66. Cette *Nature morte*, que n'efface pas la nature vivante, redonne à Braque la force de peindre. Elle est dédicacée à Pierre Reverdy, « En souvenir de la route d'Entraygues », au dos du tableau. Je remercie Etienne-Alain Hubert de ce renseignement.

(22) *Ibid.*, p. 171.

(23) *Ibid.*, p. 48.

(24) Les analyses de Pierre Reverdy ne sont pas contradictoires avec les travaux de Pierre Dufour sur le cubisme. Cf., *La Mort de l'image dans la peinture, Critique* n° 291-292 et *Actualité du cubisme, Critique* n° 267-268.

(25) *Juan Gris, Note éternelle du présent, op. cit.*, p. 118.

(27) *Sources du vent*, Poésie, Gallimard, p. 76.

(28) *La Liberté des mers, Sable mouvant et autres poèmes*, Paris, Flammarion, 1978, p. 37 et 39.

(29) Lettre du 16 mai 1951 à Jean Rousselot, in *Lettres à Jean Rousselot*, Limoges, Rougerie, 1973, p. 31.

(30) *Matisse dans la lumière et le bonheur, Note éternelle du présent, op. cit.*, p. 187.

(31) *Le Livre de mon bord*, p. 8.

(32) Lettre à Braque, *Ancres, op. cit.*, p. 73.

(33) *Cette émotion appelée poésie*, réponse à une enquête de Jacques Charpier sur « la diction poétique », *op. cit.*, p. 249.

(34) *Ibid.*, p. 249.

(35) François Chapon, *Le mur et la mer, Derrière le miroir*, Maeght, 1963, p. 20.

(36) J'ai étudié ailleurs les poèmes de Reverdy, leur langage, les formes de l'énonciation vide, le jeu du blanc dans les *Ardoises du toit*, ainsi que le problème posé par la réécriture du texte. Voir *Pierre Reverdy : présences du blanc, figures du moins, L'espace et la lettre, Cahiers Jussieu* n° 3, 10/18, Paris, 1977.

(37) Sur les problèmes du dispositif typographique et de la syntaxe, *ibid.*, p. 271-276. Je renvoie à l'édition originale des *Ardoises du toit* non paginées, et donc aux poèmes eux-mêmes, repérables par leur titre.

(38) *Poèmes en prose*, 1915, *Plupart du temps, op. cit.*, p. 21.

(39) Voir François Cheng, *L'Ecriture poétique chinoise*, Paris, Le Seuil, 1977, et *Vide et plein*, Le Seuil, 1979.

(40) *L'Ecriture poétique chinoise, op. cit.*, p. 31.

(41) Jacques Dupin, *La Difficulté du soleil, A la rencontre de Pierre Reverdy*, Paris, Musée national d'art moderne, 1970, p. 13. Texte repris dans *Ancres*.

(42) Cf., *Nord-Sud Self Defence..., op. cit.*, p. 122-123.

... « *Je me créais une disposition dont la raison d'être purement littéraire était la nouveauté des rythmes, une indication plus claire pour la lecture, enfin une ponctuation nouvelle, l'ancienne ayant peu à peu disparu par inutilité de mes poèmes. Cette disposition répondait en même temps au besoin de remplir par l'ensemble nouveau la page qui choquait l'œil depuis que les poèmes en vers libres en avaient fait un cadre asymétriquement rempli.* »

(43) Il n'était pas question ici de traiter du livre illustré. Les peintres ont toujours été prêts à aider Reverdy pour la création de beaux livres : Braque, Gris, Picasso, Manolo, Matisse l'ont « illustré ». Il ne sera ici question que de trois grands livres autographes, *Au soleil du plafond, Le Chant des morts, La Liberté des mers,* que Reverdy écrivit, ou recopia, *de sa main.* Pour la description bibliophilique de ces livres, il faut consulter Etienne-Alain Hubert, *Bibliographie des Ecrits de Pierre Reverdy,* p. 79, 89, 96. Tirage à part du *Bullletin du bibliophile,* 1975. II. III. IV.

Quant au livre illustré lui-même, il faut se reporter aux études de François Chapon : *Livre illustré, instrument spirituel, Bulletin du bibliophile,* Paris, II, 1977, p. 170-186. *Grands illustrés modernes : précurseurs, ibid.,* I., II., 1978, p. 38-62 et p. 183-196.

(44) Cette formule m'est suggérée par Jean Rousselot évoquant une « solution traversière » pour reproduire des textes que Reverdy, faute de l'accord des éditeurs, recopia à la main, *op. cit.,* p. 18, note 6, et par le beau titre du livre récent de Mary-Ann Caws : *La Main de Pierre Reverdy,* Droz, 1980.

(45) Poème gravé sur une tablette de terre cuite de l'atelier Madoura, 1948. Coll. Ramié, Vallauris. Reproduit dans *Ancres,* p. 131.

(46) Publié en 1955 par Tériade, on sait que ce livre remonte à un projet de 1917. Sur l'histoire du livre et sa description, voir Etienne-Alain Hubert, *op. cit.,* et *Note éternelle du présent,* p. 260-270. Bien qu'il soit postérieur, par sa date de publication, au *Chant des morts,* il est donc bien antérieur, pour son contenu, aux autres grands livres autographes.

(47) *Nature morte au poème,* 1915, huile sur toile, Norton Simon Inc. Museeum of Art, tableau reproduit dans *Ancres,* p. 79.

(48) Voici comment Etienne-Alain Hubert commente ce titre, choisi entre quelques autres : *Profondeur du plafond, Plafond d'orage et d'oraison, Entre les quatre murs et sur la table. Au Soleil du plafond,* suggère le couvercle de ce volume intérieur dont les objets étaient évoqués par Gris dans le mystère de leur forme plastique et par Reverdy avec leur cortège d'attente, de rêve ou d'étrangeté. Et le Soleil du plafond, lampe suspendue au-dessus des choses, n'est-ce pas le regard qui plonge sur elles et organise l'espace, substituant ainsi sa propre lumière à celle du soleil extérieur qui est défié ». *Au Soleil du plafond,* Flammarion, 1980, p. 167.

(49) Lettre de mai 1951 à Jean Rousselot, *op. cit.,* p. 37.

(50) Elle est assez proche, et certains de ses effets voisins de celle que Michel Foucault décrit à propos de Magritte et du tableau « *Ceci n'est pas une pipe* » : « *Les mots ont conservé leur appartenance au dessin, et leur état de chose dessinée : de sorte que je dois les lire superposés à eux-mêmes ; ce sont des mots dessinant des mots (...). Texte en image* ».

Centre Culturel International de Cerisy

● Fondées en 1910 par Paul Desjardins, *les décades de Pontigny* ont réuni jusqu'en 1939, autour de thèmes artistiques, littéraires, philosophiques, politiques, sociaux, de nombreuses personnalités qui marquèrent leur époque. Entre autres : Bachelard, Copeau, Curtius, Gide, Groethuysen, Koyré, Malraux, Martin du Gard, Mauriac, Maurois, Saint-Exupéry, Valéry, Wells.

● C'est à *Cerisy*, dans la Manche, qu'Anne Heurgon-Desjardins reprit, après la guerre, l'œuvre de son père dès qu'elle eut restauré le château, monument historique appartenant, depuis 1974, à la Société Civile du Château de Cerisy-la-Salle. L'œuvre est maintenant poursuivie par ses deux filles qui, avec leur frère, continuent à mettre gracieusement les lieux à la disposition de l'Association des Amis de Pontigny-Cerisy.

● Association à but non lucratif créée en 1952, reconnue d'utilité publique par décret du 28 septembre 1972, l'*Association des Amis de Pontigny-Cerisy* a pour but de favoriser les échanges entre artistes, intellectuels et savants de tous pays. Elle organise chaque été au *Centre Culturel International de Cerisy* plusieurs colloques, rencontres et ateliers. De 1952 à 1981, plus d'une centaine de colloques ont été organisés et les actes d'une soixantaine d'entre eux publiés.

● Les colloques de Cerisy abordent des domaines et des points de vue d'une grande diversité. Ils étudient aussi bien la culture du passé (comme avec *la Renaissance du XIIe siècle* en 1965 et, en 1968, *le Grand Siècle russe*) que les mouvements de pensée et les pratiques artistiques actuelles (comme avec *les Chemins actuels de la critique* en 1965 et, en 1971, *le Nouveau Roman*). En outre, ils ont introduit une formule neuve de réunions organisées autour et en présence de personnalités comme Martin Heidegger et Arnold Toynbee et, plus récemment, Roland Barthes, Michel Butor, Jacques Derrida, Gilberto Freyre, Eugène Ionesco, Gabriel Marcel, Francis Ponge, Alain Robbe-Grillet, Claude Simon.

● Le *public de Cerisy* est composé en grande partie d'artistes, de chercheurs, d'enseignants, d'étudiants, mais aussi de toutes personnes désireuses *de participer ou simplement d'assister* à de libres confrontations où plus d'un aspect de la pensée d'aujourd'hui s'élabore. Il compte une forte proportion d'étrangers attirés par la culture française.

● Les activités du Centre sont statutairement réservées aux membres de l'Association des Amis de Pontigny-Cerisy.